D0440926

Zu diesem Buch

»Sabine Bode hat viele Kriegskinder zum Sprechen gebracht, das ist ein großes Verdienst. Sie macht zu Recht deutlich, dass das unverarbeitete Leid der ehemaligen Kriegskinder noch eine große gesellschaftliche Aufgabe darstellt, weil mit dem Beginn des Rentenalters die Überdeckung der Traumata durch Beruf und Arbeit endet.«

Tilmann Moser, Psychologie Heute

»Ein fundiertes Buch über ein Tabu, das über ein halbes Jahrhundert auf seine Aufarbeitung wartete.«

Welt am Sonntag

»Ein aufschlussreiches und oft anrührendes Buch.«

Focus

»Leser entdecken in den Zeugenberichten ihre eigenen Erfahrungen wieder, sind tief gerührt und empfehlen das Buch Generationsgenossen weiter.«

Frankfurter Allgemeine Sonntagszeitung

SABINE BODE

Die vergessene Generation

Die Kriegskinder brechen ihr Schweigen

MIT EINEM NACHWORT
VON LUISE REDDEMANN

KLETT-COTTA

Für Georg

Über die Autorin:
Sabine Bode, geboren 1947, war Redakteurin beim Kölner Stadt-Anzeiger. Seit 1977 lebt sie als freie Journalistin und Autorin in Köln und arbeitet überwiegend für die Kulturredaktion des Hörfunks von WDR und NDR. Weitere Bücher: »Die deutsche Krankheit – German Angst«, »Nachkriegskinder. Die 1950er Jahrgänge und ihre Soldatenväter« und »Kriegsenkel. Die Erben der vergessenen Generation«.

Klett-Cotta
www.klett-cotta.de

Printed in Germany
Umschlag: Rothfos & Gabler, Hamburg
Gesetzt aus der Minion von r&p digitale medien, Echterdingen
Gedruckt und gebunden von CPI – Clausen & Bosse, Leck
ISBN 978-3-608-94797-7

23. Auflage, 2015

Bibliographische Information der Deutschen Nationalbibliothek
Die Deutsche Nationalbibliothek verzeichnet diese Publikation in der Deutschen Nationalbibliographie; detaillierte bibliographische Daten sind im Internet über <http://dnb.d-nb.de> abrufbar.

Inhalt

EINFÜHRUNG ZUR ERWEITERTEN UND AKTUALISIERTEN AUSGABE

Die Erinnerungsarbeit einer vergessenen Generation

Erst vor wenigen Jahren ging in Deutschland eine Zeit zu Ende, in der den Angehörigen der Kriegskinderjahrgänge der Gedanke noch völlig fremd war, sie hätten als Generation ein besonderes Schicksal. Der Satz »Ich bin ein Kriegskind« fiel äußerst selten, und noch seltener sprach ihn jemand unbefangen aus.

Als dieses Buch 2004 erschien, waren die Spätfolgen des Krieges in der deutschen Bevölkerung noch nicht erforscht. Der Begriff »Trauma« wurde im Wesentlichen im Zusammenhang mit den Opfern des Nationalsozialismus genannt. Ein öffentliches Interesse am Thema »deutsche Kriegskinder« existierte nicht. Es erwachte erst im April 2005, ausgelöst durch den ersten großen Kriegskinderkongress in Frankfurt am Main. Hatten sich die öffentlichen Medien bis dahin überwiegend auf die Aufarbeitung des Nationalsozialismus konzentriert, wurden nun dem Themenkomplex »deutsche Vergangenheit« die Schrecken von Bombenkrieg und Vertreibung aus Kindersicht hinzugefügt.

An Zeitzeugen herrschte kein Mangel. Jahrzehntelang hatten die Kriegskinder ihre frühen Traumatisierungen verdrängt oder auf Abstand gehalten, doch nun war die Zeit reif, Worte für Erlebnisse zu finden, die bis dahin unaussprechbar gewesen waren. Was dabei sichtbar wurde: Natürlich hat die Begegnung mit Kriegsgewalt und Heimatverlust im späteren Leben Folgen, auch wenn die Betroffenen nicht wahrnehmen, wodurch sie untergründig gesteuert werden.

Erst jetzt, im Alter, werden sich viele dessen bewusst und fangen an, sich Fragen zu stellen. Häufig setzen sie sich damit auseinander, indem sie ihre Kindheitserinnerungen aufschreiben. Unzählige ältere Menschen sind derzeit damit beschäftigt. Viele ihrer Generation haben das Gefühl, sie *müssen* es tun, denn im Alter fällt das Verdrängen immer schwerer. Es ist daher nicht übertrieben, von einem Erinnerungsboom zu reden.

Als »Die vergessene Generation« vor sieben Jahren erschien, gab es, wie gesagt noch kein öffentliches Bewusstsein für die Thematik »Kriegskinder« und keine nennenswerte Forschung. Das ist jetzt anders. Studien kommen zum Ergebniss: 8 bis 10 Prozent der Menschen, die als Kinder Krieg und Vertreibung erlebten, sind heute – im Alter – psychisch krank. Sie leiden an einer posttraumatischen Belastungsstörung. Im Gegensatz dazu Vergleichszahlen der Schweiz: Hier sind in den Jahrgängen der Rentner und Ruheständler nur 0,7 Prozent betroffen.

Nun sind die Kriegskindheitserfahrungen sehr unterschiedlich gewesen, und unterschiedlich stark waren und sind die Folgen der frühen Verlust- und Gewalterfahrungen. So gibt es noch weitere 25 Prozent ältere Deutsche, bei denen sich die Spätfolgen zwar weniger gravierend, aber immer noch deutlich zeigen. Sie sind, wie es der Arzt und Traumaforscher Michael Ermann von der Universität München formulierte, »in ihrer psychosozialen Lebensqualität eingeschränkt«. Man kann es auch anders ausdrücken: Viele ältere Menschen sind tief verunsichert, und daher lassen sie sich nicht gern durch neue Erfahrungen, auch nicht durch neue Gedanken irritieren. Der Kontakt zur Welt der Jüngeren ist daher eingeschränkt und ihre Beziehungen sind wenig emotional. Veränderte Lebensumstände setzen sie enorm unter Stress. Weitere Auffälligkeiten sind Schwarz-Weiß-Denken und ein extrem hohes Bedürfnis nach materieller Sicherheit.

Die Forschung hat herausgefunden, dass bei Menschen, die sich nicht von ihren Traumata erholt haben, der Cortisolspiegel zu niedrig ist. Daher ihre Anfälligkeit für Stress. Luftangriffe, Tiefflieger, der Verlust von Angehörigen, Vertreibung und Hunger – dies alles hat körperliche und seelische Auswirkungen.

Man kann also sagen: Ein Drittel jener Menschen, die ihre

Kindheit oder Jugend im Krieg verbrachten – in etwa die Jahrgänge von 1930 bis 1945 –, ist noch heute von den Spätfolgen belastet. Je kleiner die Kinder waren, als die Katastrophe über sie hereinbrach, umso gravierender die Spätfolgen. In der Altersgruppe derer, die in den Vierzigerjahren geboren wurden und sich daher kaum oder gar nicht an das Kriegsgeschehen erinnern können, werden heute die größten Beeinträchtigungen sichtbar. Viele Menschen klagen über psychosomatische Beschwerden, vor allem über immer wiederkehrende Depressionen, unerklärliche Schmerzen oder Panikattacken. Da ihre Ängste nicht von Bildern der Kriegsschrecken begleitet werden und es auch in ihren Träumen keinerlei Hinweise dazu gibt, kamen sie bis vor Kurzem nicht auf die Idee, sie könnten durch Kriegserlebnisse belastet sein, und ihre Symptome blieben für die Ärzte rätselhaft. Heute hat sich in der Medizin herumgesprochen, dass ein nicht unerheblicher Teil der älteren Patienten unter Kriegstraumata leidet. Noch sind die Hilfsangebote für diese Kranken nicht ausreichend, aber es wächst die Aufmerksamkeit für die Hintergründe ihrer Beschwerden, vor allem auch in der Altenpflege.

Seit Mitte der Neunzigerjahre beschäftigt mich die Problematik der Kriegskinder. Dass ich als Journalistin über so viele Jahre von einem Thema gefesselt war, hatte ich vorher noch nicht erlebt. Ausschlaggebend für das, was später mein Lebensthema werden sollte, war ein Krieg, der Deutschland geografisch sehr nahe rückte. Anfangs sprach man noch gar nicht von einem Krieg, sondern von einem Konflikt – dem Bosnienkonflikt. Weil im Fernsehen dem Leid der Kinder viel Sendezeit gewidmet wurde, wuchsen in mir Fragen: Wie geht es eigentlich den deutschen Kriegskindern heute? Wie haben sie ihre frühen Erfahrungen mit Gewalt, Bomben, Flucht, Hunger und Tod in der Familie verkraftet? In welchem Ausmaß blieb das spätere Leben davon geprägt?

Das Verblüffende war, dass sich außer mir kaum jemand dafür zu interessieren schien. Weder die Kriegskinder selbst noch Ärzte, Psychotherapeuten, Seelsorger, Redakteure. In Deutschland, so kam es mir vor, hatte man sich stillschweigend darauf geeinigt, dass die Kinder des Krieges gut davongekommen waren.

Im Archiv des WDR fand ich dazu keine Fakten, keine Zahlen, keine nennenswerten Untersuchungen. Also fragte ich die Betroffenen selbst. Tatsächlich nutzte ich dazu jede Gelegenheit, auch zufällige Begegnungen, in der Bahn zum Beispiel. Gelegentlich kam es zu heftigen Reaktionen wie: »Sie wollen mir wohl ein Trauma anhängen!« Ich verstand, dass ich meinem Gegenüber manchmal zu nahe getreten war.

Die meisten Angesprochenen wollten nur über die NS-Vergangenheit und den Holocaust reden – darüber, wie sehr sie das heute noch belaste und wie sie als Pfarrer, als Lehrerin, als Eltern die Erinnerung daran wachgehalten und an die Jüngeren weitergegeben hätten. Wenn ich sie dann erneut auf mein Thema ansprach, wurden einige ärgerlich und unterstellten mir, ich wollte »die Deutschen« als Opfer stilisieren.

Fazit meiner Gespräche im ersten Jahr: An Kriegs*erinnerungen* war noch heranzukommen, aber die Frage nach den Kriegs*folgen* wurde so gut wie nie beantwortet. Am häufigsten hörte ich Sätze wie: »Andere haben es schlimmer gehabt« oder »Es hat uns nicht geschadet« oder »Das war für uns normal.« Finale Sätze. Ende des Gesprächs. Es ging mir nicht besonders gut in diesem Jahr. Mich haben die Begegnungen häufig verwirrt, ich geriet in einen inneren Zwiespalt. Einerseits sagte ich mir, dass die Deutschen ja wohl kaum so viel für Kinder in Kriegsgebieten spenden würden, wenn sie nicht um deren Traumatisierungen wüssten. Andererseits: Sie waren sich so einig, diese Kriegskinder, und ich hatte nicht das Gefühl, dass mir etwas vorgemacht wurde.

Nur gelegentlich kam es zu längeren Gesprächen, und rückblickend kann ich meine Erfahrungen der ersten Jahre mit dem Satz zusammenfassen: Je mehr Menschen ich fragte, desto unklarer wurde das Bild. Nach meinen Interviews war ich oft ratlos, ich zweifelte an meiner Wahrnehmung und war körperlich sehr erschöpft. Wenn ich mit Freunden darüber sprach, hörte ich: »Was beschäftigst du dich auch mit so einem dunklen Thema?«

Aber daran allein konnte es nicht liegen. Ich habe Erfahrung mit unbequemen Fragestellungen – Nazizeit, Holocaust, psychische Erkrankungen, Kindstod –, aber eine vergleichbar niederdrückende Stimmung und Konfusion hatte ich noch nie erlebt. Die Verwirrung ging schon damit los, dass es eine ganze Weile dauerte, bis ich begriff, dass es sich bei den Jahrgängen von 1930 bis 1945 in Wahrheit um mehrere Generationen handelt. Denn es macht einen großen Unterschied, in welchem Alter ein Kind diesem Krieg ausgeliefert war: ob als Säugling, als Kleinkind, ob vor oder nach der Pubertät.

Natürlich hätte ich auch eine andere Zeitspanne wählen können, zum Beispiel von 1928 bis 1950, aber ich entschied mich, vor allem um die Arbeit überschaubar zu halten, für jene 15 Jahrgänge, von der Flakhelfergeneration bis zu jenen Kindern, die auf der Flucht geboren wurden. Gerade diese beiden Pole machen deutlich, dass es nicht um eine, sondern um mehrere Generationen geht.

Und dennoch gibt es viele Ähnlichkeiten in den Aussagen über die Kriegszeit und die schweren Jahre danach. Zum Beispiel der Satz: »Es war nie langweilig«. Und: »Was wir damals erlebt haben, war für uns normal.« Soll heißen: »Wir haben das, was der Krieg mit sich brachte, als normal empfunden, zumal es ja allen Familien ringsum genauso ging, und wir haben uns in unserem Alltag so wenig wie möglich vom Krieg stören lassen.«

Nun ist ja bekannt, dass kleine Kinder auch extreme Lebensumstände so hinnehmen, wie sie sind. Romanautoren haben sich immer wieder davon inspirieren lassen, dass solche Prägungen ihre eigene Dynamik entwickeln. Ein Kind, das in einem Bordell aufwächst, wird das als völlig normal empfinden, bis es mit den Normen der Außenwelt in Kontakt kommt. Wenn dann aus dem Kind ein reflektierender Erwachsener geworden ist, wird er ein Bewusstsein davon entwickeln, welche Spuren eine solche Kindheit bei ihm hinterlassen hat.

Bei meinen Gesprächspartnern war das in der Regel anders. Sie wollten nur von ihren Kindheitserinnerungen erzählen, die sie gern mit dem Satz einleiteten: »Wir haben in dieser Zeit auch viel Schönes erlebt.« Selbst im Nachhinein fehlte der Mehrzahl der Betroffenen das angemessene Gefühl für das, was sie an Schrecken erfahren hatten. Dass das Haus der Lieblingstante, in dem man so viel Schönes erlebt hatte, von Bomben komplett zerstört worden war, das erwähnte ein Mann nur beiläufig; bei mir kam es so an wie: nichts Besonderes, so was hat man eben weggesteckt. Sprach ich meine Interviewpartner darauf an, dann stellte sich heraus, dass sie auch das *Festhalten* an eigentlich nicht adäquaten Gefühlen – bis hin zur Gefühllosigkeit – heute noch »ganz normal« finden.

Ein zähes Thema, nicht nur für die Befragten. Wenn ich es Zeitungs- oder Fernsehredakteuren anbot, die selbst der Kriegskindergeneration angehörten, stieß ich auf fast einhellige Ablehnung. Genauer gesagt, in den meisten Fällen kam überhaupt keine Reaktion. Meine Exposés wurden offenbar zur Seite gelegt und dann vergessen. Das kannte ich noch nicht, dass ein Themenvorschlag so viel Schweigen auszulösen vermochte.

Oberflächlich sah es so aus, als habe man die Frage »Wie hat sich die Kriegskindheit auf das weitere Leben ausgewirkt?« einfach für unwichtig gehalten. Doch schließlich wurde mir klar: Das zugrunde liegende Thema beunruhigt uns Deutsche weit mehr, als ich angenommen hatte. Die Antworten liegen unter der Last von Schuld und Scham begraben, als Folgen der Naziverbrechen, des Holocaust.

Warum mich das Thema nicht losgelassen hat? Ich glaube, dies hat nun wiederum mit meiner eigenen Generation zu tun, mit den kurz nach dem Krieg Geborenen. Ich habe als Kleinkind das zerstörte Köln gesehen. So, wie die Erwachsenen darauf reagierten, war es klar, dass das Wort »Krieg« etwas Schlimmes bedeutete. Ich glaube also, dass ich in einem Alter eine Ahnung von Vergangenheit bekam, in dem man üblicherweise nur in der Gegenwart lebt und das Vergangene noch gar keine Kategorie ist. Das Vergangene war allgegenwärtig und trotzdem ein geheimnisvolles Tabu. Als Jugendliche entwickelte ich dann eine konkrete Neugier. In der Schule erfuhren wir von den Naziverbrechen, von Auschwitz; die Eltern reagierten auf meine Fragen mit Ärger oder Schweigen.

Als ich dann dreißig Jahre später beim Thema Kriegskinder ähnliche Erfahrungen machte, wieder in verhärtete Gesichter blickte, wusste ich, dass ich auf etwas gestoßen war. Wieder wurden meine Fragen abgewehrt. Wieder wurde mir bedeutet, dass ich keine Ahnung hätte. Wahrscheinlich gibt es für meine Neugier nichts Stimulierenderes als kollektive Geheimnisse.

Während ich an diesem Buch schrieb, geschah etwas Unerwartetes: Günter Grass veröffentlichte 2002 seine Novelle »Im Krebsgang« und löste damit in deutschen wie in ausländischen Zeitungen einen Diskurs über die heikle Thematik »Die Deutschen als Opfer« aus. Befürchtet wurde eine Relativierung der deutschen Schuld. Gewarnt wurde vor einer Aufrechnung von Opfern der NS-Verbrechen, des Holocaust, mit den deutschen Opfern von Bombenkrieg, Flucht und Vertreibung.

Günter Grass befand in seinem Buch, er habe zu lange geschwiegen, und lenkte die Aufmerksamkeit auf die deutschen Opfer von Krieg und Vertreibung. Ein Zitat macht die Hintergründe seiner Sinneswandlung deutlich: *Niemals, sagt er, hätte man über so viel Leid, nur weil die eigene Schuld übermächtig und bekennende Reue in all den Jahren vordringlich gewesen sei, schweigen, das gemiedene Thema den Rechtsgestrickten überlassen dürfen. Dieses Versäumnis sei bodenlos …*

Anfang 2002 widmete »Der Spiegel« dem »Krebsgang« vor dem Hintergrund des Themas Flucht und Vertreibung eine Titelgeschichte. Darin stand, was dem Tenor in fast allen großen Zeitungen entsprach: dass über die Folgen der Nazizeit und des Krieges noch einmal gründlich nachgedacht werden müsse. Als ich den »Spiegel«-Titel las, wusste ich: Das ist der Wendepunkt. Jetzt ändert sich etwas. Jetzt kommt auch das Thema »deutsche Kriegskinder« endlich an die Öffentlichkeit, schon deshalb, weil sie die letzten lebenden Zeitzeugen sind.

Mit der Veröffentlichung der Grass-Novelle sowie des ebenfalls 2002 erschienenen Buches »Der Brand« von Jörg Friedrich wurden eine heftige Diskussion und vor allem eine gigantische Erinnerungswelle ausgelöst, die bis heute anhält. Dabei von einem Tabubruch zu reden wäre wohl übertrieben. Aber ganz sicher handelt es sich um einen Dammbruch, weshalb die Flut der Erinnerungen nun auch bei den Kriegskindern nicht mehr zurückzudrängen ist. Für sie ist es häufig das erste Mal, dass sie darüber reden – vorher hatte ja keiner danach gefragt.

In meinem Buch steht die Sicht der Betroffenen im Vordergrund. Ich habe sehr viele Stimmen gesammelt, aber meine Auswahl beschränkt sich auf Lebensläufe, die stark vom Krieg geprägt wurden (wobei alle Namen mit Sternchen geändert worden sind). So haben mich vor allem jene Frauen und Männer interessiert, die zwar wussten, aber bis vor Kurzem überhaupt nicht *empfanden*, dass in ihrer Kindheit etwas Besonderes oder gar etwas besonders Schreckliches vorgegangen war.

Dass die Katastrophe des Luftkriegs in Deutschland weit weniger öffentliches Thema war als das der Vertreibung, mag erklären, warum in diesem Buch mehr von den Überlebenden des Bombenkriegs die Rede ist als von Flüchtlings- und Vertriebenenschicksalen.

Beim Abfassen der veröffentlichten Lebensgeschichten aus der Kriegskindergeneration war mir klar, dass die Erinnerungen und die damalige Realität nicht immer deckungsgleich sind. Vieles konnte ich nicht überprüfen, weil mir andere Quellen fehlten. Unvermeidbar auch, dass es mir, der Nachgeborenen, hin und wieder an Zweifeln mangelte, dass ich also bestimmte Behauptungen hinnahm, weil ich nie etwas Abweichendes gehört hatte. Bei Unkorrektheiten bitte ich um die Nachsicht derer, die es als Zeitzeugen und Historiker besser wissen.

Bildung, beruflicher Erfolg und eine robuste Gesundheit erweisen sich als enorm hilfreich, wenn es darum geht, frühes Leid zu kompensieren. Daher begab ich mich auf die Suche nach den weniger begünstigten Zeitzeugen und erkundigte mich bei Ärzten und bei Krankenkassen. Ich hoffte, es gäbe vielleicht

Statistiken über den Gesundheitszustand der Jahrgänge 1930 bis 1945. Fehlanzeige. Dann schaute ich noch einmal gezielt zwei Ordner mit Post durch: 600 Hörer hatten auf meine nicht gerade zahlreichen Sendungen zum Thema »Kriegskinder« geschrieben. Die meisten von ihnen beließen es bei einer Bitte um das Manuskript. Etwa 20 Prozent hatten hinzugefügt, warum diese Sendung sie persönlich so betroffen hatte. Das alles war aufschlussreich und unterstützend, führte mich aber auch nicht zu der Gruppe der Unsichtbaren, von deren Existenz ich nach wie vor überzeugt bin.

Sie kommen also wieder zu kurz, hier in diesem Buch – wie übrigens auch diejenigen, die in der DDR lebten. Der Hauptgrund ist, dass ich als Kölnerin am westlichen Rand der Republik wohne und meine Kontakte mit Ostdeutschland entsprechend dünn sind. Meine Beiträge über die Kriegskindergeneration wurden fast ausschließlich in Westdeutschland gesendet. In der Hörerpost waren folglich kaum Briefe aus Ostdeutschland, die mir bei meinen Recherchen hätten weiterhelfen können. Das bedauere ich, denn mir ist bewusst, dass es in der DDR vor allem die Vertriebenen besonders schwer hatten. Sie mussten sich »Umsiedler« nennen und über ihr Schicksal schweigen. In den meisten Vertriebenenfamilien ist das Tabu immer noch wirksam – auch zwanzig Jahre nach der Wende.

Doch auch dies wird sich noch ändern, dafür sorgen nicht zuletzt die neuen Medien.

Seit ich über das Thema »Kriegskinder« Beiträge im Internet veröffentliche, erreichen mich ständig E-Mails, auch aus Österreich, wo die Kinder des Krieges offenbar einem ähnlich großen Schweigen ausgesetzt waren wie hierzulande. Besonders überrascht haben mich aber die Briefe von Auslandsdeutschen. Ihr Tenor: Da lebe ich so viele Tausend Kilometer von Deutschland entfernt, aber der Krieg holt mich immer wieder in meinen Träumen ein.

Seit sechs Jahren treffe ich bei Lesungen auf Kriegskinder und werde regelmäßig Zeugin davon, wie emotionale Schranken plötzlich überwunden werden. Konflikte zwischen Kriegskindern und ihren Kindern, die oftmals bei den Lesungen dabei sind, brechen auf. Familien finden Worte für das, was bisher im Unterbewusstsein der Kriegskinder rumorte und ganze Generationen verstummen ließ. Solche Begegnungen waren ausschlaggebend dafür, die »Vergessene Generation« um ein Kapitel zu erweitern. Sie zeigen, wie aktuell das Thema nach wie vor ist.

Die Medien lassen das Thema nicht ruhen. Mit unzähligen Beiträgen halten sie das Interesse wach, Tendenz steigend. Das lässt hoffen, dass in nicht allzu ferner Zukunft auch jene Regionen ausgeleuchtet sein werden, die heute noch im Dunkeln liegen. Noch nie waren Vertreibung und Luftkrieg im deutschen Bewusstsein so lebendig wie heute. Als »Die vergessene Generation« 2004 erschien, lautete der letzte Satz der Einführung: »Wir stehen erst am Anfang.«

Das hat sich gründlich geändert.

Wir stehen nicht mehr am Anfang.

Dank

Mein ganz besonderer Dank geht an die »Kriegskinder« und deren Kinder, die mir ihre Lebensgeschichten anvertrauten. Ohne ihre Offenheit hätte ich nie erfahren, wie es in ihrer so lange verschwiegenen Welt aussieht. Darüber hinaus möchte ich Luise Reddemann für ihr Nachwort danken und weil sie mir bei meinen Recherchen den Rücken stärkte. Dankbar bin ich auch Axel Becker, Heinz Beyer, Theo Dierkes, Peter Heinl, Curt Hondrich, Bernward Kalbhenn, Peter Liebermann, Ralph Ludwig, Christa Pfeiler-Iwohn, Fritz Roth, Dierk Schäfer, Joachim Schmidt von Schwind, Helga Spranger, Irene Wielpütz. Sie alle halfen mir durch Ermutigung und Austausch, durch Anregungen oder die Chancen der Veröffentlichung und ihre Bereitschaft, sich immer wieder mit einem schwierigen Thema zu beschäftigen.

ERSTES KAPITEL

Millionen Kriegskinder unter uns

Was der Kalte Krieg verhinderte

Je länger der Berliner Mauerfall zurückliegt, desto deutlicher wird, dass die Nachkriegszeit in Deutschland erst 1989 zu Ende gegangen ist. Durch die Wiedervereinigung wurden die letzten politischen Kriegsfolgen beseitigt und – wie sich dann einige Jahre später zeigte – Raum geschaffen für gesellschaftliche Themen, die durch das Klima des Kalten Krieges nicht an die Oberfläche gedrungen waren.

Das jeweilige Auftreten der Ideologie West gegen Ideologie Ost und umgekehrt war so selbstgerecht und laut und so sehr auf Einschüchterung programmiert, dass Nachdenklichkeit, feine Schattierungen und leise Töne davon regelrecht aufgesaugt wurden. In der deutschen Bevölkerung, im Westen wie im Osten, hatte die Hochrüstung über die Jahre neue Ängste ausgelöst – vermutlich wurden auch deshalb die kollektiven Bedrohungsgefühle, die noch aus dem Zweiten Weltkrieg stammten, nicht wirklich wahrgenommen und verarbeitet. Man kann sagen: Über fünf Jahrzehnte wurde in beiden deutschen Staaten wenig über die seelische Hinterlassenschaft des Krieges nachgedacht. Wer in den Siebziger- und Achtzigerjahren in der Bundesrepublik von Lebensängsten geplagt wurde, der galt, je nach seiner sozialen Umgebung, als neurotisch oder als ein sensibler Zeitgenosse, der den Rüstungswahn der beiden Blöcke einfach nicht länger verdrängen konnte. In der DDR gab die SED die stramme Richtung vor, dass die Bürger gut daran täten, an die »unbesiegbare Sowjetmacht« zu glauben, denn dann gebe es auch keinen Grund, sich zu fürchten.

Auf dem Höhepunkt einer Diskussion in Köln um den sogenannten NATO-Doppelbeschluss rief eine Hausfrau ins Mikrofon: »Heutzutage kann doch schon eine Fluse im Computer den Dritten Weltkrieg auslösen!« Eine absurde Übertreibung? Die

Informationen, über die wir heute verfügen, geben der Frau im Nachhinein recht. Hätte ein falscher Alarm den Befehl für einen Atombombeneinsatz ausgelöst, wären noch genau zwanzig Minuten Zeit geblieben, um die Lage einzuschätzen und den GAU zu verhindern.

Ich selbst gehöre jenem Teil der Nachkriegsgeneration an, der sich, je nachdem, welches politische Thema gerade Konjunktur hatte, zwischen »Nie wieder Krieg!« und »Nie wieder Auschwitz!« bewegte. Dass wir die Kinder des Kalten Krieges gewesen waren, wurde mir erst nach und nach bewusst, als diese Epoche endgültig vorbei war: die Einäugigkeit der Argumentation, die blinden Flecken, nicht mehr und nicht weniger als beim Rest der Gesellschaft. Zum Beispiel kann ich mich nicht erinnern, dass in der christlich geprägten Friedensgruppe, der ich einmal angehörte, jemals in Betracht gezogen wurde, ob vielleicht der Furcht »vor dem Russen« auch eine traumatische Erfahrung zugrunde lag.

Ein erhellendes Seminar

Anfang der Neunzigerjahre änderte sich meine Sichtweise. Damals besuchte ich ein sehr erhellendes Seminar, und plötzlich erinnerte ich mich an eine extrem aufgeregte Frauenstimme, die ich zehn Jahre zuvor im Radio hatte sagen hören: »Ich würde alles tun, um mich vor dem Russen zu schützen. Ich würde sogar eine Rakete in meinen Vorgarten stellen!«

In diesem Seminar ging es darum, aus Anlass der Wiedervereinigung die eigene Familiengeschichte vor dem Hintergrund der deutschen Geschichte genauer zu betrachten. Ich war nicht die Einzige, die befürchtete, die Nähe der eigenen Eltern und Großeltern zum Nationalsozialismus wäre größer gewesen, als sie stets behauptet hatten. Was sich dann auch im Laufe der viertägigen Veranstaltung bestätigte.

Zur Vorbereitung hatten wir Familienforschung betrieben, das heißt alle Daten und Fakten zusammengetragen, die von 1930 bis 1950 innerhalb der engeren Verwandtschaft bestimmend gewesen waren: Geburt, Krankheit, Tod, Umzüge, Berufswechsel, Fronteinsätze, Verwundungen und so weiter. Alle Teilnehmer zeigten sich erstaunt über die Tatsache, wie wenig ihnen über ihre Familien bekannt war. Das war die erste Gemeinsamkeit. Die zweite Gemeinsamkeit bestand darin, zu erkennen, dass wir zwar über die Einstellungen und Funktionen unserer Eltern in der Nazizeit recht gut Bescheid wussten, aber emotional und faktisch kaum erfassen konnten, was der *Krieg* in unseren Familien angerichtet hatte.

Einige Seminarteilnehmer hatten ihn noch als Kinder miterlebt. Aber auch für die später Geborenen wurde deutlich, dass der Krieg eine bestimmende Komponente in ihrer Biografie war, zum Beispiel dann, wenn die Eltern durch Flucht, Hunger, Bomben oder den Verlust von Angehörigen traumatisiert waren. Alle zwölf Teilnehmer wussten von mindestens einem Fall von Gewalt in der Familie. Die Stichworte hießen: ausgebombt, verschüttet, gefallen, vermisst, Flucht, Vertreibung, Vergewaltigung, Gefangenschaft, Selbstmord. Die Zahl der Toten in der engeren Verwandtschaft, die auf das Konto Krieg ging, war jedenfalls größer als die Zahl der Teilnehmer. Dabei bin ich mir ziemlich sicher, dass sie ganz durchschnittliche deutsche Familien repräsentierten und dass es sich nicht um eine extrem heimgesuchte Gruppe handelte.

Nazivergangenheit *und* Kriegsvergangenheit

Am dritten Tag hatte sich die Veranstaltung zu einem Trauerseminar entwickelt. Es wurde unendlich geweint. Zu erschütternd war das, was nach fünfzig Jahren ans Tageslicht kam. Seitdem ist mir klar, dass wir Deutschen eine Nazivergangenheit *und* eine Kriegsvergangenheit haben. Über die eine wird inzwischen offen gesprochen, bei der anderen fängt der Austausch gerade erst an.

Noch sind die Kinder dieses Krieges zurückhaltend. Noch wollen sie, dass ihre Geschichte anonymisiert veröffentlicht wird.

Natürlich hat die Trennung zwischen Nazivergangenheit und Kriegsvergangenheit etwas Künstliches, aber ich glaube, wir können darauf nicht verzichten, weil das Schicksal der Kriegskinder fast sechzig Jahre lang von den Verbrechen der Nazis verschattet wurde. Die Kindergeneration litt – weit mehr als die ihrer Eltern – darunter, dass sie jenem Volk angehörte, das Hitler an die Macht gebracht hatte. Scham und Schweigen erschwerten den Zugang zu den eigenen seelischen Verletzungen durch Gewalt und Verluste. Den meisten ehemaligen Kriegskindern liegt es völlig fern, sich selbst als Opfer zu sehen, auch dann, wenn sie ein oder zwei Jahre lang im Luftschutzkeller gehockt haben.

Wir stehen gerade am Anfang eines gesellschaftlichen Prozesses, der darauf hinweist, dass die in den Sechzigerjahren von Alexander und Margarete Mitscherlich diagnostizierte »Unfähigkeit zu trauern« bis heute nachwirkt und dass sie sich nicht nur auf die Nazizeit, sondern auch auf die Kriegsfolgen bezieht.

Wenn ich Menschen aus meinem Bekanntenkreis nach langer Zeit wiedersehe, werde ich oft gefragt: »Woran arbeitest du gerade?« Um Missverständnissen vorzubeugen, was mir aber meistens nicht gelingt, beschreibe ich das heikle Thema immer bewusst ausführlich: »Es geht um die Frage, wie sich der Zweite Weltkrieg auf das Leben derjenigen Deutschen ausgewirkt hat, die damals Kinder waren.«

Typisch war die Reaktion eines Lehrers. Er sprudelte los, er habe gerade wieder einmal seine Schüler mit Anne Frank und den Geschwistern Scholl vertraut gemacht. Man müsse sich als Pädagoge für die Vermittlung der Nazivergangenheit viel Zeit nehmen.

Schließlich, als der Lehrer das eigentliche Thema erfasst hatte, ging er zum Angriff über: Wie ich darauf käme, Kriegszeit und Nazizeit zu trennen? Das sei doch unmöglich! Ob ich etwa die Seiten gewechselt hätte? Gehe es mir jetzt darum, die *Deutschen* als Opfer zu stilisieren?

»Du selbst wurdest doch 1940 in Berlin geboren«, sagte ich.

»Was hat dich in deiner Kindheit mehr bestimmt: die Nazis oder Bomben und Hunger?«

Mein Gegenüber wurde heftig: »Begreifst du das immer noch nicht?! Ohne die Nazis hätte es für meine Familie die ganzen Kriegserlebnisse nicht gegeben!«

»Muss ich mir das so vorstellen«, fragte ich weiter, »dass du dich später mit den Schrecken des Nationalsozialismus beschäftigt hast – aber nicht mit deiner eigenen Kriegskindheit?«

»Genau«, bestätigte er. »Der Krieg war vorbei, als ich acht Jahre alt war. Ehrlich, du nervst mich mit den alten Geschichten …«

Aber genau diese verschwiegenen Geschichten, die eine ganze Generation und teilweise wohl auch noch deren Kinder prägten, müssen erzählt werden. Sie sind wichtig für die Einzelnen und für die Identität und die Zukunft der Deutschen als Europäer.

Eine tüchtige Generation

Warum träumt Gudrun Baumann* immer wieder, sie müsse eine Brille haben, obwohl sie längst eine besitzt? Wieso standen dem kernigen Kurt Schelling* plötzlich, mit 45 Jahren, ständig Tränen in den Augen? Wie kommt es, dass Wolfgang Kampen* in Israel, auf dem Höhepunkt der Gewalt, keine Angst vor Selbstmordanschlägen hatte? Sonderbare Fragen tauchen auf, wenn man sich heute mit Menschen beschäftigt, die im Zweiten Weltkrieg noch Kinder waren. Davon gibt es Millionen. Sie befinden sich im Ruhestand.

In der Tat ist nicht zu erkennen, dass ihnen das frühe Drama in besonderer Weise zugesetzt hätte. Offenbar ist es ihnen gut gelungen, ihre Erinnerungen an Tod, Bomben, Vertreibung und Hunger auf Distanz zu halten. Sie sind nicht kränker und auch nicht ärmer als frühere vergleichbare Altersgruppen. Im Gegenteil. Noch nie hat es in Deutschland Senioren gegeben, denen es finanziell so gut ging wie den heute Sechzig- bis Siebzigjährigen. Sie bauten das zerstörte Deutschland wieder auf, gründeten eigene Familien und stellten, sofern sie zu den rebellierenden Studenten gehörten, die deutsche Nachkriegskultur radikal infrage.

Eine viel beschäftigte, tüchtige Generation. Sie kann auf ihre Lebensleistung stolz sein. Und wer sich bei Männern der frühen Dreißigerjahrgänge auskennt, der weiß, dass sie auch auf ihre Zähigkeit stolz sind. In ihren Augen halten die später Geborenen längst nicht so viel aus wie sie selbst ...

Eine fürsorgliche Generation. Man kümmert sich um die uralten Eltern, verwöhnt die Enkel, entlastet seine Kinder und tröstet mit Geld und guten Worten, wenn jemand in der Familie arbeitslos geworden ist. Damit ist eigentlich schon alles gesagt, was diese Generation an Gemeinsamkeiten erkennen lässt, außer: Es fällt den Älteren schwer, Brot wegzuwerfen.

Eine unauffällige Generation. Man weiß nichts über sie. Man redet so gut wie nie über sie. Und sie selbst, die zwischen 1930 und 1945 Geborenen, haben gerade erst angefangen, darüber nachzudenken, wie ihre Kriegskindheit das weitere Leben geprägt haben mag. Aber genau das wäre doch interessant zu erfahren; es ginge also nicht um den Krieg an sich, denn dass der Krieg eine Zeit des Schreckens war, ist allgemein bekannt; damit erführe man im Prinzip nichts Neues.

Neu dagegen ist das nun langsam wachsende Bewusstsein davon, dass die ehemaligen Kriegskinder im eigenen Land fast sechzig Jahre lang schlichtweg übersehen wurden. Ihr Schicksal interessierte nicht. Es wurde nicht erforscht. Wer heute Angehörige der Dreißigerjahrgänge nach den möglichen Kriegsfolgen in ihrem weiteren Leben befragt, wird womöglich den Satz hören: *Es hat uns nicht geschadet.*

Kann das sein? Der gesunde Menschenverstand sträubt sich, es zu glauben. Können Kinder so viel Gewalt und Leid einfach wegstecken, nach dem Motto »Schwamm drüber«? Sind Kinderseelen in Wahrheit weit weniger verletzlich als allgemein angenommen? Stimmt es vielleicht doch, wovon frühere Generationen überzeugt waren: dass Kinder äußerst robust sind? Schwer vorstellbar. Um das zu glauben, müssten wir unser gesamtes Wissen über die seelische Verletzbarkeit im frühen Kindesalter über Bord werfen.

Aber was war geschehen? Wurden diese Kinder etwa zum Verstummen gebracht? »Genauso war es«, bestätigte eine Kriegswaise aus Ostpreußen. »Man hat uns schon in ganz jungen Jahren beigebracht: Darüber spricht man nicht. Das erzählt man nicht. Schau nach vorn! Sei froh, dass du noch lebst. Vergiss alles! Und das haben die meisten von uns getan. Um zu überleben und nicht am Rande stehen zu bleiben ein Leben lang, muss man sich anpassen. Wenn man sagt: Ich habe eine schlechte Kindheit gehabt, und mich verfolgt meine Kindheit – das stempelt einen doch nur ab.«

Die Erwachsenen dagegen klagten alle, wie in den Romanen und Aufzeichnungen über die ersten Nachkriegsjahre nachzulesen ist. Doch als es danach überraschend schnell wieder bergauf ging – zumindest in Westdeutschland –, wurde in den Familien kaum noch über den Krieg gesprochen, und noch weniger über die Verbrechen der Nazis.

Manchmal fielen lakonische Sätze, die nur für Außenstehende makaber klangen: »Unser Kurt wurde 43 in Düsseldorf geboren. Das hat gut geklappt. Zwischen zwei Bombenangriffen.« Schwarzer Humor galt schon immer als ein Ventil für Menschen, die knapp mit dem Leben davongekommen waren.

Phantasiediagnose »vegetative Dystonie«

Damit keine Missverständnisse entstehen: Dass es Menschen mit seelischen Kriegsverletzungen gab, wurde in Deutschland nie bestritten, aber es wurde eben auch nicht an die große Glocke gehängt. Der Freiburger Psychoanalytiker und Schriftsteller Tilmann Moser (»Dämonische Figuren«) vermutet in der Tatsache, dass in Westdeutschland das Kurwesen so weit verbreitet war wie in keinem anderen Land, stillschweigende Angebote der Linderung für die Menschen, die noch immer an Kriegsfolgen litten.

Die im Ausland völlig unbekannte Phantasiediagnose »vegetative Dystonie« reichte in den Sechzigern und Siebzigern den Krankenkassen als Begründung aus, um eine Kur zu bewilligen.

Allerdings: die *Kinder* dieses Krieges waren heil davongekommen – darüber schien man sich, wiederum stillschweigend, sehr früh in der Bevölkerung geeinigt zu haben. Das Titelfoto eines Bildbandes über sogenannte »Ruinenkinder« aus der unmittelbaren Nachkriegszeit zeigt zerlumpte, aber lebensfrohe kleine Gestalten – ganz anders als die bedrückten Kindergesichter, deren Bilder uns aus den Kriegsgebieten des Balkans und aus Afghanistan erreichten.

Was ist in Deutschland atypisch gelaufen? Man würde es gern wissen, aber die Forschung kann dazu kaum etwas sagen. Mediziner, Psychologen und Historiker haben sich bislang sehr zurückgehalten, wenn es darum ging, diese Generation in den Blick zu nehmen.

Dennoch, die Zeiten haben sich geändert. Heute sind die Kriegskinder nicht mehr ganz so unauffällig, wie sie es jahrzehntelang waren. Seit der Kosovo-Erschütterung im Jahr 1998, als erstmals nach 1945 deutsche Soldaten wieder an einem Krieg beteiligt waren, und seit der Nobelpreisträger Günter Grass mit seinem Bestseller »Im Krebsgang« dafür plädierte, dass die Deutschen nun auch ihre eigenen unverarbeiteten Kriegsverletzungen in den Blick nehmen sollten, ist ein Tabu gelockert worden. Dafür spricht auch der überraschende Erfolg des Buchs »Der Brand«, in dem der Historiker Jörg Friedrich schonungslos den Bombenkrieg über Deutschland beschreibt.

Im Alter rückt die Kindheit wieder näher. Da hat man das Bedürfnis und endlich auch die Zeit, sich mit seinen Wurzeln und den frühesten Eindrücken zu beschäftigen. Das geschieht aber nicht immer freiwillig. In Deutschland wurden vor allem während des Kosovokonflikts, auch am 11. September 2001 und während der Bombardierungen in Afghanistan und im Irak viele ältere Menschen mit Kriegserinnerungen überschwemmt, oft in quälender Weise, ohne dass sie sich dagegen wehren konnten.

Mehr denn je interessieren sich die Medien für die *deutschen* Opfer, für die großen Katastrophen wie den Untergang der »Wilhelm Gustloff«, die Zerstörung Dresdens, Flucht und Vertreibung. Dabei werden als Zeitzeugen auch die Kinder des Zweiten Weltkriegs sichtbar, wohl deshalb, weil kaum noch ältere am Leben sind. Im Zusammenhang mit den Kindern von einer Gruppe zu reden – oder gar von einer Gruppenidentität – ist noch zu früh. Es sind nur Einzelne, die sich vorwagen, die sich Fragen stellen und nach Antworten suchen. Die Hamburger Rentnerin Ruth Beate Nilsson ist schon einen Schritt weitergegangen, indem sie ihre Innenwelt veröffentlichte. Sie schreibt Gedichte, um sich selbst näherzukommen und um sich mit Menschen ihrer Generation zu verbinden, was ihr bislang nur selten gelang. Sie dichtet in dem Bewusstsein, dass sie ein Kriegskind ist.

Der freie Fall

Ich will nicht auffallen
Am besten gar nicht fallen
Im freien Fall weiß man nicht, wo man landet.
Mir ist so vieles abhanden gekommen – entfallen.
Das Suchen bringt gar nichts zurück
Ich brauche Gewißheit
Gewiß doch

Dass es über eine Welt, die sechzig Jahre lang verschwiegen wurde, überhaupt je so etwas wie Gewissheit geben kann, ist unwahrscheinlich. Aber das bedeutet nicht, dass wir uns nur im Nebel der Spekulationen bewegen müssen. Wir können Fragen stellen, und wir können Antworten hören, und zwar von den Kriegskindern selbst. Solange ihr Schicksal nicht umfassend erforscht ist, sind sie – mit Ausnahme einiger weniger Psychotherapeuten und Publizisten – die einzigen Kapazitäten, auf die wir zugehen können.

Eine unserer Expertinnen ist Gudrun Baumann*. Sie wurde

1937 geboren und arbeitete bis zu ihrem Ruhestand als Ballettlehrerin. Noch immer trägt sie ihr Haar streng und klassisch mit Nackenknoten. Mehrere Generationen hat sie von Kindesbeinen an unterrichtet, aus einigen Elevinnen sind richtig gute Berufstänzerinnen geworden. Noch heute kommen Ansichtskarten aus aller Welt, von ehemaligen Schülerinnen, die sich auf Tournee dankbar ihrer ersten Lehrerin erinnern.

Seit Gudrun Baumann – geschieden, zwei Kinder – nicht mehr arbeitet, hat sie ein paar Kilo zugenommen, besonders an Hüften und Gesäß, und es fällt ihr schwer, sich daran zu gewöhnen. Auch ihr Gesicht hat sich verändert, es ist weicher geworden. Aber das scheint eher ein Vorteil zu sein, denn die Menschen in ihrer Umgebung versichern ihr gelegentlich, es stehe ihr gut und überhaupt sei ihre ganze Persönlichkeit weicher und lebendiger geworden.

Schon möglich, sagt Gudrun Baumann, sie habe sich in den vergangenen Jahren innerlich verändert. Das sei nicht ausgeblieben, seit sie angefangen habe, ihre eigene Kindheit zu rekonstruieren. Eigentümlicherweise, fügt sie hinzu, seien ihr die Kriegserinnerungen so fern, als stammten sie aus einem völlig anderen Leben.

Wo sind die Erinnerungen?

Viele Gespräche hat sie auf der Suche nach ihrer Kindheit mit Freundinnen und Bekannten von früher geführt. Viele Tassen Tee mit Kandis sind dabei getrunken worden. Gemeinsam haben sie ihre Erinnerungen auf den Tisch gelegt, und jedesmal stellte sich heraus, dass Gudruns Beitrag ausgesprochen mager ausfiel.

»Mir ist aufgefallen, dass ich gerade die Kriegserlebnisse, die ich fast täglich hatte, weitgehend im Einzelnen vergessen habe«, erzählt sie. »Es geht dabei um gravierende Ereignisse, von denen andere immer wieder reden, und ich habe mich gefragt: Warum eigentlich weiß ich das nicht? Dazu kommt, dass ich mich schon sehr viel länger frage, warum ich ein so merkwürdig schlechtes Gedächtnis habe.«

An dieser Stelle des Interviews kommt sie meinem naheliegenden Einwand zuvor und versichert lebhaft: »Nein, nein, es hängt überhaupt nicht mit dem Alter zusammen, im Gegenteil, es ist jetzt eher besser geworden. Aber ich verliere bestimmte Dinge aus dem Gedächtnis, visuelle Dinge, andere Dinge, an denen ich interessiert und enthusiastisch gearbeitet habe – und eine Woche später können sie wieder weg sein. Auch schöne Dinge. Das hängt nicht davon ab, ob es angenehm oder unangenehm war ...«

Da gab es die Situation, als sie zu ihrem erwachsenen Sohn nach einem Weihnachtsgottesdienst sagte: »Was mich wirklich verblüfft hat, ist, dass du alle Lieder mitsingen konntest. Jede, aber auch jede Strophe kanntest du. Ich hätte nicht gedacht, dass sie euch so was in der Schule beigebracht haben.« – »Aber Mutter! Die Lieder hast du doch selbst immer mit uns gesungen. Alle Jahre wieder.«

Irgendwann kam Gudrun Baumann ein Gedanke: Könnte ihr schlechtes Gedächtnis damit zusammenhängen, dass sie als Kind von ihrer Mutter so oft aufgefordert worden war, zu vergessen? Noch heute ist es ein Gedanke mit Fragezeichen, von Gewissheit kann keine Rede sein. Manchmal glaubt sie, die Wahrheit zu kennen, dann kommen wieder die Zweifel ... Warum sollte ausgerechnet sie, die ein so miserables Gedächtnis hat, sich selbst in dieser Frage trauen? Gudrun Baumann weiß: Was sie als Kind erlebte, war aus heutiger Sicht das pure Grauen, aber viele Hunderttausend Kinder haben damals Ähnliches erlebt, ohne dass in Deutschland eine große Gruppe der Vergesslichen aufgefallen wäre.

Dann erzählt sie von einem zentralen Erlebnis, als sie vier Jahre alt war. »Da lag ich abends im Bett. Es war nach einem Angriff, die Stadt brannte lichterloh, und die gegenüberliegenden Häuser brannten auch und krachten mit viel Lärm zusammen. Ich sehe noch das Feuer, das loderte und sich veränderte, und ich erinnere mich an die entsetzliche Angst und dass ich in meiner Angst meine Mutter rief. Sie kam herein und setzte sich zu meiner ungeheuren Beruhigung einen Augenblick ans Bett und sagte mir: Dreh dich um zur Wand, dann siehst du nichts, und mach die Augen fest zu! Und ich hoffte, sie würde dableiben, aber sie ging wieder. Und als sie ging, sagte sie: Du hast nichts gesehen …«

Ihre Heimatstadt wurde, da sie Kriegshafen war, besonders heftig und anhaltend bombardiert. In ihrer Erinnerung gibt es dazu so gut wie keine Bilder. Sie weiß, dass andere Menschen ihres Alters sehr detailliert schildern können, was sie im Krieg gesehen haben, aber über ihre damaligen Empfindungen wissen sie oft wenig. Bei ihr selbst ist es umgekehrt. Bei ihr sind eher die Gefühle haften geblieben. »Ich weiß, da waren Dinge, die haben mich erstarren lassen und mir die Sprache genommen, aber ich weiß nicht mehr, was es war.«

»Wir haben jahrelang im Keller gesessen«

Klagen liegt Gudrun Baumann fern. Sie spricht nüchtern über das, was geschehen ist. »Man muss es eben so sehen, wie es war: Wir haben jahrelang im Keller gesessen. Dort durfte man nur sitzen, an Schlafen war nicht zu denken. Also waren wir morgens übernächtigt.«

Wenn auf dem Schulweg Alarm kam, wusste sie genau, was zu tun war. Aber man musste sich beeilen, sonst waren die Bunkertüren schon verschlossen, und man konnte nicht mehr hinein. Auch Gudrun war das passiert: »Da kamen schon die Flieger, und ich war allein auf der Straße. Da habe ich mich der Länge nach hingeworfen. Ringsherum gingen die Bomben runter. Erzählt habe ich das danach keinem. Und was auch zu diesen Jahren gehört – meine Mutter forderte mich ständig auf: ›Nun sei doch mal richtig fröhlich …‹«

Ihre Eltern wünschten sich ein offenes, munter plauderndes Kind, vor allem dann, wenn Gäste kamen. Stattdessen verkroch sie sich, sobald der Besuch im Hause war, verzweifelt, weil sie wusste, dass sie hinterher zur Rede und »in die Ecke« gestellt würde, wo sie »sich schämen« und »sich besinnen« sollte. Ihre Eltern empfanden es gegenüber anderen Leuten als peinlich, einen solchen »Holzbock« als Kind zu haben …

Heute weiß Gudrun Baumann, dass das Nichthinsehen, das ihr offenbar während des Luftkriegs antrainiert worden war, zu einem Charakterzug wurde, gegen den sie dann ihr Leben lang ankämpfte. »Das ist mir schon sehr früh bewusst geworden, und ich habe mich immer gefragt, warum ich so reagiere – warum ich so mühelos über Dinge hinwegsehe …«

Als sie begann, sich mit ihrer Kindheit zu beschäftigen, hatte sie einen wiederkehrenden Traum. Darin wurde ihr gesagt: Du brauchst eine bessere Brille, eine große Brille. Gudrun Baumann schloss daraus, dass sie endlich lernen sollte, richtig hinzusehen. Heute glaubt sie, dass dies auch der Weg zu einem besseren Gedächtnis ist.

»Ich hätte sicherlich andere Dinge in meinem Leben gemacht, wenn ich mich auf mein Gedächtnis hätte verlassen können«, sagt sie. Ihre Stimme klingt nachdenklich. »Als ich jung war, habe ich gedacht, ich muss mehr lernen, ich weiß nicht genug. Sehr spät ist mir erst klar geworden, ich lebe eigentlich mit einer Behinderung.«

Es war eine Behinderung, die vor allem in ihrem Privatleben permanent zu Schwierigkeiten führte. Wichtige Beziehungen sind daran zerbrochen. Es fiel anderen Menschen äußerst schwer, ihr zu glauben, dass sie wirklich so vergesslich war. Aber nun, da ringsum bei ihren Altersgenossen das Gedächtnis nachlässt und sie merken, dass ihnen Namen und Ereignisse entschwinden, ist es bei Gudrun Baumann eher umgekehrt. In dem Maße, wie sie sich ihre Kindheit wieder aneignet, scheint ihr Gedächtnis sich zu bessern. Die Behinderung lässt nach. Ein kleiner Trost und gleichzeitig eine große Erleichterung. Vieles, was ihr bislang in ihrer Biografie und in ihrem Verhalten als sonderbar erschienen war, was sie sich selbst auch übel genommen hatte, macht nun Sinn.

Deutlich ist ihr geworden: Das prägende Lernprogramm ihrer Kindheit hieß nicht »Leben«, sondern »Überleben«. Solange ihr die Zusammenhänge nicht bewusst waren, wurde sie von diesem Programm bestimmt.

Als der Krieg aus war, kam die Lebensangst

Bei Kriegsende war Gudrun acht Jahre alt, und daran erinnert sie sich wiederum genau. Eines Morgens teilten ihr die Eltern mit, der Krieg sei aus, und erklärten, was das bedeute: dass man endlich im Nachthemd ins Bett gehen dürfe, dass man nicht mehr in den Bunker gehen müsse, dass man nachts durchschlafen könne und nicht mehr die Wohnung zu verdunkeln brauche – lauter Dinge, die sie sich immer gewünscht hatte. »Aber dann wurde mir klar, dass mir wahrscheinlich etwas Furchtbares blühte, denn ich hatte vor allem gelernt, wie man überlebt. Ich konnte mit dem Krieg umgehen. Es war furchtbar, aber ich konnte es. Aber die Vorstellung, dass ich jetzt in ein Nichts lief, in eine Situation, für die ich nicht ausgerüstet war, machte mir schreckliche Angst!«

Das sind keine Gedanken von Achtjährigen. Aber es geht hier auch nicht um die Lebenserfahrungen von Achtjährigen, sondern von *erwachsenen Kindern*: »Und so wie ich vorher so viel Todesangst gehabt hatte, so überfiel mich in diesem Moment, als alles endlich gut werden sollte, eine schreckliche Lebensangst.«

Heute, da sie so vieles in ihrer Biografie neu überdenkt, erscheint ihr auch die Tatsache, dass sie häufig in Unfälle verwickelt war, in einem anderen Licht. Sonderbarerweise fühlte sie sich danach, selbst dann, wenn sie im Krankenhaus lag, nicht resigniert oder ängstlich, sondern, wie sie selbst sagt, »psychisch ungemein stabil und zuversichtlich«. Alle bewunderten dann ihre angebliche Tapferkeit. Aber damit hatte ihr Zustand nicht das Geringste zu tun. Sie musste sich keineswegs zusammennehmen, weil sie sich trotz ihrer Beschwerden voller Energie fühlte. Auch wurde sie stets viel schneller gesund, als man es ihr im Krankenhaus in Aussicht gestellt hatte.

Es ist noch nicht lange her, dass sie einem ihr bis dahin unbekannten Arzt beiläufig von ihrer Unfallserie erzählte. Der fragte nach: »Sind Sie vielleicht auf Katastrophen geprägt? Haben Sie ursprünglich eher gelernt, mit Katastrophen umzugehen als mit genüsslichem Leben? Brauchen Sie vielleicht von Zeit zu Zeit eine Katastrophe, um alle Ihre Fähigkeiten zu entfalten?«

Gudruns Antwort: »Ich glaube, ja.«

Sie hatte einen Beruf gewählt, der ihr viel Disziplin abverlangte, und damit war sie gut zurechtgekommen. Es lag ihr ohnehin nicht, aus der Reihe zu tanzen. Aus ihr wurde nie eine leidenschaftliche Tänzerin, dafür war ihr Kontrollbedürfnis zu ausgeprägt. Aber sie brachte es zu einer guten Tanzpädagogin.

Disziplin war ein Teil ihrer Überlebensstrategie. Nur mit einem klar strukturierten Alltag, mit festen Regeln und Gewohnheiten gelang es ihr, das schlechte Gedächtnis zu kompensieren. Aber überall dort im Leben, wo etwas anderes gefragt war – verspielt sein, genießen, vertrauen –, da kam sie zu kurz. Seit dreißig Jahren lebt sie allein, ohne Partner. Auch dies sei kein Grund zu klagen, sagt sie. Zu ihren beiden Söhnen habe sie einen ausgesprochen guten Kontakt, nur seien sie leider etwas »bindungsscheu«, weshalb von Enkeln noch keine Rede sein könne.

»Meine Söhne sind zu mir lieb und freundlich, sehr hilfsbereit, und ich werde in letzter Zeit viel gelobt«, beschreibt sie das Verhältnis. »Nur von meinem ganz persönlichen Erleben des Krieges wollen sie nichts hören, von Erlittenem, was bis in mein gegenwärtiges Leben – und damit auch in ihres – hineinreicht. Da schließt mein Ältester die Augen, als würde er gleich einschlafen.« Die Mutter nimmt ihnen das nicht übel. »Meine Söhne wollen eben etwas anderes von mir.« Sie kann ihnen keine größere Freude machen, als – angefangen beim Handy – neue elektronische Geräte in Gebrauch zu nehmen. »Sie würden mich am liebsten von morgens bis abends anleiten.«

Lernen, sich neues Wissen aneignen macht ihr Freude, genau

genommen zählt es zu ihren Lieblingsaktivitäten. Sie vertraut auf die Erkenntnisse der Hirnforschung, wonach das menschliche Gehirn bis ins hohe Alter veränderungsfähig und damit aufnahmebereit bleibt.

Früher habe sie nur unter Zwang und Druck lernen können, sagt sie, das sei heute völlig anders; in dieser Hinsicht sei sie regelrecht befreit: »Ich habe mich unendlich gequält in meinem Leben, aber jetzt geht es mir so gut wie nie – viel, viel besser als in meiner Kindheit und als junger Mensch.«

Heute ist ihr klar, dass sie von Anfang an depressiv war, und zwar mindestens bis in ihre Dreißigerjahre hinein. Therapieerfahrung ist reichlich vorhanden. Aber um Kriegstraumata ging es in den Behandlungen nie. Ihre heutigen psychosomatischen Beschwerden findet sie vergleichsweise erträglich – auch dass sie, wenn sie an wunde Punkte stößt, die ihr schon in der Kindheit zu schaffen machten, von der Sehnsucht überflutet wird, sich eine Woche wegzuschließen und nur zu heulen. Aber dem gibt sie nicht nach. Dagegen stemmt sie sich mit »eiserner Disziplin«.

Warum, möchte ich wissen, warum macht sie keine gezielte Traumatherapie? Bevor sie antwortet, schüttelt sie langsam den Kopf. »Darüber habe ich auch schon eine ganze Weile nachgedacht. Aber letztlich sage ich mir: Jetzt kommt es auch nicht mehr drauf an. Die paar Jahre kriege ich noch hin. Und ich führe ja heute ein vergleichsweise friedliches Leben.«

Außerdem stecken in ihr noch immer die alten Gedanken: Nimm dich nicht so wichtig. Das steht dir nicht zu. Was würden die Verwandten und Bekannten sagen …

ZWEITES KAPITEL

Was Kinder gebraucht hätten …

Ein behutsamer alter Mann

Was brauchen Kinder, um sich von schweren seelischen Verletzungen zu erholen? Die Antwort ist nicht schwer zu finden. Sie brauchen vor allem einfühlsame und geduldige Erwachsene. Aber wo gab es sie in Kriegszeiten und in den Elendsjahren danach? Wer hatte noch die Aufmerksamkeit, die Nerven und vor allem die Zeit, um ein verstörtes Kind in den Schlaf zu streicheln? Wer nahm ihm die Angst vor bösen Träumen? Wer verstand die Wut von kleinen Mädchen und Jungen, weil ihre Welt entzweigegangen war, und reagierte mit Liebe statt mit Schlägen? Wer vermochte es, mit einem verstummten Kind zu schweigen und ihm dabei ganz nah zu sein? Wer verzichtete auf jede Eile, damit eine kleine Hand sich in einer großen Hand geborgen fühlen konnte? Wer redete mit ruhiger Stimme, und wer war ein guter Zuhörer …?

> Das hohle Fenster in der vereinsamten Mauer gähnte blaurot voll früher Abendsonne. Staubgewölke flimmerten zwischen den steilgereckten Schornsteinresten. Die Schuttwüste döste. Er hatte die Augen zu. Mit einmal wurde es noch dunkler. Er merkte, daß jemand gekommen war, und nun vor ihm stand, dunkel leise. Er riskierte ein kleines Geblinzel an den Hosenbeinen hoch und erkannte einen älteren Mann.
> Du schläfst hier wohl, was? fragte der Mann.

So beginnt die bekannte Kurzgeschichte von Wolfgang Borchert »Nachts schlafen die Ratten doch«. Sie gehört zu den Raritäten in der deutschen Kriegsliteratur, weil sie nicht einen Soldaten in den Mittelpunkt stellt, sondern einen neunjährigen Jungen, der tagelang allein auf einem Trümmergrundstück Wache hält, und einen fremden Mann, der das Kind ganz behutsam ins Leben zurückführt.

> Wenn du mich nicht verrätst, sagte Jürgen da schnell, es ist wegen der Ratten.
> Die krummen Beine kamen einen Schritt zurück: Wegen der Ratten?
> Ja, die essen doch von den Toten. Von Menschen. Da leben sie doch von.
> Wer sagt das?
> Unser Lehrer.
> Und du paßt nun auf die Ratten auf? fragte der Mann.
> Auf die doch nicht! Und dann sagte er ganz leise: Mein Bruder, der liegt nämlich da unten. Da. Jürgen zeigte mit dem Stock auf die zusammengesackten Mauern. Unser Haus kriegte eine Bombe ab. Mit einmal war das Licht weg im Keller. Und er auch. Wir haben noch gerufen. Er war viel kleiner als ich. Erst vier. Er muß ja hier noch sein. Er ist noch viel kleiner als ich.
> Der Mann sah von oben auf das Haargestrüpp. Aber dann sagte er plötzlich: Ja, hat euer Lehrer euch denn nicht gesagt, daß die Ratten nachts schlafen?
> Nein, flüsterte Jürgen und sah mit einmal ganz müde aus, das hat er nicht gesagt.
> Na, sagte der Mann, das ist aber ein Lehrer, wenn er das nicht mal weiß. Nachts schlafen die Ratten doch. Nachts kannst du ruhig nach Hause gehen. Nachts schlafen sie immer. Wenn es dunkel wird schon.
> Jürgen machte mit seinem Stock kleine Kuhlen in den Schutt. Lauter kleine Betten sind das, dachte er, alles kleine Betten.

Ein seltsamer, ein anrührender Dialog. Knapp und überzeugend werden darin die ersten Schritte beschrieben, die nötig sind, damit ein traumatisiertes Kind wieder Vertrauen gewinnt.

Da sagte der Mann, und seine krummen Beine waren ganz unruhig dabei: Weißt du was? Jetzt füttere ich schnell meine Kaninchen, und wenn es dunkel wird, hole ich dich ab. Vielleicht kann ich eins mitbringen. Ein kleines, oder, was meinst du?

Jürgen machte lauter kleine Kuhlen in den Schutt. Lauter kleine Kaninchen. Weiße, graue, weißgraue. Ich weiß nicht, sagte er leise und sah auf die krummen Beine, wenn sie wirklich nachts schlafen.

Der Mann stieg über die Mauerreste weg auf die Straße. Natürlich, sagte er von da, euer Lehrer soll einpacken, wenn er das nicht mal weiß.

Da stand Jürgen auf und fragte: Wenn ich eins kriegen kann? Ein weißes vielleicht?

Ich will mal versuchen, rief der Mann schon im Weggehen, aber du mußt hier solange warten. Ich gehe dann mit dir nach Hause, weißt du. Ich muß deinem Vater doch sagen, wie so ein Kaninchenstall gebaut wird. Denn das müßt ihr ja wissen.

Was hat der ältere Mann dem Jungen angeboten, um ihn ins Leben zurückzulocken? Nicht viel. Nur eine kindgerechte Notlüge, ein kleines Kaninchen und die Aussicht, ihn nach Hause zu begleiten. Er hat das Kind nicht zurechtgewiesen und ihm nicht gedroht, und er hat erst recht nicht versucht, es fortzuzerren.

Kinder ohne Väter

Nachgeborene wie ich, nun fast sechzig Jahre durch Frieden verwöhnt, können sich kaum vorstellen, dass es einmal Kinder gab, die tagelang sich selbst überlassen blieben, ohne dass jemand nach ihnen suchte. Vielleicht hatte Jürgens Mutter nach einem verheerenden Luftangriff den zerstörten Stadtteil in Panik verlassen, hatte ihre zwei oder drei überlebenden Kinder hastig mit sich gezogen, hatte wie Tausende andere Obdachlose in einem der Notquartiere für Ausgebombte übernachtet, dann morgens am Bahnhof auf die Evakuierung gewartet und Jürgens Abwesenheit erst bemerkt, als der überfüllte Zug endlich losgefahren war.

Natürlich ging sie davon aus, dass er im Gedränge von seiner Familie getrennt worden war, und nicht, dass er sich heimlich fortgeschlichen hatte, um seinen kleinen toten Bruder vor den Ratten zu schützen. Was sollte die Mutter da tun? Sie saß im Waggon gefangen; konnte nur beten, dass sie irgendwann am Abend noch eine Verwandte oder Nachbarin ans Telefon bekam, in der Hoffnung, dass der verlorene Sohn bei ihr aufgetaucht war …

Dass der neunjährige Jürgen daheim einen Vater hatte, der ihm einen Kaninchenstall hätte bauen können, wird wohl eher unwahrscheinlich gewesen sein. Die meisten Kinder sahen ihre Soldatenväter nur auf Heimaturlaub. Über die Jahre sammelten sich in fast jeder Familie viele, viele Feldpostbriefe. Irgendwann kamen dann vielleicht nur noch seltene Lebenszeichen, aus Kriegsgefangenenlagern, oder der Kontakt riss völlig ab.

In den ersten Nachkriegsjahren erschienen endlich Zahlen zur Vaterlosigkeit, die für die Kriegskindergeneration so folgenreich war.

Eine Statistik von 1950 verzeichnet

- 3 Millionen Gefallene
- 2 Millionen Vermisste
- 2 Millionen Kriegsversehrte, davon über 500 000 Schweramputierte und
- 2 Millionen Heimkehrer aus der Kriegsgefangenschaft.

Den Männern, die etliche Jahre in russischen Lagern hinter sich hatten, war es dort ähnlich ergangen wie den Osteuropäern, die zuvor von den Deutschen als Arbeitssklaven gehalten worden waren. Viele Heimkehrer waren Familienväter, gezeichnet von Hunger, Krankheiten und häufig von sonderbaren Verhaltensweisen, die sie offenbar nicht steuern konnten.

Die Not und die Wut der Heimkehrer

In meiner Kindheit in den Fünfzigerjahren wären meinen Freundinnen und mir mühelos ein halbes Dutzend Männer, darunter auch Lehrer, eingefallen, die ihre Umgebung durch cholerische Ausbrüche tyrannisierten. Von den Erwachsenen wurden die Randalierer in Schutz genommen, ein Wohlwollen, das mir, einem Kind, das ständig erzogen wurde, merkwürdig vorkam, bis ich begriff, dass man Mitleid mit ihnen haben musste. Krieg, Gefangenschaft, Hirnverletzung, das waren die Stichworte. Ihre Toberei hatte man hinzunehmen wie ein Unwetter im Sommer – man musste eben gucken, dass man sich rechtzeitig in Sicherheit brachte. Und man musste dem Himmel dankbar sein, wenn so ein unberechenbares Exemplar nicht der eigene Vater war, der, wenn er »seine Anfälle« bekam, die eigenen Kinder wie ein Wahnsinniger anbrüllte oder gar zusammenschlug.

Es waren nicht nur junge Veteranen, die das Grauen mit sich herumschleppten, sondern auch ältere, die bereits zwei Weltkriege hinter sich hatten. Später, als wir in der Schule Wolfgang Borchert und Heinrich Böll lasen, wuchs unsere Bereitschaft, sie zu verstehen.

Nicht wenige Heimkehrer haben Spuren in den Akten der psychiatrischen Kliniken hinterlassen. Hierbei muss man allerdings wissen: Bis in die Sechzigerjahre hinein war es für die Mediziner kaum denkbar, dass der Auslöser für eine psychische Erkrankung etwas anderes sein konnte als eine schwere organische – und damit messbare – Schädigung. Im Klartext hieß das: Ein gesunder Körper verursacht keine seelischen Störungen, da mussten dann andere Faktoren ausschlaggebend sein, vererbte Belastungen oder eine grundsätzlich labile Befindlichkeit.

Ein Patient mit tief greifenden psychischen Veränderungen, dessen Körper jedoch keine Spuren von Gewalt oder doch wenigstens von lang anhaltenden Strapazen aufwies, war also nicht etwa kriegstraumatisiert, wie es uns heute so selbstverständlich von den Lippen geht, sondern es wurde eine »anlagebedingte« Ursache für seine Störungen verantwortlich gemacht. Dies galt als gesicherte wissenschaftliche Erkenntnis.

Vor allem für die Holocaustüberlebenden hatten derartige medizinische Glaubenssätze schlimme Folgen, denn damit argumentierten deutsche Gutachter vor Gericht, wenn es darum ging, Rentenansprüche und Wiedergutmachungsleistungen abzuwehren; eine gängige, erbarmungslose Praxis gegenüber Naziopfern, die 1963 den amerikanischen Psychoanalytiker deutscher Herkunft Kurt Eissler zu der seither viel zitierten Frage veranlasste: *»Die Ermordung von wie vielen seiner Kinder muß ein Mensch symptomfrei ertragen können, um eine normale Konstitution zu haben?«*

Nun stand das Schicksal der Heimkehrer den deutschen Medizinern, von denen viele gleichfalls Kriegsteilnehmer gewesen waren, vermutlich näher als das der KZ-Überlebenden. Auch war die Zahl der Patienten, die unter den Folgen von Krieg und Gefangenschaft litten, so groß, dass sie die Proportionen dessen sprengte, was man guten Gewissens als »anlagebedingt« in den Krankenakten festhalten konnte. Auch darf man davon ausgehen, dass sich bei den Ärzten eine gewisse Hemmung zeigte, allzu viele ehemalige Leidensgenossen als »labile Charaktere« abzustempeln.

Diagnose »Dystrophie«

Zur Lösung des Problems ließen sich die sichtlich überforderten deutschen Nachkriegspsychiater ein spezielles Krankheitsbild einfallen, die *Dystrophie.* Der Begriff umschrieb ein ganzes Feld an physischen Schädigungen und psychischen Beeinträchtigungen, die man auf eine vorangegangene schwere Mangelernährung zurückführte. Heute ist leicht zu erkennen, dass es sich dabei um eine aus der Not geborene Erfindung handelte. Dystrophie-Patienten litten unter anderem an Depressionen, Konzentrationsschwäche, an unkontrollierbaren Wutausbrüchen, oder sie fühlten sich permanent verfolgt, von Feinden umzingelt. Man könnte auch sagen: Für viele Männer ging nach der Heimkehr der Krieg immer weiter …

Die Diagnose »Dystrophie« gab es, soweit ich weiß, für Kinder nicht. Aber grundsätzlich waren Behandlungsangebote für traumatisierte Menschen so selten, dass sie kaum irgendwo dokumentiert sind. Das galt für die Erwachsenen wie für die Kinder. In vielen Familien gab es nicht einmal Trost. Und doch entstanden zwischen Gewalt und Zerstörung vereinzelt kleine Rettungsinseln. Eine davon entdeckte der Schriftsteller Peter Weiss im Jahr 1947 und schrieb darüber in einer schwedischen Zeitung:

> Bei der Kinderpsychologin im Norden Berlins. Sie ist eine von den wenigen, die im zähen Kampf aushalten. Sie hat eine einzigartige menschliche Kraft, sie strahlt Ruhe und Lebensfreude aus. Sie erkennt den menschlichen Wert in ihren blassen kleinen Freunden. Die kommen aus dem Kinderheim, wo sie für ihr Bettnässen, das seelische Gründe hat, und wegen der nervösen Gesichtszuckungen Schläge bekommen. Sie sind ohne Eltern, oder sie kommen aus Elternhäusern ohne Vater, der ist tot oder in Gefangenschaft, ganz allein kommen sie mit dem Flüchtlingszug und wissen nicht, wohin sie gehen sollen.
>
> Da ist ein achtjähriges Mädchen. Nach einem Bombenangriff sah sie die verstümmelte Leiche ihrer jüngeren Schwester – eine Todeserfahrung, die sie nicht vergessen konnte. Später wurde ihr gesagt, die kleine Schwester sei nun ein Engel. Da sah sie dann immer diesen Engel, doch der hatte die aufgeplatzten, in Fäulnis übergehenden Hände ihrer Schwester. Für diese Vorstellungen wurde sie im Kinderheim bestraft, mit Hunger wollte man sie kurieren, eingesperrt wurde sie, bis die Ärztin sie schließlich fand, schon halb tot. Noch ist das Mädchen stumm, doch ihre Hände arbeiten schon mit Ton, sie formt eine kleine Puppe, ein Mädchen mit Flügeln, um die Arme wickelt sie einen Ver-

band. Später spielt sie Beerdigung, und damit war schon ein Anfang gemacht für ihre Heilung.

Früher Ratgeber »Flüchtlingskinder«

Während ich in alten Zeitungsberichten nach Spuren suchte, um die Situation der Kinder besser erfassen zu können, stieß ich auf einen interessanten Hinweis. Der Ernst Klett Verlag in Stuttgart hatte 1952 eine Reihe von Erziehungsratgebern herausgebracht, vier Bändchen, das Stück für 1,90 DM, mit Titeln wie »Flüchtlingskinder in neuer Heimat«, »Laßt Kinder spielen«, »Fremdes Kind wird eigenes Kind«. Ein einfühlsamer Autor hatte darüber in der Zeitung »Neuer Vorwärts« geschrieben: »Es erscheint einem nach der Lektüre dieser Bändchen wie selbstverständlich, daß ein Flüchtlingskind, das vielleicht auf der Flucht ganz allein die Verantwortung für die kleineren Geschwister tragen mußte, sich in einer neuen Umgebung und in einem wieder geregelten Leben nicht mehr ›bevormunden‹ lassen will; daß heimat- und elternlose adoptierte Kinder durchaus nicht immer negativ erblich belastet sein müssen, daß sie in vorurteilsfreier, sorgsamer, liebevoller Umgebung genauso gedeihen.«

Das sind heute alles vertraute Vorstellungen. Aber damals spielte die schwarze Pädagogik eine große Rolle, wenn es darum ging, in Familien unbedingten Gehorsam durchzusetzen, worauf auch der Zeitungsbeitrag anspielt, wenn es heißt: »Als Grundtendenz aller vier Hefte: unverständliche kindliche Regungen, Hemmungen, unerwartete Reaktionen nicht mit Gewalt austreiben und brechen, sondern mit liebevollem Verständnis von Grund auf zu beseitigen versuchen.«

Es gab sie also auch damals, die aufmerksamen Pädagogen, und es gab die gütigen Eltern, die sich um ihre Kinder sorgten. Aber offenbar gab es davon nicht genug, weil die Erwachsenen mit ganz anderen Problemen belastet waren. Der Obertitel der Heftchen, »Bedrohte Jugend – Drohende Jugend«, macht deutlich, dass die Lage ernst zu nehmen war und dass man im Verlag die Zeit gekommen sah, die Eltern damit zu konfrontieren. Auch in Aufbau und Tonfall haben sich die neuen Ratgeber weit entfernt von den Erziehungsbüchern der Nazizeit mit ihren kinderfeindlichen Ratschlägen. Man verzichtete auf das in der Pädagogik typische Auflisten von Konfliktsituationen. Stattdessen werden die Eltern – denen viel Verständnis für ihr Überfordertsein entgegengebracht wird – zum genauen Hinschauen und Hinhören angeregt. Kein erhobener Zeigefinger, weder den Kindern noch den Erwachsenen gegenüber, sondern ein wohlwollender, ruhiger Ton. Die den Problemen zugrundeliegenden Geschehnisse werden weder dramatisiert noch verniedlicht.

Das schmale Heft über Flüchtlingskinder erzählt von den häufig ganz unscheinbaren Spuren der Gewalt. Und als Erstes wird den Älteren nahegelegt, sich auf die Perspektive der Kleinen einzulassen:

> Auf dem Treck ist es zuerst ganz lustig, jedenfalls ungeheuer interessant. Die Kinder sehen sich mit großen Augen um. Als aber die Dämmerung kommt, wird es ihnen unheimlich! »Wir wollen ins Zimmer, Mutter, warum gehen wir nicht ins Zimmer?« Es wird kalt, es wird dunkel – die Kleinen zwischen zwei und sechs Jahren verstehen nicht, was dieses soll; sie sind verzweifelt wie aus dem Nest gefallene Vögel, überwältigt von dem Unbekannten.

Die Verfasserin Elisabeth Pfeil konzentriert sich nicht auf die extrem traumatisierenden Ereignisse, sondern macht die Eltern auf die Summe der kleineren Verluste und das ständige Verzichtenmüssen aufmerksam, etwas, das die Kinder auch hinterher, nach der Flucht, immer wieder verunsichert.

> Das Kind beginnt zu vergleichen: »Alle Kinder haben Spielzeug. Bloß ich habe keine Spielsachen.« »Warum haben wir keine Äpfel? Die anderen Leute haben doch alle Äpfel.« Es

wird Ostern und obwohl es ja »nichts gibt«, haben doch die Kinder der Hauswirte schöne bunte Eier gebracht bekommen. Ganz genau hat Hubert (viereinhalb Jahre) es gewußt: auch ihm wird der Osterhase etwas bringen; aber er brachte nichts. Als er weinte, schenkte ihm eine Frau ein großes Pappei. Er öffnete es voll Erwartung, es war leer. – Eine Welt hatte er zusammenstürzen sehen, aber auf den Osterhasen hatte er sich doch verlassen. Und nun war auch das nichts gewesen, auch dies hatte getrogen.

Andererseits werden die Eltern auch beruhigt. Ihnen wird gesagt: Kinder erholen sich schnell, wenn ihre Umgebung sich normalisiert hat, wenn die größten Mängel beseitigt sind. Die Anpassungsfähigkeit gerade der Flüchtlingskinder wird hier wie in allen frühen Publikationen immer wieder lobend hervorgehoben:

Barbara ist inzwischen acht Jahre alt geworden; längst bewegt sie sich mit der Sicherheit eines Eingeborenen in ihrer neuen Welt. Sie spricht die breite westfälische Sprache ihrer zweiten Heimat; hinter ihr liegen die Zeiten, wo sie jeden neuen Menschen mit Mißtrauen ansah. Und doch passiert folgendes: Beim Abendbrot ist die Rede davon, daß eine Nachbarsfamilie aus der Wohnung herausmüsse. Das Kind wird totenbleich, legt den Löffel hin. »Mutter, müssen wir wieder weg?«

Den Kindern gelang es in der Regel viel eher als ihren Eltern, sich in der neuen Umgebung zurechtzufinden. Und dennoch: Was von der Flucht übrig blieb, bleibt aufmerksamen Erwachsenen nicht verborgen. Sie spüren den Schrecken, auch wenn er mit altklugen Redewendungen daherkommt.

»Nicht wahr, Mutter, wenn wir das nächste Mal fliehen, dann darf ich mein Rucksäckchen doch behalten?« Wolfi hatte als kleiner Bursche von vier Jahren seine liebsten Spielsachen in einem eigenen kleinen Rucksack mit sich tragen können. Aber die Familie war von einem LKW der Wehrmacht aufgenommen worden unter der Bedingung, daß sie alles Gepäck zurückließ – es sollten ja möglichst viele Menschen auf diesen letzten deutschen Wagen gehen. Da hatte auch der Kleine sein Rucksäckchen fortwerfen müssen. Zweierlei ist bezeichnend an seiner Äußerung, einmal daß der Schmerz von damals noch nicht überwunden ist, dann aber die Wendung: »wenn wir das nächste Mal fliehen ...« Die Welt dieses kleinen Kerls sieht so aus: Man geht eben ab und zu auf Flucht.

Wenn etwas ältere Kinder von dramatischen Ereignissen sprechen, klingt es häufig so, als hätten sie das Glück gehabt, bei einem großen Abenteuer dabei sein zu dürfen. Als Beispiel das Gedicht eines Zehnjährigen.

Am 10. Februar im 45. Jahr ging es raus
vom schönen elterlichen Haus.
Solang wir hatten Pferd und Wagen,
war die Reis' noch zu ertragen.
Im nächsten Dorfe schlief sich's gut,
am Nagel hingen Stock und Hut.
So ging es weiter,
trüb und heiter,
durch die Weiten immer weiter,
bis mit einem Male, na nun,
hatten wir's mit den Russen zu tun.

Das Gedicht erinnert mich an die Art, wie ich viele Erwachsene von ihrer Kindheit im Krieg habe reden hören: ohne Schrecken in der Stimme, sondern eher unterhaltsam nach dem Motto »Zumindest war es nie langweilig«. Elisabeth Pfeil schaut auch bei diesem Gedicht sehr genau hin und verrät, was sich dahinter verbirgt.

Hier ist alles vorhanden: der Aufbruch, das Interessante, das Abenteuerliche der Reise, die Beobachtung des Ungewöhnlichen (daß man den Hut an einen Nagel an der Wand hängte), die wechselvollen Erlebnisse der weiteren Flucht, endlose Weite, der Verlust der Pferde, des Wagens und endlich: vom Feind eingeholt zu werden. Dieser Junge, der erlebt hat, wie sie durch das Feuer liefen, wie dabei sein kleinster Bruder zurückblieb, wie sie den Fluchtweg wieder rückwärts zogen, wie die Mutter als Magd arbeitete, wie die Soldaten sie mißbrauchten, faßt alle Schrecknis zusammen in einen einzigen kleinen Ausruf, die beiden Worte »Na nun«. Dann bricht das Gedicht ab.

DRITTES KAPITEL

»Eine verschwiegene, unentdeckte Welt«

Als Deutschland hungerte

Wie sah kurz nach dem Krieg die soziale und gesundheitliche Situation der Bevölkerung aus? Der Journalist Isaac Deutscher schrieb am 29. September 1945 in »The Economist« über seine Eindrücke in Berlin:

> Blickt man von den Kleidern auf die Gesichter, so wird deutlich, was es heißt, halb verhungert zu sein. Was auffällt, ist nicht die Magerkeit, nicht einmal die allgemeine Müdigkeit, sondern die Gesichtsfarbe. Die Gesichter der Babys in den Kinderwagen sind leichenfahl; das Fleisch hat ein wächsernes oder seifenartiges Aussehen. Kleine Kinder sind gelb, aber die Zwölfjährigen weisen die Blässe der Erwachsenen auf, außer, wenn sie offenbar durch Gelbsucht gefärbt sind.

Deutschland hungerte. Peter Weiss notierte für seine schwedische Zeitung:

> Die Deutschen schleppen sich, wie im Halbschlaf, gebrochen, die Straßen entlang, scheinbar ohne Sinn für den Verkehr um sie herum. Doch sie sind sprungbereit, wenn die fremden Herrschaften einen Zigarettenstummel wegwerfen. In den Mülltonnen ihrer Gäste aus dem Ausland wühlen sie nach Apfelsinen- und Grapefruitresten, nach Kartoffelschalen, abzunagenden Knochen und Sardinenbüchsen … Es scheint so, als gäbe es unter der ganzen Bevölkerung kein Liebespaar; nur einige der fremden Soldaten verschaffen sich ein flüchtiges Liebesabenteuer mit einem deutschen Mädchen, was billig zu haben ist.

Berichte wie die von Isaac Deutscher und Peter Weiss sorgten im Ausland für eine bis dahin nicht dagewesene Welle der organisierten Hilfsbereitschaft, vor allem aus den USA und aus der Schweiz. Der Psychotherapeut Hartmut Radebold erzählt in seinem Buch »Abwesende Väter und Kriegskindheit« von einer Tante, die in der besser versorgten amerikanischen Zone lebte und deshalb in der Lage war, »jeweils 50–100 g Haferflocken im Briefumschlag« zu schicken.

Der Hunger beherrschte die westdeutschen Städter noch bis zur Jahreswende 1947/48; in der DDR gab es Regionen, deren Bewohner bis Anfang der Fünfzigerjahre unterernährt waren. Noch 1950 wohnten 9 Millionen Kinder in Westdeutschland unzulänglich, oft menschenunwürdig. Rund die Hälfte aller 300 000 Lagerinsassen waren Kinder und Heranwachsende.

Bei meiner Durchsicht früher Zeitungsartikel zum besseren Verständnis der damaligen Situation ergaben sich allerdings mehr Fragezeichen als Fakten. »Die Neue Zeitung« vom 30.4.1952 beklagt, dass es »einwandfreie Statistiken über den Gesundheitszustand der Kinder« nicht gebe, dass aber nach Berichten der Ärzteschaft die TBC-Durchseuchung erheblich höher sei als 1939. Der Artikel informiert darüber, dass das Kieler Gesundheitsamt die Ernährungs- und Wirtschaftslage der dortigen Schuljugend untersucht habe. Über die Hälfte der Zehn- bis Elfjährigen, hieß es, bekomme nicht einmal regelmäßig Milch, ein Fünftel werde eintönig ernährt.

Weitere Zahlen: 5,5 Millionen deutsche Kinder hatten 1945 ihre Heimat verloren. Doch schwanken die Angaben erheblich. Manchmal ist auch nur von 1,4 Millionen die Rede.

1952 erschien eine soziologische Studie über die deutsche Nachkriegsjugend in Darmstadt. Die Wahl des Ortes machte Vergleiche möglich: Darmstadt wurde zu 50 Prozent zerstört; die Situation dort war also der anderer deutscher Städte sehr ähnlich. Laut Studie besaß ein Viertel aller 14-Jährigen kein eigenes Bett. In der »Frankfurter Allgemeinen Zeitung« wurden die Untersuchungsergebnisse ausführlich kommentiert: »Eine andere Gefahrenquelle bilden die Veränderungen des familiären Rhythmus, der sich durch berufliche Überbelastung, Nervosität und Ungeduld äußert.« Vor allem auf die Gefährdungen der Kinder aus Scheidungsfamilien (»In Darmstadt wurden im Jahr 1950 229 Ehen geschieden, gegenüber 92 im Jahr 1934«) wurde hingewiesen. Und schließlich ein Satz, der eine Entwarnung, aber auch eine gewisse Sorge enthielt: »Während in keinem Falle nachhaltige Schäden von der Bombenkatastrophe her nachgewiesen werden konnten, macht die Anpassung von Flüchtlings- oder Evakuiertenkindern an die neue Umgebung oft Schwierigkeiten.«

Wie aus weiteren Zeitungsberichten hervorgeht, wurden ab Mitte der Fünfzigerjahre auch die Flüchtlingskinder im Großen und Ganzen als problemfrei gesehen. Man lobte ihre guten Schulleistungen und wie mühelos sie den Dialekt ihrer Umgebung angenommen hätten.

Ein gelungener Neuanfang, so sieht es aus. Ich würde gern glauben, dass es wirklich so war, dass also das beginnende Wirtschaftswunder die Wunden heilte und vielleicht nur Einzelne nicht so gut davongekommen waren. Aber es bleiben mehr Fragen als Antworten.

Forschen, Messen, Wiegen

In welchem Ausmaß und über welchen Zeitraum die deutschen Kinder den Krieg und die Vertreibung noch mit sich herumschleppten, werden wir nie erfahren. Gelegentlich weckten sie zwar das Interesse der medizinisch-psychologischen Forschung, aber die Ergebnisse sind aus heutiger Sicht enttäuschend, weil die Einstellung vorherrschte: Was man nicht messen kann, das existiert auch nicht – wobei das Maßnehmen ganz konkret gemeint war.

Das beste Beispiel dafür ist die Untersuchung »Deutsche Nachkriegskinder«, 1954 herausgegeben von den drei Professoren Coerper, Hagen und Thomae. Zum ersten Mal nach dem Krieg –

zum ersten Mal in Deutschland überhaupt – hatte eine Gruppe von Ärzten und Psychologen bei Kindern umfangreiche Untersuchungen angestellt, und zwar bei den Jahrgängen 37/38 und 45/46. Dass man sich dabei auch für die Spuren eventueller Kriegsfolgen interessiert hätte, ist in der langatmigen Einleitung mit keinem Wort erwähnt.

In diesem Projekt, finanziert aus dem Marshall-Plan, wurden die Daten von 4400 Schülern ausgewertet. Aber welche Daten? Am auffälligsten sind endlose Tabellen mit Zahlen, die Auskunft über die Durchschnittswerte von kindlichen Körperteilen geben. Aus heutiger Sicht erscheint es fast wie eine Besessenheit, wie die Kinderleiber bis ins kleinste Detail vermessen und die Ergebnisse penibel aufgelistet wurden, um sie mit der kretschmerschen Typenlehre in Einklang zu bringen und um diesen Typen wiederum die diversen Krankheiten zuzuordnen.

Auch damals schon mag einigen Menschen die wissenschaftliche Methode mit Waage und Zentimeterband nicht recht eingeleuchtet haben, und so glaubt man einen kleinen Seufzer zu hören, wenn man nachliest, wie sich dazu Barbara Klie in »Christ und Welt« äußerte: »Der Laie, Vater, Mutter, ja selbst der Lehrer wird sich wenig darum kümmern, wieviel Prozent der deutschen Kinderschar nach der Typenlehre von Kretschmer den schlanken Leptosomen, den großgewachsenen Athletikern oder den kleinen, runden Pyknikern zuzuzählen ist oder ob die Gruppe häufiger als die andere von Ziegenpeter befallen wird.«

Und hier die wenigen, heute noch aussagekräftigen Ergebnisse:

- Jedes vierte Nachkriegskind hat kein eigenes Bett.
- 36 Prozent haben ein gesundes Gebiss, das heißt, bei zwei Dritteln ist das nicht der Fall.
- 10 Prozent haben Scharlach, 6 Prozent Diphtherie überstanden.
- Ein Kind aus ärmlichen Verhältnissen, was überwiegend auf die Flüchtlinge zutrifft, bringt deutlich die besseren Schulnoten nach Hause – schneidet aber dann schlechter ab, wenn mit Fleiß allein nichts mehr auszurichten ist.

»Das gibt uns einen tiefen Einblick in den Mechanismus von Druck und Anpassung«, schreibt Barbara Klie weiter. »Nicht ohne Bewegung erkennt man hinter den Zahlenreihen und aufgefädelten Prozentziffern die Gestalt des vom Glück mißachteten Kindes, das in Leichtigkeit und Phantasie schon früh einen Luxus, ja einen Ballast zu sehen gelernt hat und dennoch an dem Mangel krankt.« Man spürt, dass das Herz der Autorin für die benachteiligten Nachkriegskinder schlägt, von denen viele »im frühesten Alter Flucht, Lager und Bunkerzeiten mitgemacht« haben.

»Heute dümmer als früher?«

Ein Jahr später griff »Die Welt« das Bildungsthema noch einmal auf, indem sie in einer Schlagzeile fragte: »Sind Kinder heute dümmer als früher?« Der Münchner Psychologe Albert Huth hatte in Tests 13 000 Kinder zwischen 13 und 15 Jahren befragt. Auf diese Weise war ein leichtes Absinken der Durchschnittsbegabung von 5 Prozent im Vergleich zur Vorkriegszeit herausgefiltert worden. Allerdings: Als es darum ging, einen aus mehreren Teilen bestehenden Holzwürfel wieder richtig zusammenzusetzen, zeigte sich vielfach ein auffällig unpräzises Wahrnehmungsvermögen. Resultat: Die dazu benötigte Zeit hatte sich bei den Jungen um 12 und bei den Mädchen um 33 Prozent verlängert. Was also das räumliche Vorstellungsvermögen betraf, blieben die Schülerinnen und Schüler gegenüber den Vorkriegskindern beträchtlich zurück. Huth sah darin teilweise die Folgen von belastenden Zeiten in der Vergangenheit, aber auch schon die der zunehmenden Reizüberflutung durch »Funk, Film und Fernsehen«.

Ein Jahr zuvor hatte der Nordwestdeutsche Rundfunk einen bahnbrechenden Beitrag zum Verständnis der deutschen Jugend geleistet. In einer Hörerumfrage wurden die Jahrgänge von 1929 bis 1938 nach ihren Haltungen, Werten und Vorlieben befragt: die Kriegskinder im Visier der Soziologen. Dabei erfuhr man zwar nichts über mögliche noch über belastende Kriegsfolgen, aber die Spuren der Vergangenheit waren in ihren Einstellungen durchaus erkennbar.

Aus heutiger Sicht klingen die Ergebnisse nicht besonders aufregend. Damals gerieten die Medien und Sozialwissenschaftler geradezu ins Schwärmen, weil es zum ersten Mal überhaupt gesicherte Erkenntnisse gab: Der Durchschnittsjugendliche, so hieß es, strebe einen sicheren Beruf an, vermeide Experimente, habe keine Angst vor einem neuen Krieg, liebe Sport und Unterhaltung, arbeite viel und beschäftige sich wenig mit Politik.

Es war die Zeit, als sich die Jugend an der Universität noch siezte, als Studenten Anzüge und Krawatten trugen und ihre Kommilitoninnen Kleider mit weißen Kragen oder Perlenketten. Auf die Frage: »Gibt es eine Idee, für die Sie sich begeistern könnten?« antworteten zwei Drittel der NWDR-Junghörer mit »Nein«. Eine Mehrheit (67 Prozent) griff »regelmäßig« oder »häufig« zur Zeitung, sie hörte im Radio gern leichte Musik, sie interessierte sich für Kinofilme, die Lebensprobleme darstellten – kitschige Liebesfilme waren nicht nach ihrem Geschmack, noch weniger Kriegsbücher. Fast die Hälfte aller jungen Menschen gehörte irgendeinem Verein an. Jeder Fünfte verbrachte seine Freizeit meist allein und fühlte sich als Einzelgänger, jeder Vierte hatte keinen Menschen, mit dem er sich über persönliche Sorgen aussprechen konnte. Andererseits: 80 Prozent holten sich Rat bei Erwachsenen.

Was Schelsky herausfand

Im Jahr 1957 veröffentlichte der Soziologe Helmut Schelsky sein Buch mit dem bis heute bekannten Titel »Die skeptische Generation«. Im Mittelpunkt standen die in den Dreißigerjahren Geborenen. »Man hört heute in der Erwachsenenwelt zuweilen die Forderung: ›Wir brauchen neue Ideen für die Jugend‹«, schrieb Schelsky, »und die Enttäuschung der Älteren über den Mangel an

›Idealismus‹ in der gegenwärtigen jungen Generation ist ziemlich weit verbreitet; diese Einstellung verkennt, daß ›Ideen‹ genügend kursieren, die Jugend aber gar nicht danach sucht, weil ihr die Bereitschaft, sie zu glauben, fehlt, die in den 20er und 30er Jahren gerade aus den Krisen des politischen Geschehens aufstieg.«

Der Soziologe glaubte, dass die Erfahrungen des Krieges und seiner Folgen »die politische Glaubensbereitschaft und ideologische Aktivität, die die vorige Generationsgestalt der Jugend insgesamt kennzeichnete, an der Wurzel vernichtet« habe.

Schelsky hat bei dieser Generation sehr genau hingehört. Jedermann, vor allem auch die Jugend, sagte er, sei »zutiefst von der planerischen Ohnmacht des Menschen gegenüber den großen politischen und sozialen Kräftekonstellationen überzeugt worden«. Darüber hinaus hatte er herausgefunden, dass die Angehörigen der »skeptischen Generation« die Werte ihrer Eltern teilten. Angesichts der Nachkriegsbedingungen blieb den Jungen wie den Erwachsenen nur dieser eine Weg nach vorn: Überleben, eine Existenz aufbauen.

Schließlich wagte der Soziologe sogar eine Prophezeiung: »In allem, was man so gern weltgeschichtliches Geschehen nennt, wird diese Jugend *eine stille Generation* werden, eine Generation, die sich damit abfindet und es besser weiß als ihre Politiker, daß Deutschland von der Bühne der großen Politik abgetreten ist. Eine Generation, die sich auf das Überleben eingerichtet hat.«

Schelsky hatte, wie gesagt, im Wesentlichen die Dreißigerjahrgänge im Blick. Bei denjenigen aber, die im Krieg geboren worden waren, zeigten sich teilweise andere Entwicklungen. 1955 kam es zu den ersten sogenannten »Halbstarken-Krawallen«, und Schelsky schien sich nicht ganz sicher gewesen zu sein, wie er das Phänomen einschätzen sollte.

Zunächst handelte es sich um Jugendliche aus dem Arbeitermilieu, aber dann wurden ihre Gruppen auch für Bürgerkinder attraktiv. Man traf sich an Straßenecken und Plätzen, wo man sich betrank, Passanten belästigte, randalierte. Gern und häufig wurden Autos geknackt und zu Spritztouren benutzt, die dann im

Straßengraben endeten. Es waren die ersten Deutschen, die Jeans trugen, damals noch »Nietenhosen« genannt. Ihre Vorbilder hießen Marlon Brando und James Dean. Ihre Musik waren der Jazz und der Rock 'n' Roll.

Das »Hamburger Abendblatt« schrieb am 16. Juni 1956: »Man will sich aufputschen und fanatisieren lassen. Und ein Krawall wie beim Louis-Armstrong-Konzert ist dann eine fast selbstverständliche Konsequenz.« Bis 1959 häuften sich in ganz Westdeutschland Straßenschlachten mit der Polizei, in die manchmal viele Tausend Jugendliche verwickelt waren, vor allem im Anschluss an Konzerte.

Da die Halbstarken kein nationales Phänomen darstellten, sondern auch andere Länder damit Probleme hatten, fand keine nennenswerte spezifisch deutsche Ursachenforschung statt. Sie galten als verwahrloste Jugendliche. Wie aber war das möglich, so wurde immer wieder in den Medien gefragt, denn es handelte sich zunehmend um Halbwüchsige »aus ganz normalen Familien«. Nur sehr nachdenkliche Feuilletonisten verwiesen darauf, dass diese Altersgruppe sich in ihrer Kindheit für das Überleben der ganzen Familie mitverantwortlich gefühlt hatte, dass sie wie die Raben gestohlen und sich an Schwarzmarktgeschäften beteiligt, dass sie geraucht und mit scharfer Munition gespielt hatte, kurz, dass sie »erwachsene Kinder« waren. Unkontrolliert und eigenständig hatten sie schon in den Trümmern ihre eigenen Regeln untereinander ausgehandelt. Anfang der Fünfzigerjahre dann, als sich die Verhältnisse besserten, erinnerten sich plötzlich viele Eltern ihrer Erziehungsaufgabe, nun sollten auf einmal wieder die früher üblichen autoritären Maßnahmen greifen. Da war es häufig schon zu spät. Die eigenen Kinder ließen sich nichts mehr sagen. Sie waren Jugendliche, die sich den herrschenden Normen verweigerten.

Einerseits hatte Helmut Schelsky richtig erkannt, dass es sich bei den Halbstarken um eine Minderheit handelte, die zwar in den Medien viel beachtet wurde, aber keine generationsprägende Kraft besaß. Andererseits, so ahnte wohl der Soziologe, wären die Halbstarken womöglich doch in der Lage, den Boden für eine weit stärkere Jugendprotestbewegung vorzubereiten, weshalb er sein Buch mit dem Gedicht eines unbekannten Jugendlichen abschloss. Es trägt den Titel »An die Schwachen« und richtet sich explizit an die damaligen Erwachsenen. Darin heißt es:

Ihr habt uns keinen Weg gewiesen, der
Sinn hat, weil ihr selber den Weg
nicht kennt und versäumt habt,
ihn zu suchen.
Weil ihr schwach seid.

Euer brüchiges »Nein« stand windschief
vor den verbotenen Dingen.
Und wir brauchten nur etwas zu schreien;
dann nahmt ihr das »Nein« weg und
sagtet »Ja«.
Um eure schwachen Nerven zu schonen.
Und das nanntet ihr »Liebe«.

Weil ihr schwach seid, habt ihr euch
von uns Ruhe erkauft.
Solange wir klein waren, mit Kinogeld
und Eis.
Nicht uns habt ihr damit gedient,
sondern euch und eurer Bequemlichkeit.
Weil ihr schwach seid.
Schwach in der Liebe; schwach in der Geduld,
schwach in der Hoffnung, schwach im Glauben.

Wir sind halb-stark, und unsere Seelen
sind halb so alt wie wir.
Und wir machen Radau, weil wir nicht
weinen wollen – nach all den Dingen,
die ihr uns nicht gelehrt habt.

Geschwächte Erwachsene tragen die Verantwortung für ihre halbstarken Kinder – so sieht es der namenlose Dichter und Sohn, der am Schluss fordert:

> Zeigt uns für jeden von uns, der Lärm macht,
> einen von euch, der im Stillen gut ist.
> Laßt, anstatt mit Gummiknüppeln zu drohen,
> Männer auf uns los, die zeigen,
> wo der Weg ist.
> Nicht mit Worten, sondern mit ihrem Leben.
>
> Aber ihr seid schwach.
> Die Starken gehen in den Urwald und
> machen Neger gesund.
> Weil sie euch verachten.
> Wie wir.
>
> Denn ihr seid schwach;
> und wir sind halb-stark.
>
> Mutter, versuch zu beten,
> denn die Schwächlinge haben Pistolen.

Verspätete Kriegsfolgen in der Pubertät

Der Freiburger Klinikarzt und Psychologe Theodor F. Hau gehörte zu den wenigen Jugendforschern, die schon früh die Halbstarken-Krawalle vor dem Hintergrund der Kriegsjahre zu sehen vermochten. In den Sechzigerjahren hatte er sich die Mühe gemacht, 1000 Krankengeschichten zu studieren. Dabei handelte es sich um die Akten aller 17- bis 25-jährigen Patienten, die im Laufe von 15 Jahren (von 1950 bis 1964) in seiner Klinik aufgenommen worden waren. Er entdeckte, »daß der prozentuale Anteil der schizoiden Neurosestrukturen vom Geburtsjahrgang 1939 an relevant zunimmt«. Dieser Wert war von unter 5 Prozent während der folgenden acht Jahre auf fast 40 Prozent gestiegen.

1968 erschien sein Buch »Frühkindliches Schicksal und Neurose«, in dem Hau, wie im Untertitel angekündigt, auf die »Erlebnisschäden in der Kriegszeit« einging. Es fand in der Fachwelt wenig und vor allem keine dauerhafte Beachtung.

Es handelt sich um eine wissenschaftliche Veröffentlichung, in der die jungen Patienten vor allem als kontaktarm, aggressionsgehemmt, verschlossen, verunsichert und depressiv beschrieben wurden. Sie wirkten unkonzentriert und unruhig, hieß es, oder sie seien körperlich wie erstarrt, fast alle Schulversager.

»Die Gesamtuntersuchung zeigt, mit welchen psychischen und psychosomatischen Störungen und Erkrankungen in und nach Kriegssituationen gerechnet werden muß«, schrieb Hau. »Die Untersuchung zeigt weiterhin, daß der Ausbruch dieser spezifischen Störungen und Erkrankungen erst Jahre später in Form einer ›Welle‹ auftreten kann, und zwar im Zusammenhang mit den Aufgaben und Anforderungen, die die Pubertät und die Nachpubertät an das schizoid und depressiv gestörte Individuum stellen und mit denen es nicht fertig werden kann.«

Hau erinnert in diesem Zusammenhang an die Halbstarken-Zeit, die bei Erscheinen seines Buchs schon zehn Jahre zurücklag, und verweist auf die damaligen Erwachsenen, die den »Auswüchsen« der Nachkriegsjugend meistens ohne Einfühlungsvermögen gegenübergestanden hätten.

Der Klinikarzt veröffentlichte seine Forschungsergebnisse elf Jahre nach dem Erscheinen von Schelskys »Skeptischer Generation«. Die Zeiten hatten sich geändert. Hau konnte während seiner Arbeit am Buchmanuskript die Vorbeben der sich ausbreitenden Studentenunruhen nicht mehr übersehen, weshalb er die Verantwortlichen eindringlich mahnte, sich endlich in verständnisvoller Weise um diese Jugend zu kümmern.

Eine Generation, die nicht interessierte

Wie ging es weiter mit der Wahrnehmung der Kriegskinder in der deutschen Gesellschaft? Gar nicht. In der rebellierenden Studentenjugend Kinder zu sehen, die einer kollektiven Katastrophe entkommen waren, und daraus irgendwelche Schlüsse zu ziehen lag allen Konfliktparteien fern: in erster Linie den 68ern selbst, aber auch ihren Gegnern und Verbündeten in Politik und Medien.

In den Siebzigerjahren wurde für kurze Zeit eine Gruppe Kriegskinder sichtbar, als sich die Presse für die Erfahrungen der sogenannten »Flakhelfergeneration« interessierte. Dann, nach zehn weiteren Jahren, erwachte die Nazikindheit – nicht die Kriegskindheit – als viel beachtetes Thema in der psychotherapeutischen Literatur, parallel dazu wurde die kriegsbedingte Vaterlosigkeit entdeckt. Nicht wenige Schriftsteller steuerten Autobiografisches aus der Kinderperspektive bei, vor allem aufschlussreiche Szenen des Nazialltags. Die Schrecken des Krieges erwähnten sie in ihren Büchern eher beiläufig. Wer das Glück hatte, in friedlichen Zeiten aufgewachsen zu sein, erfuhr durch die Lektüre, dass die erwachsen gewordenen Kinder auch im Rückblick keinen Anlass sahen, über ihr Schicksal zu klagen.

Der Publizist und Psychoanalytiker Horst-Eberhard Richter, der mir aus Anlass einer Hörfunksendung 1997 einen ersten Weg zum Verständnis der Kriegskindergeneration bahnte, sprach in ihrem Zusammenhang von einer »verschwiegenen, unentdeckten Welt, von einer wenig untersuchten und wenig aufgearbeiteten Seite der Geschichte unserer Bevölkerung«.

Er verwies darauf, dass die Wissenschaftler, die Ende der Siebzigerjahre mit der Aufarbeitung der Hitler-Zeit begannen, sich aufgrund von Schuldgefühlen nur berechtigt sahen, über die Opfer der Nazis zu forschen: über die Überlebenden des Holocaust und andere verfolgte Gruppen – oder über jene, deren Väter bei den Nazis eine exponierte Rolle gespielt hatten. Jedenfalls wurde ausgeblendet, dass traumatisierte deutsche Kinder genauso zu den Opfern der Nazis gehörten.

Wir haben es also mit einer vergessenen Generation zu tun. Ihr Schicksal interessierte nicht. Es wurde nicht erforscht.

VIERTES KAPITEL

Zwei Frauen ziehen Bilanz

Die Sehnsucht, es möge nie wieder Krieg geben

Zwei Frauen, zwei Schicksale und viele Gemeinsamkeiten. Würden sie sich kennen, wären sie vielleicht Freundinnen, denn sie sind sich ähnlich in der Art, wie sie reflektieren, wie sie mit dem Älterwerden umgehen, ihrer Liebe und Fürsorge für die Enkel, dem Bildungshintergrund, dem noch immer nicht ermüdeten sozialen Engagement, ihrem wachen Interesse an Politik und ihrer Sehnsucht, es möge nie wieder Krieg geben.

Zwei Frauen, zwei Varianten einer Kriegskindheit und zwei sehr unterschiedliche Lebensverläufe. Marianne Kraft*, geboren 1930, und Ruth Münchow*, vier Jahre jünger, haben sich vor meinem Besuch viel Zeit genommen und eine Art Lebensbilanz erstellt. Beide Frauen stammen aus Großstädten, beide wuchsen in bürgerlichen Familien heran. Beide können auf viele glückliche Kinderjahre und auf ein interessantes Berufsleben zurückblicken. Nachdem ich sie interviewt hatte, war mir klar, dass ich ihre Geschichten auf irgendeine Weise zusammenfügen musste. So entstand die Idee eines gemeinsamen Kapitels.

Marianne Kraft sieht keinen Grund zu klagen, weil sie es »im Großen und Ganzen gut gehabt« habe. Bei Ruth Münchow, dem Flüchtlingskind, fällt die Bewertung anders aus: »Das Leben war einfach immer anstrengend für mich.« Dabei klingt ihre Stimme so sachlich, als spräche sie von einer Einkaufsliste. Die Schrecken der Flucht werden in wenigen Sätzen angedeutet. Ganz anders die Erfahrungen in den Jahrzehnten danach. Immer wieder von vorn anfangen. Nicht aufgeben ... Bei der anderen ist viel vom Bombenkrieg die Rede, aber wenig von dessen Folgen, weil in der Tat alles gut ausgegangen war.

Marianne Kraft ist Historikerin. Als ich sie 1997 zum ersten Mal um ein Interview bat, lag ihre Kriegskindheit noch gut verpackt in den Schubladen der Vergangenheit. Obwohl schon Ende sechzig, konnte bei ihr von einem beschaulichen Rentnerdasein nicht die Rede sein. Dass sie ein aufwendiges kirchliches Ehrenamt übernommen hatte, war für sie etwas Selbstverständliches. Womöglich entsprach ihre Arbeit den Verpflichtungen einer halben Pfarrstelle, doch wenn Marianne solches Lob hörte, widersprach sie entschieden. Etwas zu leisten, sich für andere einzusetzen, solange ihre Kraft reichte, verdiente in ihren Augen keine besondere Beachtung.

Großmutter und Enkeltochter

Außerdem hielt sie noch Vorlesungen, ebenfalls für Gotteslohn. Sie und ihr Mann gehören zu den gut versorgten Pensionären; da reichte ihr schon als Gewinn, dass ihr Wissen gefragt war. Eines Tages äußerte ihre damals 17-jährige Enkeltochter den Wunsch, sie in den Hörsaal zu begleiten. Lena war so beeindruckt von ihrer Großmutter, vor allem von der Art, wie sie die Studenten für ihren Stoff zu begeistern vermochte, dass die Schülerin beschloss, später selbst Geschichte zu studieren. Als Marianne Kraft mir erzählte, in welchem Ausmaß unser Interview wieder Erinnerungen an ihre Kriegskindheit wachgerufen habe, ja dass dies seitdem immer wieder Thema sei in ihrer Familie und auch bei Freunden, wobei sich ihre älteste Enkelin ganz besonders dafür interessiere, bat ich um ein weiteres Interview, diesmal zusammen mit der zur Studentin herangereiften Lena.

Fünfzig Jahre liegen zwischen der alten und der jungen Historikerin. Ein Jugendfoto der Älteren zeigt, dass die junge Marianne und die Enkelin Lena sich wie Schwestern ähneln: breite Wangenknochen, schwarzes dichtes Haar, wache Augen.

Kein Zweifel, dass Lena ihre Großmutter bewundert: eine Frau mit einer heiseren Stimme, die ausgesprochen gut zu ihr passt, mit einem großen Herzen und einem scharfen Verstand. Damit bewältigt sie ihren Alltag, versorgt sie ihren chronisch kranken Mann, kümmert sie sich um das Haus, das nach wie vor für eine

Familie mit drei Kindern, fünf Enkeln und für einen großen Freundeskreis der Mittelpunkt ist.

Lena ist ein Scheidungskind; umso wichtiger für sie, bei ihren Großeltern zu sehen, dass zwei Menschen auch nach vierzig Jahren noch eine Liebesehe führen können. Marianne weiß, dass sie allen Grund hat, dankbar zu sein, und Lena weiß: Typisch Großmutter, alles Gute in ihrem Leben sieht sie als Geschenk, die eigene Leistung nimmt sie nicht so wichtig. Alle, die mit Großmutter zu tun haben, sind beeindruckt von ihrer Persönlichkeit. Nur Marianne versteht nicht, warum das so ist, weil sie in ihrer christlichen Haltung die dafür nötigen Vergleiche ablehnt.

Vom Hunger geprägt

Als Historikerin sieht sie sich nicht nur als ein Kind jener Zeit, die mit ihrem Geburtsjahr begann, sondern sie sieht sich auch schon von früheren Jahren geprägt. »Hunger« heißt ihr großes Lebensthema, weil sie erkannt hat, in welchem Ausmaß ihre eigene Erziehung vom Elend des Ersten Weltkriegs und der Zwanzigerjahre beeinflusst war; dass im Wald Pilze und Beeren gesammelt wurden, dass die Eltern ihr von den Hungermärschen erzählten, mitten in der Großstadt.

»Leute in Badeanzügen gingen hintereinander her, um zu zeigen, wie ausgemergelt sie waren«, erzählt Marianne. »Das war 1930, das Jahr, in dem ich geboren wurde.« Aber es klingt so, als beschreibe sie eine eigene Erinnerung. »Und zu meinen Eltern, die beide Lehrer waren, Reformpädagogen, kam jeden Mittag ein sogenanntes Kommunistenkind, das einmal am Tag satt zu essen haben sollte. Meine Eltern waren ja keine Kommunisten, aber es war ganz klar, dass man etwas tun musste, um diese Kinder vorm Verhungern zu retten. Also, was Hunger bedeutet, das hat meine ganze Kindheit mitbestimmt.«

Und noch ein weiterer Faktor war prägend: »Es wurde Teil unseres Wesens und Selbstgefühls, dass alles zum Teufel gehen kann, ganz schnell; dass in ein paar Jahren ein blühendes Land zu einer Wüste wird, das haben die Eltern ja schon erlebt …«

Und sie erlebten es ein zweites Mal. »Ich habe Fotos von meinen Eltern, von 1945, da sieht man, wie verhungert sie waren«, erzählt Marianne. »Meine Mutter war zu schwach, sie kippte dauernd um, und mein Vater, der aus dem Gefangenenlager kam, fiel mindestens einmal am Tag in Ohnmacht, in der Kirche oder sonstwo. Und es war für mich sehr schwierig, diesen ungewöhnlich großen Mann wieder aufzurichten.«

Als 15-Jährige fuhr sie allein auf Kohlezügen in den Norden und organisierte ohne jede Hilfe einen Umzug. Sie musste die Initiative ergreifen, weil ihre Eltern zu schwach waren.

Aber auch für Marianne hatte es Hungerzeiten gegeben, heute nicht nur Erinnerungen, sondern – das schloss ich aus der Art, wie sie es erzählte – auch Teil ihrer Identität: »Man dachte nur ans Essen, an nichts anderes dachte man. Nachts haben wir von Brot geträumt. Man hatte wirklich Wahnvorstellungen von Brot.«

Eine Zeit lang hatte sie mit ihrer Mutter bei einer Tante gewohnt, bei der das Mädchen den ganzen Tag spülen, waschen, putzen musste. »Und diese Tante«, sagt sie mit einem kleinen Seufzer, »na ja, Gott hab sie jetzt selig – also sie ließ ihr Brot immer offen in der Küche liegen. Ich glaube, ich habe mir nie etwas davon genommen, aber sie hat mir nie getraut.«

Enkelin Lena hat sich viel mit ihren beiden Großmüttern über den Krieg unterhalten. Was sie daran interessiert? Ganz einfach – der Mensch! »Eine Person wird für mich kompletter, wenn ich weiß, was sie in ihrer Kindheit und Jugend gemacht hat«, sagt sie. »Vielleicht kann ich nicht wirklich erfassen, wie es war, aber ich kann es mir ein bisschen besser vorstellen. Sie ist dann eben nicht nur die Person, die mir gegenübersitzt, sie ist mehr …«

Die Studentin glaubt, die Spuren des Hungerns bei beiden Großmüttern zu kennen. Nie würde Marianne Lebensmittel wegwerfen; sie kauft eben nicht mehr ein, als gebraucht wird. »Aber bei der anderen Oma«, sagt Lena, »da erlebe ich eher das Gegenteil, dass sie es ganz toll findet, alles einzukaufen und einen vollen Kühlschrank zu haben. Und was sie nicht mehr essen mag, landet im Mülleimer. Ja, sie genießt diesen Überfluss – sagt sie auch selbst.«

Für ihre Großmütter habe das Thema Konsum eine große Bedeutung, so Lenas Analyse. »Die eine prasst gern, die andere ist eher sparsam und dankbar.« Marianne fühlt sich treffend beschrieben und bestätigt: »Ich würde fast behaupten, dass ich bei jedem Großeinkauf in einem Supermarkt Lobe-den-Herrn-Gefühle hab, ohne Ironie. Dass das wieder möglich ist, in einer Welt, die ja völlig zerstört war, das sitzt ganz tief in uns.«

Den Bombenkrieg überlebte Marianne Kraft im Ruhrgebiet. Die Fliegerangriffe, die Angst im Luftschutzraum. »Man nahm sich natürlich sehr zusammen«, sagt sie. »Man heulte nicht, man schrie nicht. Man war schon tapfer, weil sonst sofort die Panik ausbricht. Wenn eine durchdreht und zu schreien anfängt, das ist unerträglich für die anderen.« Und dann fällt ihr noch ein: »Bei der Geburt schrie man auch nicht. Ich habe später drei Kinder gekriegt, ich hätte nie geschrien dabei ...«

Ständig im Hilfseinsatz, wenig Schlaf

Vom Vater kamen fast täglich Feldpostbriefe. Darin standen manchmal kleine Geschichten: Neues von Peter. Das Pferd Peter war so etwas wie der beste Freund, dem es stets gelang, den Vater aus gefährlichen Situationen herauszubringen. Man geriet in Not, aber man wurde gerettet. Eine tröstliche Botschaft.

Rückblickend sieht sich Marianne entweder übermüdet im Keller hocken, oder sie sieht sich Brote schmieren und Getränke austeilen. Als Jungmädel war sie ständig im Hilfseinsatz, dauernd auf den Beinen, wenig Schlaf. Sie half Ausgebombten, wenn es darum ging, ihre letzte Habe für die Evakuierung zusammenzupacken. Und dann wieder Brote belegen und Kannen füllen, am Bahnhof bereitstehen für die Soldaten, für die Verwundetentransporte – später für die Flüchtlingstransporte.

»Ich denke, wir hatten diese Einstellung: Unmögliches gibt es einfach nicht!«, sagt Marianne Kraft. Keine Frage, sie fühlte sich stark, im Krieg und in den schlimmen Jahren danach. Denn sie war schon in einem Alter, in dem sie zupacken konnte. Und genau das wollte sie. Sie wollte etwas *tun*. Auf diese Weise gelang es ihr, Gefühle des Ausgeliefertseins zurückzudrängen – weshalb sie auch keine Verwendung sah für das Aufputschmittel Pervitin, das ihr der Apotheker eines Tages in die Hand drückte, im Glauben, er täte ihr damit etwas Gutes.

Im Jahr 1943 erlebte das Ruhrgebiet die bis dahin schwersten Bombardierungen. Eine Mitschülerin starb und eine geliebte Lehrerin. Beim Warten auf den nächsten Angriff las ihr die Mutter aus Adalbert Stifters »Nachsommer« vor, eine unwirkliche Welt, voll zarter Liebessehnsucht. Später kam die Todesnachricht von ihrem Lieblingsvetter, aber zum Trauern blieb keine Zeit.

Eigentlich war sie dem Leben eines Kindes jäh entwachsen, aber noch immer konnten Geschichten vom Pferd Peter sie trösten. »Das Merkwürdige ist natürlich in diesem Krieg gewesen«, sagt Marianne, »dass man selber in Todesgefahr war *und* der Vater. Also, es wankte sozusagen die ganze Erdoberfläche. Es war nichts irgendwie sicher, und man war völlig darauf angewiesen, den Augenblick, den man erlebte, für wichtig zu halten.«

Zweimal wurde sie ausgebombt. Beim ersten Mal betraf es ihr Elternhaus, beim zweiten Mal brach das Haus der Großeltern über ihr zusammen. Die Menschen saßen im Keller gefangen, weil die Ausgänge verschüttet waren. Aber Marianne empfand keine Panik; sie wusste, ihr Vater, der gerade Heimaturlaub hatte, würde kommen und sie herausholen. Und so geschah es. »So ein Vater ist ja etwas sehr Beruhigendes«, erinnert sie sich.

Der Krieg ging weiter, aber auch das Leben ging weiter. Irgendwann waren ihre Besitztümer so geschrumpft, dass ein Fahrrad ausreichte, um alles zu transportieren. Da wurde beschlossen, das Ruhrgebiet zu verlassen. In einem Treck gingen Marianne und ihre Mutter zu Fuß bis zum Harz. Abwechselnd schoben sie das Fahrrad. Manchmal wurden sie von Tieffliegern gejagt wie die Hasen.

In Not geraten und gerettet werden, so sah das Muster ihrer Kriegserfahrungen aus. So erging es der Mutter und auch dem Vater. Die ganze Familie überlebte.

Enkelin Lena spürt sehr genau, dass eine extreme Lebenssituation bei ihrer Großmutter Kräfte freisetzte, die unter normalen Umständen undenkbar sind. »Es war faszinierend für mich, als ich zum ersten Mal davon hörte, weil ich mich im gleichen Alter befand«, sagt die Studentin. Ihr ist aber klar, dass ihre eigene Jugend und die ihrer Großmutter zwei völlig unvergleichbare Welten darstellen. »In der damaligen Zeit waren die Ziele so viel einfacher«, stellt sie fest, »denn es ging ums Überleben. Für etwas anderes war doch gar kein Platz.« Und zu ihrer Großmutter: »Zum Beispiel diese Gespräche über das Seelenleben – ich weiß gar nicht, ob das bei euch üblich war.«

»Nein, das gab es nicht«, sagt Marianne Kraft. »Ich glaube, da kriegt ihr heute viel mit, auch über die Erwachsenenwelt der Eltern. Unsere Generation hatte ja nicht einmal eine Pubertät. Man benahm sich eben launisch, das war's. Man verliebte sich natürlich dauernd, aber man redete nicht darüber.«

Die Enkeltochter hat sich von den Kriegsgeschichten ihrer Großmütter nie belastet gefühlt. Gemessen an dem, was sie als Kinder erlebt hätten, sagt Lena, sähe sie »erstaunlich wenig Merkwürdiges in deren Verhalten«. Es sei alles so lange her, und es sei gut ausgegangen.

Kennt sie Familien, die mehr gelitten haben? Nein. Allerdings, gibt die Studentin zu, werde in ihrem Freundeskreis über dieses Thema auch nicht gesprochen.

Und immer wieder Überleben

Jedes Interview hat bei mir noch lange nachgeklungen. Ich erinnere mich, dass ich regelrecht beschwingt war, als ich Lena und ihre Großmutter verließ. Ja, so sollte es sein in den Familien, zwischen den Generationen. Kein Schweigen, keine Geheimnisse.

Kein Sichabwenden, wenn die erwachsenen Kinder Fragen stellen. Kein Augenverdrehen, wenn Opa »mal wieder vom Krieg anfängt«. Die Vergangenheit weitergeben als einen Erfahrungsschatz, auch das Schwere, auch das, was man angeblich nicht beschreiben kann. Die eigenen Kinder nicht belügen, ihnen nichts verschweigen. Manchmal malte ich mir einfach schöne Aussichten: Vielleicht kriegen wir das ja doch nun hin, wir Deutschen, noch leben die Zeitzeugen …

Nachdem ich mich von Ruth Münchow in Hamburg verabschiedet hatte, kam mir auf der Rückfahrt der Gedanke, es könnte ihr erheblich besser gehen, wenn sie mehr Unterstützung in ihrem Freundeskreis hätte, wenn sie sich nicht so allein fühlen müsste mit ihrem Thema. Ein halbes Jahr später sagte sie zu mir am Telefon: »Es ist etwas in Bewegung geraten.« Die Bedingungen hätten sich inzwischen gebessert, es gebe mehr Austausch mit alten und neuen Bekannten.

Ihr größter Wunsch ist eine halbwegs stabile Gesundheit, nun, da sie bald siebzig Jahre alt wird. Bei unserem Interview hustet sie viel. Täte sie es nicht, würde ich vielleicht gar nicht merken, wie schlecht es ihr geht. Für Frauen wie Ruth ist Disziplin die zweite Haut. Andere in ihrem Zustand lägen im Bett; sie gibt ein Interview, in dem sie ihr ganzes Leben noch einmal aufrollt.

Schon wieder sei sie krank, sagt sie, während sie in ihrer Miniküche zwei Tassen holt, dabei komme sie gerade aus der Kur. Ständig diese Angst im Nacken, es werde ihr wieder so gehen wie im vergangenen Jahr. Sie nennt es einen Totalzusammenbruch: extreme Herzschwäche, gleichzeitig Nierenbecken-, Darm- und Lungenentzündung. Es habe auf Messers Schneide gestanden, sagt sie. Wieder einmal habe der Krieg sie eingeholt. Eine angeschlagene Gesundheit als Dauerzustand. Alles Folgen der Flucht. Warum sie dennoch so viel leisten konnte, mag ihr Geheimnis bleiben: dass sie das Geld heranschaffte für sich und die beiden Kinder, dass sie zeitweise ihre Eltern finanziell unterstützte, übrigens auch ihre zwei Ehemänner. Zu einer dritten Ehe kam es dann nicht mehr.

Das mag jetzt nach »armer, kleiner Frau« klingen, die sich stets für andere aufgeopfert hat. Aber dem entspricht Ruth Münchows Auftreten keineswegs. Alleinstehend ja, aber nicht zu bemitleiden, stattdessen eine selbstbewusste Frau, wenn auch nach gesellschaftlichen Maßstäben nicht sonderlich erfolgreich. Aber sie braucht keine Qualitätsstempel von außen. Mehr Geld wäre schön, aber Status ist ihr wirklich egal. Sie kann selbst anerkennen, was sie geleistet hat, ist stolz darauf. Unterm Strich sieht sie sich »mit sich selbst im Reinen«, sie hält ihr Leben für gelungen, obwohl sie im Alter krank und arm ist – eine Schreckensvorstellung für die meisten Menschen.

Auch Ruth hat Fotos für mich bereitgelegt, Sommerferien an der See, eine Allee in Danzig mit schönen Bürgerhäusern. »Ich brauchte mir als Kind keine andere Welt zu erträumen«, sagt sie, »weil ich wirklich rundum glücklich war.« Diese Sommer! Vier Monate lang bis 30 Grad, dann ein kurzer schöner Herbst, danach der Winter, bis 30 Grad minus. Schneeberge vorm Haus. »Man kam dann nicht durch die Tür, man musste durchs Fenster klettern.« Während sie sich Zeit nimmt, um den schönen Erinnerungen nachzuhängen, hustet sie nicht.

Ihr Vater war Geschäftsmann, ein Händler, der sich hochgearbeitet hatte und stolz war, dass er gebildete jüdische Freunde besaß. Natürlich drohten ihm die Nazis, er müsse den Kontakt abbrechen, sonst … Aber der Vater dachte, was kann mir schon Schlimmes passieren, und vorerst blieb es ja auch bei den Drohungen. Aber eines Tages hieß es, er müsse Danzig verlassen. Da war schon Krieg. Deutschland hatte Polen besetzt. Ruths Vater wurde zwar nicht eingezogen, weil er gehbehindert war, aber er wurde, wie seine Tochter sich ausdrückt, »nach Polen strafversetzt«. Die Familie zog in eine kleine Stadt östlich von Warschau.

Für Ruth begannen die bedrückenden Jahre. Dennoch, der Widerspruchsgeist ihres Vaters ging auf sie über. Dass sie den »Jungmädeln« beitrat, ließ sich nicht vermeiden, in die Hitler-Jugend mussten nun mal alle, aber als sie Propagandamaterial verteilen sollte, warf sie die Flugblätter in den Fluss. Auch spielte sie lieber mit den Polenmädchen; man durfte sich eben nicht erwischen lassen.

Dann im Januar 1945 die Flucht. Ruth, elf Jahre, ein Flüchtlingskind. Zwei Monate mit dem Pferdetreck. Ruth mit ihrer Mutter und Schwester allein. Der Vater irgendwo, auch vom Kindermädchen wurden sie getrennt. Die Kälte, der Schnee, die Angst, die Weite ... Nach Danzig konnten sie nicht mehr zurück. Also noch weiter Richtung Westen. Der Vater tauchte wieder auf, auch das Kindermädchen. Im März waren sie in Sicherheit, vorläufig.

Mehr als fünfzig Jahre später wird der Schrecken der Vergangenheit wieder sichtbar: Ruth Münchow macht eine Kur in einer psychosomatischen Klinik. Dort nimmt sie an einer sogenannten Psychodramagruppe teil, in der belastende Erlebnisse einzelner Patienten szenisch dargestellt werden. Man kann sich leicht vorstellen, dass dabei heftigere Emotionen ausgelöst werden als in einer Gesprächsrunde, und das ist wohl auch therapeutisch erwünscht.

Ruth erinnert sich: »Bei mir ging es darum, dass unser Kindermädchen an Flecktyphus erkrankt war. Wir anderen hatten auch alle Flecktyphus gehabt, aber bei ihr hatte man den Eindruck, sie überlebt die Nacht nicht mehr. Da wurde ich beauftragt, sie mit dem Pferdewagen in die nächstgrößere Stadt zu bringen. Ich war ganz allein mit ihr, sie schrie immer hinten auf dem Wagen, sie hörte die Kirchenglocken läuten, da war mir klar, sie hört jetzt die Totenglocken ... Als ich das in der Gruppe erzählte, sind die Männer alle rausgelaufen, weil sie es nicht mit anhören konnten. Dabei war das für mich noch eine relativ harmlose Geschichte.«

Panik bei Mückenstichen

Flecktyphus wird durch Läuse übertragen. Ruth schüttelt sich, wenn sie nur daran denkt: »Damals hat man ständig geguckt, ob man jetzt Stiche hat, damals konnte das den Tod bedeuten.« Die

Panik hat sie bis heute nicht verlassen; bei jeder Mückenplage ist sie wieder da, und nicht nur dann: »Das sehe ich als grundsätzliche Traumaschädigung, dass mich so schnell die Panik befällt.«

Dass ihr Leben so anstrengend war, lag einmal an den Umständen, aber auch in ihrer Person. »Ich musste mich offenbar überfordern. Da war so ein Drang in mir«, gibt sie zu, ungern, zumal sie glaubt, dies nun auch bei ihrer Tochter zu entdecken. »Also, ich war politisch engagiert, habe mich um türkische Familien gekümmert, freiwillige Sozialarbeit gemacht, Frauen im Frauenhaus untergebracht ...« Und was man sonst noch so alles tut als lupenreine Helferin. Das konnte auf Dauer nicht gut gehen.

Schon früh sei bei ihr losgegangen, sagt sie, dass Menschen in ihr die vermeintlich Starke gesehen hätten: Ihr erster Freund habe seinen Bruder durch eine Panzerfaust verloren, der Vater sei nach Sibirien verschleppt worden, und so lastete die Fürsorge für seine Mutter und Schwester allein auf ihm – einem restlos überforderten Jugendlichen, wie Ruth heute weiß: »Also der hat immer nur seinen Kopf in meinen Schoß gelegt und geweint. Wir waren zwei verlorene Kinder, wir konnten uns gegenseitig nicht helfen.«

Als Ruth dreißig Jahre alt war, machte sie ihre erste Therapie. »Die Analytikerin wollte vom Krieg nichts hören«, erzählt sie, »also habe auch ich mich nicht weiter darum gekümmert.« Die Folgen von kollektiven Katastrophen hatten in der Psychoanalyse kein Gewicht. Dann doch lieber das kleine überschaubare Elternhaus. Und so ging es auch bei Ruth Münchow um die angespannte Beziehung zum Vater, die Schwierigkeiten mit der Mutter, die autoritäre Erziehung, die schwarze Pädagogik. Dass Kinder mit Strafen und Schlägen eingeschüchtert wurden, dass es vor allem darum ging, »ihren Willen zu brechen«, und dass dabei natürlich keine selbstbewussten Menschen herauskamen, ist nicht allein den Nazis anzulasten, wie sich am Beispiel von Ruths Eltern zeigt. Es gab die schwarze Pädagogik schon vorher. Sie wurde dann im Dritten Reich perfektioniert und sozusagen flächendeckend propagiert. Erziehung war keine Privatangelegenheit mehr, sondern Sache des ganzen Volkes, das im Gleichschritt ausgerichtet werden sollte. Über die Nazidressur verfasste Sigrid Chamberlain eine wissenschaftliche Arbeit mit dem Titel »Adolf Hitler, die deutsche Mutter und ihr erstes Kind«. Interessant ist in unserem Zusammenhang ein Absatz über die Folgen für die damaligen Kinder: »Manche spüren ihren eigenen Körper kaum, zum Beispiel dann, wenn sie eigentlich Schmerzen haben müßten. Es kann ihnen passieren, daß sie krank sind, auch schwer krank, ohne überhaupt zu registrieren, daß sie Beschwerden haben. Und die haben sie tatsächlich, sie übergehen sie aber permanent.«

Chamberlains Sichtweise bietet eine Erklärung dafür, warum Ruth sich erst mit vierzig Jahren ihrer schweren gesundheitlichen Schäden bewusst wurde. Zunächst spürte sie nur, dass es ihr seelisch immer schlechter ging – zu einem Zeitpunkt, als sich ihr Leben eigentlich zum Guten hinneigte. Vorher hatte sie immer nur gearbeitet, regelrecht geschuftet, weil das Geld knapp war, von Selbstverwirklichung konnte keine Rede sein, bis sie sich zu einem letzten großen Kraftakt entschloss. Sie wollte Lehrerin werden. Für die alleinstehende Mutter begannen die Jahre der Dreifachbelastung, Beruf, Studium, zwei Kinder aufziehen. Aber schließlich wurde alles gut. Sie hatte das Examen geschafft, besaß zum ersten Mal in ihrem Leben eine schöne Wohnung, und sie konnte sich einen Urlaub leisten. Ruth Münchow, Anfang vierzig, geschieden, interessanter Beruf, endlich ohne Geldsorgen: eine angestellte Lehrerin, bei der absehbar war, wann sie Beamtin werden sollte.

Doch dann kamen die Schlafstörungen, die Alpträume und andere erschreckende Beschwerden. »Da saß ich dann manchmal nächteweise vor der Heizung und fror und wäre am liebsten in den Heizkörper reingekrochen«, erzählt sie. »Und ich musste dauernd heulen, konnte überhaupt nicht aufhören.«

Nein, als depressiv habe sie sich nicht empfunden ... Ein Hustenanfall unterbricht sie, dann nimmt sie den Faden wieder auf. Sie sei einfach nur wahnsinnig traurig gewesen. »Und weil ich dachte, es kann mir sowieso niemand helfen«, fährt sie fort, »habe ich angefangen, Träume aufzuschreiben, hab mir auch Musik zusammengestellt, die mein Trauern unterstützte. Das hat mich dann insgesamt erleichtert, aber das Leben blieb schwer.«

Die entscheidende Nachricht traf sie wie eine Keule. Ihre Verbeamtung wurde abgelehnt. Die amtsärztliche Untersuchung hatte eine erhebliche Herzschwäche und einen schweren irreparablen Nierenschaden ergeben. Damit blieb der Staatsdienst für sie verschlossen. Eine ihrer Nieren war so stark zernarbt und geschrumpft, dass als Ursache nur eine sehr lange zurückliegende verschleppte Entzündung infrage kam. »Es stimmt, ich hatte diese Rückenschmerzen während der Flucht«, erzählt Ruth, »und kurz darauf dann Scharlach, welches Kind hatte das nicht? Aber es war einfach keine große Sache. Zeit zum Auskurieren? Wie denn? Und warum auch? Wir waren ja so erzogen: zäh wie Leder, hart wie Kruppstahl – dann tut eben der Rücken weh, na und ...?« Wieder befällt sie der Husten, er hört sich noch aggressiver an als vorher. Ruth trinkt ein Glas Wasser, dann sagt sie entschieden: »Wenn ich Fieber gehabt hätte, dann wäre ich auf der Strecke geblieben, dann hätte ich nicht weiterfahren können.« – Seit damals, seit der Flucht habe ihr Körper die Prägung, dass kein Fieber entsteht. Das sei bis heute so. »Ich hatte kürzlich wieder eine Nierenbeckenentzündung, aber kein Fieber.«

Eine minimale Rente

Der Krieg, sagt sie, habe sie körperlich und seelisch beschädigt, und dies habe wie beim Dominospiel eine Kette negativer Folgen ausgelöst: dass ihr die Vorteile eines Beamtenlebens vorenthalten wurden, dass sie noch dünnhäutiger wurde, dass sie den Krach an der Schule nicht mehr aushielt, dass sie mit fünfzig Jahren auf schlecht bezahlte Volkshochschulkurse umstieg, dass sie heute eine minimale Rente bezieht, dass sie sich seit sechs Jahren keinen Urlaub leisten kann. Und auch, dass im Umgang mit ihren beiden Kindern ein wesentlicher Teil ausgespart blieb. Sie habe sich nicht getraut, ihnen mit dem Thema Krieg zu kommen, und von sich aus hätten die Kinder auch nicht gefragt.

Dann kommt Ruth auf ein weiteres Defizit zu sprechen. Es ist ihr problematischer Umgang mit Männern. »Ein unbeschwerter Zugang zu ihnen ist mir bis heute versagt geblieben«, sagt sie. »Da gibt es nach wie vor eine ungeklärte, unsichtbare Sperre.«

Ruth Münchow steht mit diesem Problem nicht allein. Fast alle Frauen, mit denen ich über die Auswirkungen ihrer Kriegskindheit sprach, lebten als Single. Selten erzählten sie von dauerhaften guten Partnerschaften. »Der Grund liegt vor allem darin, dass sie ihre Pubertät übersprungen haben«, sagte dazu die Nervenärztin und Psychotherapeutin Helga Spranger aus Strande in Schleswig-Holstein, die ich 2002 für eine WDR-Sendung interviewte.

Helga Spranger, fast im gleichen Alter wie Ruth Münchow, belegte ihre Aussage mit eigenen Erfahrungen. »Ich hab recht lange Jahre im Lager verbracht, und ich hab meine Pubertät im Lager erlebt. Es gab selbstverständlich nichts anzuziehen, was man sich eigentlich in der Pubertät wünscht: dass man sich schön macht, dass man sich mit Düften umgibt oder zum Friseur geht oder sich schminkt – das war ausgeschlossen«, erinnerte sie sich. »Es ging darum, beim Bauern zu arbeiten und zu helfen, die Familie zu ernähren, wie die Mutter auch, und gleichzeitig die Schulausbildung zu machen, um aus dieser Misere ganz schnell herauszukommen. Und da schweigen alle Geigen, da passiert gar nichts! Also Freund oder Ähnliches war vollkommen uninteressant – ich bin da nicht allein gewesen, da waren auch andere Mädchen –, wir waren einfach zu hässlich und zu schlecht angezogen, und wir kamen aus dem Lager.«

Was bedeutet das, keine Pubertät? Was genau fehlt?

»Das ist so«, erklärte Spranger, »als wenn ein Vogel nie gelernt hätte zu fliegen. Er kann sich nicht in die Lüfte erheben, er kann – ich denke jetzt gerade an Kiebitze, die ja so unglaublich schön kullern können, in der Luft, trudeln und kullern, und sie fangen sich wieder auf, und das haben wir nicht gekonnt.« Die Ersatzstrukturen – so die Psychotherapeutin – seien absolute Treue, Fleiß, Ehrgeiz, aber insbesondere Treue.

Das klingt alles eher nach Pflichterfüllung als nach Freude am gemeinsamen Zusammenleben. Das Tragische scheint mir zu sein, dass derartige Verbindungen letztlich doch auseinanderbrechen können. Und was passiert? Dann stehen diese Frauen am Ende genauso allein da wie die anderen, die mir die Kölner Psychotherapeutin Irene Wielpütz im Zusammenhang mit der Kriegskindergeneration schilderte: »Es gibt auch die Menschen, die ihren Weg gegangen sind ohne längere Beziehung und dann sehr einsam sind und dann vielleicht im Alter nachdenken, warum das so war, wobei dann eine große Sehnsucht entsteht – fast so, als würden sie an die Prinzen und ans Märchen glauben. So stellen sie sich manchmal eine Beziehung vor. Und wenn jemand Mitte bis Ende sechzig ist und sich das so vorstellt, das ist schon diskrepant.«

Also auch hier wieder ein Hinweis auf die übersprungene Pubertät. Aus Psychotherapien mit älteren Menschen weiß man: Trotz ermutigender Sätze wie »Es ist nie zu spät für eine glückliche Kindheit« gilt, dass versäumte Lebensphasen nicht wirklich nachgeholt werden können, sondern nur einzelne Elemente, zum Beispiel wenn Großeltern mit ihren Enkeln endlich das Spielen lernen. Wie also könnte es aussehen, wenn Ruheständler es wagten, sich ein bisschen pubertäres Verhalten zu leisten, ohne sich deshalb gleich lächerlich zu machen oder zu gefährden?

Dies könnte neben vielen anderen ein lohnendes Gesprächsthema zum Stichwort »Kriegskindheit« sein, aber Ruth Münchow ist damit in ihrem gleichaltrigen Freundeskreis eher auf Zurückhaltung gestoßen. Die Hamburgerin bedauert das sehr, zumal sie bei der Aufarbeitung ihrer Kindheit durchaus Erfolgserlebnisse hat. »Mein Durchbruch war, als ich in einem Zeitungsartikel sagen konnte: Ich fühle mich durch meine Kriegserfahrungen als Behinderte. Das war ein Coming-out!«

Wussten ihre Kinder von dem Zeitungsbeitrag, haben sie darauf reagiert? Nicht so, wie sie selbst es sich gewünscht hätte, sagt Ruth und zeigt ein Lächeln, das Verständnis ausdrückt. Ihr Sohn habe dazu kein Wort gesagt, zeige sich aber seither gegenüber dem Thema aufgeschlossen und habe ihr sogar schon weitere Zeitungsberichte mitgebracht.

Die Kinder allerdings, also Ruths Enkel, durften den Zeitungsartikel nicht lesen. Als die Großmutter davon erfuhr, dachte sie: Meine Güte, die sind heute elf und 16 Jahre alt, und ihre Eltern glauben, das Lesen würde sie zu sehr belasten. – Ich war damals elf und musste das alles erleben …« Aber gegenüber ihrer Tochter würde sie solche Gedanken nicht äußern.

Ein Traum, der heilte

Es gab noch einen zweiten Wendepunkt – ein Traum, der heilte. Lange Zeit hatte sie unter einem unerträglichen Kribbeln in den Beinen gelitten, das sich bis in den Magen hinauf verstärkte. Auf Anraten ihres Arztes nahm sie Magnesium ein, aber das Symptom ging nicht weg. Eines Tages aber fand sie in einem Buch des Traumaforschers Peter Levine einen Hinweis, der sie ermutigte, ihren Weg der Selbsterforschung weiterzugehen. Levine hatte über die körperlichen Reaktionen von Tieren geschrieben: was passiert, wenn sie bei Bedrohung erstarren, und was geschieht, wenn diese Erstarrung sich wieder löst. Ruth deutete daraufhin auch ihr Symptom so, dass sich in ihrem Körper eine Erstarrung verabschiede, und das allein machte ihre Beschwerden erträglicher.

Dann hatte sie den Traum, dass eine Sinti-Familie in ihre Wohnung eindringt und sich einfach alles nimmt, was ihr in die Finger fällt. Ruth protestiert, aber der Sinti-Vater sagt als Rechtfertigung: »Ja, wissen Sie denn nicht, was Hitler mit uns gemacht hat?!« Da wird sie im Traum ungeheuer wütend und schreit: »Ich hab mein Leben lang dafür gebüßt! Was kann *ich* denn dafür? Ich war doch noch Kind …«

Seitdem hat das Kribbeln aufgehört, seitdem fühlt sie sich

etwas stabiler, und sie hofft, dass sich noch weitere Belastungen verabschieden werden.

Am Schluss stelle ich ihr die Frage, auf die ich nur selten eine Antwort bekomme: Wie stünde sie heute da, wenn der Krieg nicht gewesen wäre?

Ruth lacht. »Was für eine Frage! Na gut – ich hätte sicher ein Pferd und würde am Meer entlangreiten.«

FÜNFTES KAPITEL

Das fröhliche Kind

Eine kleine Preußin erträgt alles

Viele Angehörige der Kriegskindergeneration kennen von ihren Eltern den Satz: »Du warst immer so ein fröhliches Kind!« Was ist davon zu halten? Liest man in den veröffentlichten Kindheitserinnerungen, die inzwischen einen beachtlichen Umfang erreicht haben, wird deutlich, dass es eigentlich keinen Grund gab, permanent fröhlich zu sein.

»Ich übte tagtäglich, Schmerzen zu ertragen«, schrieb Ursula Stahl, Jahrgang 1938, als sie an ihre Frostbeulen zurückdachte. »Irgend jemand hatte meinen Eltern zu einer Petroleumbehandlung geraten, und so wickelte meine Mutter jeden Morgen meine auf das Doppelte geschwollenen, offenen Zehen in petroleumgetränkte Lappen. Und dann begannen meine Qualen! Zentimeter für Zentimeter quetschte ich meine erfrorenen Zehen in die festen Winterstiefel. War ich endlich drin und hatte sie zugeschnürt, kam das Aufstehen und Gehen. Es war die Hölle! Mit zusammengebissenen Zähnen und Tränen in den Augen machte ich mich auf den qualvollen Weg zur Schule.«

Hierbei, schreibt sie weiter, habe sie ihre »preußische Disziplin« eingeübt, die sie bis heute nicht abgelegt habe. Dass Ursula Stahl ihren Kriegs- und Nachkriegserinnerungen ausgerechnet den Titel »Geh aus, mein Herz, und suche Freud!« gab, hat mich sonderbar berührt. Gern will ich glauben, dass ihr die Liebe zur Natur die Kraft zum Überleben schenkte. Die Natur als große Trösterin. Kaum jemand hat das überzeugender auszudrücken vermocht als Paul Gerhardt, der im Dreißigjährigen Krieg vier seiner fünf Kinder verlor und erst danach – ein Meister des Gottvertrauens! – seine wunderbaren Kirchenlieder dichtete. Aber hätte er ausgerechnet seine Kriegserinnerungen mit der Aufforderung überschrieben »Geh aus, mein Herz, und suche Freud!«?

Für mich drückt der Buchtitel, den Ursula Stahl wählte, eher eine Durchhaltementalität als Gottvertrauen aus. Das soll kein Vorwurf sein, sondern erklären helfen, warum Menschen, die den Krieg *nicht* miterlebt haben, oft so irritiert auf die Erinnerungen der Älteren reagieren. Es geht um diesen immer wieder auftauchenden scheinbar unbeschwerten Tonfall, der absolut nicht zu dem passt, was gerade vorher an Schrecken beschrieben wurde – zumal wenn die schlimmsten Erlebnisse mit einem eigentümlich lachenden Gesicht präsentiert werden, das aber den Erzählenden überhaupt nicht bewusst ist.

Für Außenstehende, die keine vergleichbaren Erfahrungen haben, sind das verwirrende Signale. Was sollen sie denn eigentlich ernst nehmen? Eichendorffs »Taugenichts« mag einem da in den Sinn kommen, jenes Stehaufmännchen der Romantik, dem nichts etwas anhaben konnte. Während seiner Wanderschaft geriet er ständig in Gefahr, großes Unglück drohte, er fiel sogar unter die Räuber ... aber dann war plötzlich wieder alles gut, da war das nächste Dorf, der Platz am Brunnen, wo der junge Wandersmann seine Fidel auspackte, und schon war er von wohlwollenden Menschen umringt, die sangen und tanzten.

Die Dichter der Romantik liebten es, in die Banalität und die Härte des Lebens märchenhafte Elemente einzuweben. Und es gehört zu den großartigen Eigenschaften der Poesie und der Musik, dass sie über schwere Zeiten hinweghelfen können. Natürlich wurde auch im Luftschutzkeller und während der Flucht gesungen: Weihnachtslieder, Heimatlieder, Kirchenlieder, Schlager wie »Davon geht die Welt nicht unter!«, und auch dieses Lied:

Hajo, noch schäumt das Leben
im Kelche junger Wein
mit Feuer wilder Reben
es muß getrunken sein.

Noch glühen unsere Sterne
am Himmel hoch im Glanz,

wir stürmen ihre Ferne
und zwingen sie zum Tanz.

Wir tanzen unser Leben
und jauchzen hell im Schwung,
uns ist es aufgegeben
die Welt wird wieder jung.

Die Kölnerin Liesel Schäfer schrieb dazu in ihren Lebenserinnerungen: »Diesen Text von Georg Thurmair sangen wir im verdunkelten, unter Bomben zerfallenden Köln. Wir sangen ihn auch später im nicht verdunkelten Köln, angesichts des Ausmaßes der geschehenen Zerstörung und der Verbrechen. Wir sangen ihn im Bewußtsein unserer Jugend, unseres Überlebens, als Ausdruck unserer Hoffnungen und Träume.«

Wir tanzen unser Leben und jauchzen hell im Schwung ... Lieder wie diese stärkten die Gemeinschaft. Und sie versuchten, die allgemeine Untergangsstimmung durch eine wie auch immer aufgeschäumte Hoffnung zu besiegen. Für die Nachgeborenen ist kaum zu unterscheiden, ob damit das blinde Durchhalten oder die Zuversicht gestärkt wurden. Umso wichtiger, dass Zeitzeugen ihre damaligen Stimmungen nicht ungefiltert weitergeben, sondern reflektiert – so wie Liesel Schäfer, die, als ich sie bat, den Text vorzulesen, mitten im Vortrag lachen musste und hinzufügte: »Georg Thurmair wurde damals als Dichter der katholischen Jugend angesehen; ich mag ihn heute nicht mehr besonders, aber der lebt auch nicht mehr.«

Der Hunger und das Vergessen

Wie in den vielen Kindheitserinnerungen nachzulesen ist, bedeuteten die ersten Nachkriegsjahre vor allem Not, aber gleichzeitig Abenteuer, Freiheit, das schöne Gefühl, von den Erwachsenen nicht länger kontrolliert zu sein. Da war aber auch Rücksichtnahme gegenüber den Eltern. Ihnen, die schwach, krank und arm geworden waren, wollten die Kinder eine Stütze sein, so gut es eben ging. Ihre elende Lage wollten sie verbessern, oder doch wenigstens ihre Stimmung aufhellen.

Ein immer wiederkehrender Traum erinnerte Ursula Stahl noch jahrelang an ihren großen Kummer als Siebenjährige, weil sie ihren Eltern nicht helfen konnte: »Im alten ›Henkelshaus‹ sitze ich mit meinen alten und hilfsbedürftigen Eltern. Es sind die grauen, verräucherten Kämmerchen, in denen wir so lange haben hausen müssen. Es gibt keinen Tisch und keinen Stuhl, nur die große Holzkiste, die uns seit Lodz begleitet hat. Meine Eltern haben Hunger und Durst, und ich kann ihnen nichts zu essen geben.«

Da will man seinen Eltern doch wenigstens Fröhlichkeit geben …

Es war der Psychiater und Psychotherapeut Peter Heinl, der mich in seinem Buch »Maikäfer flieg, dein Vater ist im Krieg« auf das Phänomen der »fröhlichen Kriegskinder« aufmerksam machte. Aber zunächst einmal ließ mich der Titel stutzen. Wo kam dieses Lied eigentlich her? Kein Zweifel, es war alt, sehr alt. Vermutlich stammt es noch aus dem Dreißigjährigen Krieg. In Deutschland ist »Maikäfer flieg« so bekannt wie kein anderes Kinderlied, obwohl es kaum mehr irgendwo gesungen wird: ein Wiegenlied, das die Gefühle von Kriegsangst und Verlassenheit ausdrückt.

Peter Heinl, der sich seit den Achtzigerjahren therapeutisch und wissenschaftlich mit den Traumata der Holocaustopfer – und dabei besonders mit dem Leid der Kinder – beschäftigt, machte in seinem 1994 erschienenen Buch »Maikäfer flieg« auf die Not jener Patienten aufmerksam, die nach Jahrzehnten noch an den Folgen von seelischen Kriegsverletzungen aus der Kindheit litten, während ihnen die Ursache ihrer Symptome verborgen blieb. Ihm war aufgefallen, dass selbst dann, wenn Fotos aus der Kleinkindzeit eindeutig andere Aussagen machten, viele Eltern im Nachhinein an ihrer Überzeugung festhielten, es habe ihren Kindern trotz der schlechten Zeiten »an nichts gefehlt«. Auf diese Weise verfestigte sich auch bei ihren Kindern ein ungenaues Bild ihrer Identität. Wenn sie psychische Probleme bekamen, fielen ihnen alle möglichen Ursachen ein – aber nicht ihre Kriegskindheit.

»Es ist nicht meine Absicht, Eltern zu verurteilen, die sich teilweise in verheerenden Umständen gefangen sahen«, schickt Heinl voraus. »Aber in solchen Fällen gehen diese Kinder dann als Erwachsene mit einer Fremdeinschätzung durchs Leben, die das Herantasten an die Realität der Kindheit erschwert. Denn welchen Gewinn sollte ein Bewußtwerden der damaligen Kindheit erbringen, wenn diese, ohnehin schon Jahrzehnte zurückliegend, angeblich mit Frohsinn gesegnet war, selbst wenn das Land in Schutt und Asche lag.«

Heinl, dessen Workshops für ehemalige Kriegskinder so etwas wie ein Geheimtipp sind, erfasst die Spuren von Angst, Zerstörung und Elend rein intuitiv. In einer seiner anrührenden Fallgeschichten beschreibt er die Behandlung eines 1945 geborenen Patienten, der an rätselhaften Schwindelanfällen litt. Es handelte sich um einen hochgewachsenen Mann, dessen Gesicht Freundlichkeit ausstrahlte, während in seinen Augen, wie Heinl sich ausdrückt, ein ferner Schimmer von Traurigkeit lag. »Alles, was mir sonst noch auffiel, war, daß mir sein Kopf im Verhältnis zum Körper eine Spur zu groß zu sein schien.« Heinl erzählt weiter, wie er sich darauf konzentrierte, anamnestische Daten zu erheben, bis sich in ihm »immer stärker das Gefühl regte, den Patienten – in Anführungsstrichen – füttern zu müssen«.

Der Therapeut hatte keine Scheu, dies dem Mann mitzuteilen und ihn zu fragen, ob sein etwas zu großer Schädel mit Mangelernährung in seiner Kindheit zu tun haben könne.

An diesem Punkt seiner Arbeit wurde Heinl bewusst, dass sich in seinen Gedanken bereits eine Indizienkette aufgereiht hatte, und zwar aus den Elementen Geburtsdatum, seiner Wahrnehmung des Fütterns und der Schädelgröße. Alles zusammen deutete auf eine frühkindliche Traumatisierung durch Hungern hin.

Vom Patienten kam eine Bestätigung, aber auch ein klares Nein. Es stimme, sagte er, dass er in seinem Leben immer wieder eine gewisse Leere verspüre, so, als sei er nie wirklich satt. Aber gehungert habe er in seiner Kindheit gewiss nicht, im Gegenteil, sogar Schokolade habe er bekommen. Der Psychiater schlug ihm vor, die Sache dennoch weiterzuverfolgen und gezielt bei seiner Mutter nachzufragen.

Das Ergebnis war umwerfend. »Als ich den Patienten wiedersah, konnte er es kaum abwarten, mir von seinen Recherchen zu berichten«, schreibt Heinl, denn seine Mutter hatte ihm die Mangelernährung bestätigt: Bis zum Eintritt in die Volksschule habe er Nahrung vornehmlich in flüssiger Form erhalten. Schokoladestückchen seien die Ausnahme gewesen. Öfters sei er, auf dem Töpfchen sitzend, ohnmächtig geworden.

Außerdem hatte der Patient bei seinen Nachforschungen im Keller ein lange verschollenes Fotoalbum gefunden. Die Bilder zeigten, so Heinl, einen hageren kleinen Jungen mit einem dünnen Körper, einem großen Kopf und traurigen, eingesunkenen Augen.

»Es gab eigentlich nicht mehr viel zu sagen«, stellt der Therapeut am Ende seiner Fallbeschreibung fest. »An einem ganz gewöhnlichen Morgen, in einem der reichsten Länder der Erde, wohin das Wort ›Hunger‹ nur noch über die Nachrichten gelangt, saß ein Mann, dem zum ersten Mal in seinem Leben die Konsequenzen des frühen Hungers für sein ganzes Leben bewußt geworden waren. Das Symptom eines letztlich harmlosen Schwindels, der in der nachfolgenden Behandlung auch nicht mehr auftauchte, hatte die Wahrheit über eine jahrzehntelang anhaltende Traumatisierung ans Licht gebracht.«

Die Rolle der Psychoanalyse

Da ihn Heinls therapeutisches Arbeiten überzeugte, widmete Tilmann Moser ihm in seinem Buch »Dämonische Figuren – Die

Wiederkehr des Dritten Reiches in der Psychotherapie« fast ein ganzes Kapitel. Allerdings verbirgt Moser nicht seine Irritation darüber, dass Heinl sich in seinem Buch »Maikäfer flieg« – ohne dies auch nur mit *einem* Satz zu begründen – auf das reine Kriegsgeschehen beschränkt, mehr noch, die Nazizeit und damit den Holocaust und die Folgen für die Opfer völlig ausklammert.

Für Moser selbst wäre das undenkbar. Er käme nicht auf die Idee, Nazivergangenheit und Kriegsvergangenheit zu trennen, nicht einmal theoretisch. In seiner psychotherapeutischen Praxis sieht er das eine mit dem anderen verknüpft, sieht er Einflussfaktoren wie Not, Angst, Verlassensein, Verstrickung, Schuld, die sich gegenseitig steigern – zum Beispiel das Hungern *und* der SS-Vater, der sich nach dem Krieg versteckt hielt und auf keinen Fall durch ein falsches Wort verraten werden durfte ...

Mosers Beispiele befassen sich überwiegend mit Patienten, die sich auf diffuse Weise mit Familiengeheimnissen aus der NS-Zeit herumschlugen und häufig die von den Eltern abgewehrte Schuld übernommen hatten. »Die private seelische Verarbeitungstätigkeit«, stellt der Psychoanalytiker fest, »funktioniert arbeitsteilig: In vielen verstrickten Familien ist es meist *ein* Mitglied, das leidet, entgleist, nachfragt oder durch eine auffällige Biographie das Unaussprechliche zunächst unbewußt thematisiert.« In Zehntausenden von Psychotherapien seit den Siebzigerjahren sei die politische Geschichte in verdeckter Form angeboten worden, als Quelle seelischen Leidens. Aber Psychotherapie und Seelsorge seien noch nicht so weit gewesen, die Behandlungsformen, ja auch nur Formen der Aufdeckung für diese Zusammenhänge anzubieten.

Im Übrigen gibt Moser zu bedenken, dass vielleicht weder bei Siegern noch Besiegten, weder bei Opfern noch Tätern, noch Mitläufern, noch außenstehenden Beobachtern angesichts der NS-Schrecken eine gelassene Forschung möglich gewesen sei. »Trotzdem bleibt es erstaunlich, daß die Lehrer und Missionare der Internationalen Psychoanalytischen Vereinigung, die zur Hilfe beim Wiederanschluß an die verlorenen Standards nach Westdeutschland kamen, das NS- und Kriegsthema ebenfalls ausblendeten, bis in den siebziger und frühen achtziger Jahren die internationale Holocaustopferforschung begann.«

Die deutschen Freudianer holten sich also ihr Wissen aus Amerika, und sie übernahmen kritiklos einen Theoriestand, der, so Tilmann Moser, »das klassische Denken und den Ödipus zum zentralen Thema hatte«. Amerika kannte keine Nazizeit, kein millionenfaches Morden und keinen Krieg, also gab es auch keine Schuld und keine kollektive Katastrophe zu verarbeiten. In den USA herrschten ähnliche bürgerlich-friedliche Verhältnisse wie in Wien, als Sigmund Freud seine Theorien über die Familienbeziehungen aufstellte. Das heißt: Nach dem Inferno des Dritten Reiches wurde in der deutschen Psychoanalyse mit einem Handwerkszeug gearbeitet, das einer ziemlich heilen Welt entstammte.

Im Gefolge der internationalen Holocaustopferforschung, schreibt Moser weiter, hätten dann auch Deutsche angefangen, mit Überlebenden, Verfolgten und deren Kindern zu arbeiten: »Was da zutage kam, war so erschütternd, daß es, verstärkt durch die Identifikation mit den Verfolgten, nicht gerade ermutigte, sich auch den psychischen Folgen bei den Tätern, Mitläufern und deren Nachkommen zuzuwenden.«

Von den Täter- und Mitläuferkindern bis hin zu den Kriegskindern schien es noch einmal ein großer Schritt gewesen zu sein. Therapeuten mussten dafür nicht nur eigene Hindernisse überwinden. Sie befürchteten offenbar auch Gegenwind aus den Reihen ihrer Kollegen. In den Neunzigerjahren sah ich zufällig ein Lehrvideo von Tilmann Moser, in dem er eine Patientin behandelte, die an Kriegsfolgen litt. Zu meiner Überraschung leitete der ja schon damals renommierte Therapeut seine Demonstration mit einer langen Rechtfertigung ein, sinngemäß: Wenn er mit *deutschen* Opfern arbeite und ihre seelischen Kriegsverletzungen wahrnehme, setze er sich möglicherweise dem Verdacht aus, er wolle deutsches Leid mit dem der Holocaustopfer und anderer Naziopfer aufrechnen. Als Nächstes folgte eine ausführliche Erklärung, in der Moser sich als ein verantwortungsvoller Deutscher auswies, der die Schuld der Vätergeneration ohne Wenn und Aber anerkenne und dem es daher fernliege, das Leid der Holocaustüberlebenden durch irgendwelche Vergleiche relativieren zu wollen.

Für mich lag das Verdrehte dieser Einleitung darin, dass Moser bei seinen Kollegen um Verständnis für eine ethische Haltung warb, die zur Grundlage seines Berufs gehört: Menschen, die in Not sind, zu helfen.

Aber offenbar war vor dem Hintergrund der unheilvollen deutschen Geschichte vieles ehemals Selbstverständliche verloren gegangen. Nichts anderes drückte Horst-Eberhard Richter in meinem WDR-Radiofeature »Luftschutzkinder« aus, als er sagte: »Es gab bis in die Wissenschaft hinein die Scham, dass man sich gerecht fühlen konnte, wenn man Opferkinder untersuchte, aber nicht die Kinder der normalen Deutschen mit ihrem Elend des Ausgebombtseins, des Geflüchtetseins und der Erlebnisse der Gewalt 1945 beim Einzug der Siegermächte.«

Offenbar bedurfte es bei Menschen wie Tilmann Moser eines riesigen emotionalen Aufwandes – dem ein langer Prozess des Zweifelns und Abwägens vorausgegangen war –, um sich guten Gewissens der Kriegskindergeneration zuzuwenden. Man kann also sagen: Die Mehrheit der Ärzte und Psychologen verhielt sich nicht anders als die gesamte Gesellschaft. Sie zeigte einfach kein großes Verlangen, den Spuren der Gewalt nachzugehen. Wer sich nicht mit seiner eigenen Kriegskindheit auseinandergesetzt hatte, ignorierte die Kriegserlebnisse seiner Patienten. So einfach war das.

Wenn das Herz verrückt spielt

Der Textilkaufmann Kurt Schelling*, Jahrgang 43, weiß heute, warum seine Symptome über Jahrzehnte nicht ernst genommen wurden. »Ich hatte schon immer Herzbeschwerden, schon immer«, erzählt der hochgewachsene Mann mit dem Bürstenhaarschnitt, »und bin dann zu den Ärzten gerannt und habe gesagt: Ich steh kurz vorm Herzinfarkt. Da haben die gesagt: Du hast überhaupt nichts. Und dann haben sie mir diese wunderbare Diagnose angehängt – vegetative Dystonie.«

Die Ärzte meinten damals, dass er sich abzufinden habe. Ein nervöses Herz, das hatten viele. Die Ursache? Achselzucken. So etwas kam eben vor. Es gebe keinen organischen Befund, wurde ihm versichert, und damit auch keinen Grund, sich aufzuregen. Also lieber ignorieren.

Schelling befolgte den Rat, und tatsächlich kam er am besten mit seinem Leben zurecht, wenn er seinem Herzen, das ab und zu verrückt spielte, keine große Beachtung schenkte. Grundsätzlich fühlte er sich gesund und optimistisch und sah keinen Anlass, sein Tempo zu drosseln. Denn das Sonderbare war: Trotz seiner Beschwerden blieb er ungeheuer leistungsfähig. Schnell war er und zupackend, ein Mensch, der an einem Tag das erledigte, wofür andere zwei Tage brauchten. Unermüdlicher Einsatz zahlte sich in seiner Generation noch aus. Man dachte nicht an mögliche gesundheitliche Folgen. Kurt war erfolgreich im Beruf und ein engagierter, gut gelaunter Familienvater, immer unter Volldampf. Früh hatte er geheiratet, sich drei Kinder und ein Häuschen im Grünen angeschafft; also alles normal und finanziell gut geregelt, alles überschaubar bis zur Rente.

Unser Gespräch allerdings findet nicht in einem Designerambiente statt, sondern in einer winzigen, völlig uneitel möblierten Küche. Als ich seine Wohnung betrat, dachte ich, hier lebten Studenten.

Kurt Schelling nimmt mir meine falsche Einschätzung nicht übel. Er sieht es als Gewinn, dass er in seinem Alter noch das Provisorium mag, das Unerwartete, das Wagnis. Während seines letzten Urlaubs unternahm er eine lange Radtour in Italien, ein sportlicher, lebhafter Mann – und als Großvater der gute Kumpel seiner Enkel –, der seine Gefühle nicht mehr vor anderen versteckt, sondern sie in ungewöhnlicher Offenheit ausbreitet. Er besucht regelmäßig eine Männergruppe – das merkt man. Vor zehn Jahren hat er sein Leben völlig umgekrempelt, eine Phase, die, wie seine Wohnung es am besten ausdrückt, nicht abgeschlossen ist.

Noch ein paar Jahre früher, mit Mitte vierzig, hatte sich sein bis dahin so wohltemperiertes Lebensgefühl drastisch geändert. Er konnte sich nicht erklären, warum ihn sein Optimismus und sein Humor verlassen hatten. Er war ratlos, obwohl es durchaus Hinweise gab. »Ich hatte diese verrückten Träume, dass der Himmel dunkel war, und ich sah nur Flugzeuge«, berichtet Kurt. »Ob ich die jemals überhaupt gesehen habe, weiß ich nicht, aber gut, diese Träume hatte ich halt. So verrückt war das …«

Auch in seiner Wahrnehmung begann sich alles zu verschieben. Kurt kannte sich selbst nicht wieder. Er, der nie weinte, hatte nun ständig mit Tränen zu kämpfen. Besonders schlimm waren die Abschiede nach einem Besuch bei seinen Eltern. Danach schluchzte er jedesmal wie ein kleines Kind, heimlich, wenn er wieder im Auto saß. Dabei war ihm das Lachen sozusagen in die Wiege gelegt worden. Er hatte das Glück, von fröhlichen, liebevollen Eltern umsorgt worden zu sein, von denen er immer wieder hörte: »Ach Kurtchen, du warst unser Sonnenschein!« Nur ihrem bezaubernden kleinen Sohn, so die Eltern, sei es zu verdanken gewesen, dass die Familie nach Kriegsende genügend zu essen bekommen habe. Offenbar hatte Kurtchens strahlende Miene auch fremde Menschen veranlasst, ihm immer wieder etwas zuzustecken.

Sonnenschein und Spaßvogel

Aus dem kleinen Sonnenschein wurde im Erwachsenenalter ein Spaßvogel. »Ich war jemand«, erinnert sich Schelling, »der immer Scherze machte, derjenige, der überall beliebt war – weil er immer gut drauf war.«

Wirklich immer? Nicht ganz, gibt Kurt zu. Da waren auch Fragezeichen. Da war gelegentlich das Gefühl: Das bist du doch nicht, jedenfalls nicht komplett; dieser Normalo, der es allen recht macht, der nur auf der Welt zu sein scheint, damit es den anderen gut geht. Da gibt es noch jemanden, der geht immer neben dir, den kennst du nur noch nicht.

Merkwürdige Gedanken, die sich häuften. »Irgendwann war mir auch klar, ich muss diesen anderen Kurt hinter dem ewigen Spaßvogel entdecken«, erzählt er. »Mir standen manchmal meine eigenen Witze bis zum Halse. Ich konnte mich selbst nicht mehr ertragen.«

Erst kam das Weinen, dann die Panik. Es waren heftige, heimtückische Überfälle von Angst, die seine Herzbeschwerden ins Unerträgliche steigerten. Ein Bekannter gab ihm schließlich den entscheidenden Hinweis, der zu seiner Kriegskindheit führte. Er sagte: Guck dir doch mal deine Geburtsdaten an.

Geboren 1943 in Düsseldorf. Im Krieg auf die Welt gekommen und dann ab in den Luftschutzkeller ... Natürlich besaß Kurt keinerlei Erinnerungen daran; auch unter seinen Ärzten war niemand auf die Idee gekommen, angesichts seiner Lebensdaten zwei und zwei zusammenzuzählen.

Es ist schon verblüffend, in welchem Ausmaß eindeutig gesichertes Wissen der Entwicklungspsychologie ignoriert wurde und immer noch ignoriert wird. Ich habe festgestellt, dass selbst Kindergärtnerinnen und Lehrer, die über die Folgen frühkindlicher Störungen gut Bescheid wissen, beim Thema »Kriegskinder« schnell bereit sind, ihr Fachwissen einfach zu vergessen. Stattdessen wird auf die alte Vorstellung zurückgegriffen, wonach, wenn jemand zu klein war, um sich an das Schreckliche zu erinnern, dies ihm auch nicht nachhaltig geschadet haben könne. Auffällig war noch, dass Menschen, die eben erst durch mich auf ein Thema aufmerksam gemacht worden waren, mit dem sie sich noch nie zuvor beschäftigt hatten, umgehend vor der Gefahr warnten, »dem Krieg nun *alles* in die Schuhe zu schieben«.

Umso überraschter war ich über ein Gedicht, das mir eine Kinderkrankenschwester schickte. Vor vielen Jahren schon, schrieb Barbara Bullerdiek dazu, sei es entstanden.

Unter Beschuß geraten

Dem Tod keinen Widerstand entgegensetzen
ins Leben entgleisen
neugeborenes Nervenbündel
fällt hart ins Kriegsgeschrei ein
tauscht unerfahren die Fronten
vom Bauchraum zum Luftschutzraum.

Als sie das Gedicht damals einigen Altersgenossen zu lesen gab, hatte sie nur Achselzucken ausgelöst. Niemand interessierte sich für den Gedanken, dass im Jahr 1944, als sie geboren wurde, die Ankunft eines Kindes eher Verzweiflung als Freude ausgelöst haben musste, zumindest in einer Großstadt. In meinen Interviews wurde oft davon gesprochen, allerdings eher beiläufig. »Da war ein Flugzeug abgestürzt mit seinen Bomben in das Gelände«, erzählte eine Frau von Mitte siebzig. »Und in der Frauenklinik war keine Scheibe mehr ganz. Es war sonst nicht viel passiert, nur dass die Mütter keine Milch mehr hatten.«

Einmal auf die Spur gesetzt, begann Kurt Schelling mit eigenen Ermittlungen. Rückblickend glaubt er, überhaupt keine andere Wahl gehabt zu haben. »Ich fiel förmlich auseinander. Ein Körper hält das irgendwann nicht mehr aus. Die Not in mir, die wollte ausgesprochen werden, ausgeweint, ausgeschrien. Diese ganze Angst, die in mir war, die musste mal raus!«

Zu seiner großen Überraschung kam von seiner Mutter, die stets das Sonnige seines frühen Lebens hochgehalten hatte, nun, da sie eine alte Frau geworden war, unumwunden die Bestätigung. Sie wehrte nicht ab, sie scheute nicht den Schmerz der Erinnerung: Ja, sagte sie, wir sind den ganzen Krieg über in Düsseldorf gewesen. Ja, ich hatte im Keller immer Todesangst. Ja, du hast sämtliche Bombenangriffe miterlebt – und ich hab dich nicht stillen können, wegen der ständigen Angst.

Ihr Kurt sei der Sonnenschein gewesen, sagte sie, weil es ringsum so viel Finsternis gab …

»Und dann ist mir klar geworden«, erzählt Kurt, »es ist doch kein Wunder, dass mein Herz keine Ruhe geben wollte. Ich *bin* auch ins Herz getroffen worden, das ist so. Ich bin wer weiß wie oft schon gestorben. Und das geht nicht spurlos an einem Menschen vorüber, und schon gar nicht an einem Herzen.«

Von diesem Zeitpunkt an wollte er alles erfahren. Jedes Detail wurde plötzlich für ihn wichtig. Jedem Literaturhinweis ging er nach, bis er schließlich in Dieter Fortes Roman »Der Junge mit den blutigen Schuhen« das Grauen des Bombenkriegs aus der Perspektive eines Kindes nachlesen konnte. Er musste sich dem Gift seiner frühen Kindheit noch einmal aussetzen, er konnte gar nicht anders. Von seinen gleichaltrigen Freunden hörte Kurt, er solle endlich mit dem Wahnsinn aufhören. Was bringt das denn noch? Vorbei ist vorbei ... Vermutlich bangten sie manchmal regelrecht um seinen Verstand.

Bombenstimmung!

»In dieser Phase habe ich auch oft meine Eltern verflucht«, erinnert er sich. »Warum mussten sie ein Kind kriegen in dieser Wahnsinnszeit!« Seine Mutter reagierte dennoch mit Verständnis, und dafür wird der Sohn ihr immer dankbar sein, denn er weiß, dass andere alte Eltern solche Nachfragen mit Schweigen beantworteten. Zu seinem fünfzigsten Geburtstag schenkte sie ihm die Kopie einer amtlichen Liste, in der detailliert alle Bomben aufgeführt sind, die von 1943 bis 1945 seine Geburtsstadt getroffen hatten. Schelling verarbeitete die Liste des Horrors in einer auffälligen Collage und gab dem Bild, das seitdem in seinem Flur hängt, den Titel »Bombenstimmung«. Nein, bei ihm ist das Thema Krieg kein Tabu mehr. Darüber zu sprechen hilft ihm, tut ihm gut. Denn: »Dieses Gefühl, die Welt geht unter, das steckte ja ganz tief in mir ...«

Er hat eine Psychotherapie gemacht. Seine Herzbeschwerden und seine Ängste melden sich nur noch gelegentlich, und dann in deutlich abgeschwächter Form. Er fühlt sich im Großen und

Ganzen gesund, er kann lachen, kann weinen, kann genießen. Und er führt, im Unterschied zu früher, ein viel bewussteres Leben. Als ich ihn zum ersten Mal traf, dachte ich keineswegs an Krankheit, sondern: So jemand macht noch mit achtzig Radtouren und läuft mit einer Baseballmütze herum.

Vor zehn Jahren geschah es, dass er sich heftig verliebte, was die Scheidung zur Folge hatte. Sie sei längst überfällig gewesen, sagt Kurt, aber er habe sich vorher nicht dazu durchringen können: Man lässt doch den anderen nicht im Stich, auch dann nicht, wenn es sich um eine Vernunftehe ohne wirkliche Gemeinsamkeit, ohne Tiefe handelt. »Ich war immer wie – ja, ich sag oft –, wie besinnungslos«, stellt Kurt im Nachhinein fest. »Ich hab wie besinnungslos geheiratet, Kinder bekommen, und im Grunde *war* ich das überhaupt nicht.«

Und wie ist es mit seinen Kindern? Hat er Spuren seiner eigenen schwierigen Vergangenheit im Verhalten seiner Kinder entdeckt? »Allerdings«, bestätigt er. »Es ist ihre Art, Konflikte zu vermeiden – angepasst, nett und lieb und ordentlich zu sein, genauso wie ich erzogen worden bin: Sei ein lieber Junge, ja, das habe ich den Kindern vorgelebt.«

Zum Beispiel habe er die Auseinandersetzungen mit seiner Frau erst geführt, als die Kinder schon erwachsen waren. »Aber zum Glück haben die jetzt die Kurve gekriegt.«

Inzwischen ist er, was sein Kindheitstrauma angeht, an einem neuen Punkt angelangt: »Das ständige Reden darüber hilft nicht«, stellt er fest. »Man muss sich seinen Gefühlen stellen. Denn ich glaube, dass Menschen diese unverdauten Sachen ab einem bestimmten Alter körperlich ausfechten müssen.« Dies, sagt er, könne er bei seinen Altersgenossen gut beobachten, von denen viele keine Freude mehr am Leben hätten. Auch er selbst müsse wachsam bleiben.

In jüngster Zeit sind bei ihm Magenprobleme aufgetaucht. Der Arzt hat daraufhin Säureblocker verordnet. Aber für Kurt lautet die Botschaft seines Körpers: Hier ist noch Unverdautes, das musst du dir angucken.

Dann hatte er dreimal hintereinander den gleichen Traum: »Ich werfe eine Handgranate weg und laufe davon. Und während ich weglaufe, merke ich, dass ich in der Wohnung meiner Kindheit bin, und die Handgranate läuft mit einem sirrenden Geräusch in Kopfhöhe hinter mir her, holt mich aber nicht ein. Und ich lauf durch die Wohnung und versteck mich hinter dem Kleiderschrank meiner Eltern, und ich warte auf die Explosion, und sie explodiert in meinem Magen – das ist der Moment, in dem ich immer wach werde. Ich merke, wie das Blut in meinem Magen rauscht, und meine Beine sind wie gelähmt, und das ist ein ganz altes Gefühl in mir: dieses Weglaufen-Wollen und Nichtkönnen.«

Der Traum enthält für ihn eine deutliche Warnung und die Aufforderung: Stress abbauen! Kurt Schelling hat die Konsequenzen gezogen und einen Vorruhevertrag unterschrieben.

SECHSTES KAPITEL

Ein ganzes Volk in Bewegung

Die verlorene Heimat als Fixpunkt

Über Flucht und Vertreibung wurden unzählige Romane und Sachbücher geschrieben. Auch ist die Gruppe der Vertriebenen – im Unterschied zu den Bombenopfern – recht gründlich bis zu Beginn der Siebzigerjahre erforscht worden. Bei den meisten Überlebenden blieb die verlorene Heimat der Fixpunkt ihres Daseins. Dass als Folge von Hitlers Vernichtungskrieg im Osten etwa 14 Millionen Menschen ihre Heimat verloren hatten und davon womöglich 2 Millionen ihr Leben – andere Schätzungen gehen von 200000 aus –, dies alles wurde also keineswegs verschwiegen.

Weniger wurde über die Tatsache gesprochen, dass das größte Leid hätte vermieden werden können, wenn die Deutschen nicht von ihren eigenen Leuten daran gehindert worden wären, rechtzeitig zu fliehen – und aus einem weiteren Grund: An ihn erinnerte Antony Beevor, hochgelobter britischer Autor der Sachbücher »Stalingrad« und »Berlin 1945. Das Ende«, als er in einem Beitrag in der »Welt« schrieb: »Die Geschichte der letzten sechs Monate des Zweiten Weltkrieges, kulminierend in dem furchtbaren Angriff der Roten Armee auf Berlin, ist zugleich die Geschichte einer wachsenden Zahl von Soldaten und Zivilisten in der Falle eines von den Nazis geschaffenen Alptraums. Hitlers Weigerung zum Rückzug bedeutete eben auch, daß deutsche Frauen und Kinder dem russischen Vormarsch einfach überantwortet wurden.«

Das Thema Vertreibung bekam in Deutschland den Stempel einer Interessenpolitik, weil zwar nicht alle, aber in jedem Fall die lautesten Funktionäre der Vertriebenenverbände auf die Rückgabe der deutschen Ostgebiete pochten. Aus der Vertreibungskatastrophe wurde ein Politikum, das alle kollektiven Gefühle von Verlust und Trauer, aber auch von Mitgefühl aufzusaugen schien. Es gab keine wirkliche Solidarität mit den Flüchtlingen. Der Lastenausgleich wurde zwar von der ganzen Bevölkerung finanziert, aber er löste bei den Westdeutschen eher Neid aus; in der Regel gönnte man es den Flüchtlingen nicht, dass sie für erlittene Verluste in einem gewissen Umfang entschädigt wurden.

Interessant ist, dass selbst in den betroffenen Familien detailliertes Wissen über das, was Eltern und Großeltern widerfahren war, vielfach zurückgehalten wurde. Man kann sagen: Bei den jüngeren Deutschen ist über das millionenfache Vertriebenenschicksal wenig bekannt. Die heute vierzigjährigen Kinder der ehemaligen Flüchtlingskinder haben häufig keine genaue Vorstellung davon, wie viel Zeit damals vergangen sein mochte zwischen dem Verlassen der Heimat und dem Ankommen irgendwo in Sachsen, Bayern oder Norddeutschland. Wochen? Monate? Womöglich länger?

Die Flucht und der von vielen Umwegen, Rückwärtsschleifen oder Stockungen beeinträchtigte Fluchtweg sind weitgehend blinde Flecken im Familiengedächtnis: entweder weil die zweite und dritte Generation sich nicht sonderlich daran interessiert zeigte oder weil die Älteren die Jungen nicht mit ihren schweren Erinnerungen belasten wollten, oder weil über bestimmte traumatische Erfahrungen nicht gesprochen werden konnte. Das gilt vor allem für viele Hunderttausend vergewaltigte Frauen, von denen bekannt ist, dass nur wenige, wenn überhaupt, im Alter ihr Schweigen brachen.

Auf der Flucht geboren

Über das Schicksal der Kinder auf der Flucht weiß man wenig. In den Achtzigerjahren gab die Historikerin Bärbel Beutner ein kleines Buch mit dem Titel »Auf der Flucht geboren« heraus. Die hier gesammelten Erfahrungsberichte vermitteln wie im Brennglas die äußerst bedrohte Situation von Frauen und Kindern. »Da wurde ein vergessenes Fläschchen zur Katastrophe«, schreibt Beutner im Vorwort.

Da liest man von einer Frau, dass ihr nach der Niederkunft, weil sie sofort weiterziehen musste, nicht einmal Zeit blieb, ihr Kind zu waschen – das geschah dann erst sieben Tage später. Auf einem Frachtschiff kam ein Mädchen mithilfe zweier Tierärzte zur Welt; bei einem Bombenangriff flogen Fenster und Tür auf das Bett einer Wöchnerin mit ihrem Neugeborenen. Und es gibt die Geschichte einer Mutter, die versuchte, ihr Kind mit Brennnesselsaft am Leben zur erhalten, vergeblich; eine andere trug ihren erfrorenen Säugling noch tagelang mit sich herum.

Bemerkenswert ist das Buch auch deshalb, weil die Herausgeberin sich auch über die Folgen Gedanken machte: Da jedes überlebende »Fluchtkind« so etwas wie ein Wunder darstellte, erhielt es in seinem späteren Leben einen Sonderplatz in der Familie – aber auch aus anderen Gründen: »Ich bin als ›Fluchtkind‹ aufgewachsen und habe doch nie selbst fliehen müssen«, sagt Beutner über ihre eigene Herkunft. »An meinem Geburtstag wiederholte sich Jahr für Jahr der Fluchtweg: ›Heute vor soundsoviel Jahren sind wir los … Dann kamen wir da und dort an … So lange ist es nun schon her! … An unserem Fluchtkind können wir sehen, wie lange wir schon von zu Hause weg sind …‹«

Dass gerade in Flüchtlingsfamilien die Kinder zu Anpassung und Leistung angehalten wurden, ist bekannt. »Rücksicht verstand sich von selbst, ständiges Bemühen, Fehler zu vermeiden, Störungen zu vermeiden, Erwartungen zu erfüllen«, schreibt Beutner. »Das Schlimmste, was passieren konnte: Enttäuschungen verursachen. Und darüber hinaus gab es noch Schlimmeres: Schande herbeiführen, Ehrenrühriges verschulden, sei es durch schlechtes Benehmen oder durch schlechte Leistungen, denn wir hatten doch nur noch den guten Namen, alles andere war doch verloren.«

Der Mutter immer dankbar sein ...

Angesichts der Verluste der Eltern war für die heranwachsenden Kinder Lebensfreude nicht unbedingt etwas Selbstverständliches, was Beutner zu der rhetorischen Frage veranlasst: »Wie konnte man sich unbeschwert vergnügen, wo diese doch den Krieg erlebt hatten?« Die Rolle, die man dem »Fluchtkind« auferlegte, war womöglich noch einschränkender als die seiner älteren Geschwister: Es hatte seiner Mutter, die Übermenschliches für ihr Kind getan hatte, in Dankbarkeit verpflichtet zu bleiben – auch wenn dies nie direkt ausgesprochen wurde.

»Wenn ein Fluchtkind all das erspürte«, führt Beutner aus, »konnte der Mutter manches nicht ›angetan‹ werden, was eigentlich zu der normalen Entwicklung eines Kindes gehört. Natürlich war es schon gar nicht möglich, wegzugehen, auszuziehen, ein eigenes Leben zu führen. Jede weitere Station im Leben mußte so geregelt werden, daß die Mutter nicht vernachlässigt oder gar verlassen wurde.«

Bärbel Beutner macht der älteren Generation keine Vorwürfe, sie spricht nicht von Schuld, aber sie ist auch frei von Selbstvorwürfen, weil sie erkannt hat, dass auch *ihr* Leben unverkennbar von der Vertreibung geprägt wurde.

Loyalität gegenüber den Eltern ist im Prinzip etwas Gutes; nur war es offenbar für viele Kinder aus Flüchtlingsfamilien schwer zu unterscheiden, wann ein liebevolles Unterstützen der Mutter unbedingt nötig war und wann so viel Rücksichtnahme ein eigenes Leben verhinderte. Jahrzehnte hatte die erwachsene Tochter Bärbel der Mutter zuliebe in ihrer westfälischen Kleinstadt verbracht, obwohl das Gefühl blieb, dass dies die »richtige Heimat« nicht sein konnte. Die alte Heimat, die der Eltern, sei auch in ihr mächtiger gewesen, sagt sie. Das Leben in Westdeutschland habe etwas Vorläufiges, Zufälliges behalten. »Die Wirklichkeit des Lebens hier blieb fragwürdig, wenn man sich auch völlig hineinfand. Das Bewußtsein blieb merkwürdig gespalten.«

Halb Deutschland unterwegs

Die Flüchtlinge und Vertriebenen gehören zu den vielen Millionen Deutschen, die während der Nazizeit und danach von den Wogen der Kriegsauswirkungen durchs Land getrieben wurden. Wie sah ihre Situation im Frühsommer 1945 aus? Längst nicht alle Schlesier, Pommern, Ostpreußen und Sudetendeutsche hatten bis zu diesem Zeitpunkt so etwas wie eine provisorische Bleibe gefunden. Eine unbekannte, aber in jedem Fall große Zahl versuchte noch, bei Verwandten oder Bekannten unterzukommen. Andere wanderten umher, verarmt, zerlumpt, von irgendwelchen Zufälligkeiten hierhin und dorthin geweht, oder sie wurden von den Besatzern zwischen den Zonen hin und her geschoben. Diese letzte Odyssee muss viele Flüchtlinge an den Rand der Verzweiflung gebracht haben, denn das Grauen, das hinter ihnen lag, war noch frisch.

»Deutschland – ein Ameisenhaufen«, so beschreibt die Historikerin Margarete Dörr die Lage in der unmittelbaren Nachkriegszeit. Sie geht davon aus, dass damals jeder zweite Deutsche unterwegs war; und es zogen mehr Frauen umher als Männer. Drei Bände umfasst Dörrs Veröffentlichung mit dem Titel »Wer die Zeit nicht miterlebt hat ...«, worin sie die »Frauenerfahrungen im Zweiten Weltkrieg und in den Jahren danach« in der Art eines Riesenpuzzles zusammenfügte. Wer wirklich wissen möchte, wie es den Frauen ging und wie unterschiedlich ihre Schicksale waren, kommt an Dörrs Arbeit nicht vorbei. Von ihr wird man kein Wort der Heroisierung hören, zum Beispiel in Bezug auf die sogenannten Trümmerfrauen, aber auch kein Klagelied.

»Bis zum Schluß«, schreibt sie, »schlugen sich Arbeiterinnen und Angestellte unter unsäglichen Strapazen zu ihren Dienststellen durch, machten frag- und klaglos Überstunden, pflanzten Bäuerinnen im Morgengrauen Kartoffeln, bevor die Tiefflieger kamen, versuchten Lehrerinnen den Unterrichtsbetrieb aufrechtzuerhalten. Sie taten es nicht allein unter Zwang, sondern aus einem heute kaum noch nachvollziehbaren Pflichtbewußtsein und aus purem Überlebenswillen.« Die Historikerin nennt auch den Preis für die ungeheuren Leistungen: »Frauen und Mütter waren eigentlich nie ausgeschlafen; je länger der Krieg dauerte, desto weniger. Viele waren ausgepowert und erschöpft und rappelten sich dennoch immer wieder von neuem auf.«

In Deutschland unterwegs waren zur Stunde null neben den Heimatlosen auch sehr viele evakuierte Frauen und Kinder, die in ländlichen Regionen, auch in östlichen Gebieten Zuflucht vor den Bomben gesucht hatten. Nun wollten sie in ihre Heimatstädte zurück. Es wird geschätzt, dass 5 bis 10 Millionen Menschen während des Krieges an Evakuierungen teilnahmen, deren Dauer allerdings sehr unterschiedlich war, von wenigen Wochen bis zu zwei Jahren.

Ahnungslose Dorfbevölkerung

In seiner Romantrilogie »Das Haus auf meinen Schultern« hat Dieter Forte ausführlich darüber geschrieben. Als Kind war er häufig aus Düsseldorf evakuiert worden, hatte erlebt, dass seine Mutter in der Fremde als »Bombenweib« begrüßt wurde. Jedesmal war es so, dass Mutter und Sohn schon nach kurzer Zeit beschlossen, in ihre Heimatstadt zurückzukehren, dass sie der kriegsfreien Idylle entflohen, weil sie das ahnungslose dörfliche Klima einfach nicht aushielten.

> Natürlich gab es auch hier Sirenen, die gelegentlich aufjaulten. Das wurde eine Übung genannt, und die Menschen gingen weiter, als wäre nichts geschehen. Sie gingen oft ganz besonders langsam, um zu beweisen, daß sie sich durch eine Sirene nicht erschrecken ließen. Der Junge, der sofort in den nächsten Keller rannte, wurde ausgelacht, und in den kleinen Lebensmittelläden wurde den Frauen gesagt, die Städter hätten überhaupt keine Nerven. Sie schnitten mit einem breiten Messer ihre Butterrollen durch

und meinten, sie täten sich vor nichts fürchten, sie könne man nicht erschrecken, seine Ruhe dürfe man sich nicht nehmen lassen.
Hier war seit hundert Jahren nichts passiert, einmal war eine Kuh aus dem Schlachthof weggelaufen, das Tagblatt erinnerte jedes Jahr daran, und der Junge, der an jedem Vormittag vor dem vergitterten Aushang des Tagblatts stand, um die Meldungen zu lesen, fand nie eine Meldung über die Bombardierungen im Reichsgebiet.

Zu den Evakuierten und Flüchtlingen, die sich bei Kriegsende auf Deutschlands Straßen und Schienen befanden, gesellten sich Schülerinnen und Schüler, die durch die Kinderlandverschickung irgendwo in der Ferne, teilweise an den Rändern des Deutschen Reiches, abgesetzt worden waren. Etwa 2 Millionen, die meisten schon im jugendlichen Alter, hatten an diesen Maßnahmen teilgenommen. Nun sahen sie sich teilweise von ihren Lehrern – »Der Russe kommt!« – im Stich gelassen und mussten sich allein durchschlagen. Auf jeden Fall kann man vermuten, dass es reichlich Erfahrung mit dem Massentransport unter erschwerten Bedingungen gab, so wie sie Dieter Forte bei einer Evakuierung beschrieb:

> Der Zug fuhr durch Deutschland, fuhr viele Tage und Nächte, er kroch langsam durch abgedunkelte Städte, stand wartend vor brennenden Fabriken, zog an Feldern vorbei, auf denen Gefangene arbeiteten, bewacht von Soldaten, überquerte im Schrittempo die Flüsse auf Behelfsbrücken, neben denen Flakbatterien lagen, tauchte in dunkle, nasse Wälder ein, blieb stundenlang auf freier Strecke in einer unbekannten Gegend stehen. Oft mußten sie dann aus dem Zug springen und sich auf den Bahndamm legen, Flugzeuge brausten über sie hinweg, dann krochen sie wieder auf allen vieren in den Zug, fuhren weiter, fuhren endlos weiter, ohne zu wissen, wohin.

Die Frauen in diesem Zug erzählten sich ihre Geschichten, Geschichten von gefallenen Söhnen, vermißten Ehemännern, verlorenen Eltern, Todesgeschichten aus allen Erdteilen, Geschichten vom Land, vom Himmel und vom Meer, von ausgebrannten Panzern, abgeschossenen Flugzeugen und verschollenen U-Booten, Geschichten von zerstörten Häusern und Wohnungen und den auf ewig verlorenen Dingen, an denen ihr Herz einmal hing, von denen die herumgezeigten Fotos nur noch ein blasses Abbild der Erinnerung waren.

Nach Kriegsende war »Reisen« eigentlich nicht mehr der richtige Begriff für die Art und Weise, wie Menschen weite Strecken überwanden. Mal konnten sie ein paar Kilometer fahren, dann wieder gingen sie zu Fuß. Manchmal brachte sie ein Traktor oder ein alliiertes Militärfahrzeug oder ein Ochsengespann ein paar Kilometer weiter. Oder sie belagerten tagelang einen Bahnhof in der Hoffnung auf einen Transport in überfüllten Viehwaggons. Viele Menschen, die als Kinder während endloser Zugfahrten stehen mussten, von den Erwachsenen eingeklemmt, denen sie vielleicht gerade eben bis zur Körpermitte reichten, überfällt heute noch ein heftiges Ekelgefühl, wenn sie sich nur an den Gestank erinnern.

Häufig taten sich Frauen, Kinder und Alte zu wandernden Großgruppen zusammen, zogen abwechselnd ihre Habe auf Leiterwagen hinter sich her, über viele Hundert Kilometer. Kaum jemand spricht heute mehr von den wunden Füßen in kaputten Schuhen und von dem Segen, den es bedeutete, wenn ein Großvater mitmarschierte, der Schuhe flicken konnte.

Margarete Dörr erinnert zudem an die vielen Frauen und Mädchen, die sich bei Kriegsende fern von daheim im Arbeitsdienst, im Osteinsatz, bei der Wehrmacht oder in einem anderen Kriegshilfsdienst befanden; auch sie wollten nach Hause. Zudem hätten Frauen häufig versucht, ihre verwundeten Männer oder Söhne in Lazaretten oder in Lagern zu besuchen.

Der größte Wunsch, so Dörr, habe darin bestanden, sich nach den Wirren der Kriegszeit in der Familie wiederzufinden, wieder zusammenzukommen, um gemeinsam ein neues Leben zu beginnen. Aber dieser Weg führte durch Entbehrung, Hunger, extrem unhygienische Verhältnisse und damit durch Seuchengefahren.

Harte Verteilungskämpfe

In den Massenunterkünften bestanden die sanitären Anlagen häufig nur aus einem einzigen Waschbecken. Kein Wunder, dass die Menschen, ganz gleich, wie entkräftet sie waren, nur einen Gedanken hatten: Fort, schnell fort! Eine Transportmöglichkeit galt als Lottogewinn. Dementsprechend waren die Verteilungskämpfe, an denen sich kurz nach Kriegsende auch sehr viele freigelassene Kriegsgefangene beteiligten.

Aber nicht nur die Deutschen wollten so schnell wie möglich heim, weshalb sich das Land in einen Ameisenhaufen verwandelt hatte. Dörr schreibt auch von den »etwa zehn Millionen Displaced Persons, die ausländischen Zwangsarbeiter und Kriegsgefangenen, die wieder repatriiert werden sollten«.

Es gab die Langreisenden und die Kurzreisenden; aber auch die Letzteren mussten mit abenteuerlichen Fahrten rechnen. Wenn zum Beispiel Kölner zu Hamsterfahrten nach Gießen oder ins Oldenburger-Land aufbrachen, weil es dort Butter gab, waren sie womöglich erst drei Tage später zurück. »Hamstern«, was für ein freundliches Wort für Chaos und Strapaze … Und das Hamstern hielt noch lange an. Im Mai 1947 war das Thema immer noch aktuell, weshalb sich die »Die Neue Zeitung« in München veranlasst sah, einen Beitrag des Schriftstellers Erich Kästner zu drucken:

> In Brandenburg an der Havel hielt ein Personenzug, den nur Brueghel hätte malen können. Doch zu seiner Zeit gab es keine überfüllten Eisenbahnen, und heute gibt's keinen

Brueghel. Es ist nicht immer alles beisammen ... Die Trittbretter, die Puffer und die an den Waggons entlangführenden Laufstege waren mit traurigen Gestalten besät, und oben auf den Wagendächern hockten, dicht aneinandergepreßt, nicht weniger Fahrgäste als unten in den Coupés. Von dem Zug, den wir sahen, war nichts zu sehen – er war mit Menschen paniert!
Sie saßen, hingen, standen, klammerten sich an, blinzelten apathisch in die Nachmittagssonne, dachten nicht an Kurven und Tunnels, sondern nur an ihre Rucksäcke mit den paar Pfunden gehamsterter Kartoffeln und an die Gesichter daheim. War's nicht früher einmal verboten gewesen, sich während der Fahrt aus dem Fenster zu beugen? Und jetzt kauerten alte Frauen und magere Kinder zu Hunderten, ohne Halt und Lehne, auf den rußverschmierten Dächern wie auf einstöckigen, geländerlosen Omnibussen. Nun war es niemandem mehr untersagt, sich das Genick zu brechen.

Eine couragierte Zwölfjährige

Und dennoch: Wer damals mit jugendlicher Kraft und Unternehmungslust ausgestattet war, für den mögen die Hamsterfahrten auch ihre schönen Seiten gehabt haben. Ursula Henke* aus Essen war zwölf Jahre, als sie regelmäßig allein ins Sauerland fuhr, um ihre Mutter, ihren kleinen Bruder und sich selbst mit Lebensmitteln und Tauschware zu versorgen. Schon früh zeigte sich bei Ursula ein Geschäftssinn, der sie bis heute nicht verlassen hat.

Da ihre Familie dreimal ausgebombt war und nichts mehr besaß, was sie bei den Bauern hätte eintauschen können, kaufte sie in Essen auf Pump eine große Zahl Kartoffelmesserchen und machte damit im Sauerland gute Geschäfte. Während sie von Hof zu Hof zog, füllte sich ihre riesige Einkaufstausche mit Kartoffeln,

Eiern und manchmal auch Speck. Schwer beladen kehrte sie zur Bahnstrecke zurück, und da sie sich mit dem Lokomotivführer angefreundet hatte, der sich gegenüber dem blonden couragierten Mädchen gern hilfsbereit zeigte, wurde ihre pralle Tasche während der Fahrt vorn in der Lokomotive verstaut, sodass ihr kostbares Erhamstertes nicht unterwegs geklaut wurde. Ursula verdiente gut mit ihrer Geschäftsidee, den Kartoffelmesserchen.

Bei ihr, die 1933 geboren wurde, entdeckte ich wieder jene Überlebenskraft, mit der offenbar viele Kinder in schweren Zeiten ausgestattet waren, wenn drei Voraussetzungen zutrafen: Erstens, sie waren körperlich gesund; zweitens, sie hatten, bevor die Katastrophe über sie hereinbrach, noch einige unbeschwerte Kinderjahre ansammeln können, und drittens, sie besaßen liebevolle Eltern.

»Schreckliches – aber auch viel Schönes«

Ursulas Bruder Klaus, vier Jahre jünger, scheint, wie nun bei der Behandlung in einer psychosomatischen Klinik deutlich wurde, weit mehr unter den Kriegsumständen gelitten zu haben, obwohl oder weil die Umstände seiner Kindheit ihn bis dahin nie beschäftigt hatten. Im Unterschied dazu waren bei seiner Schwester zeit ihres Lebens immer wieder Kriegserinnerungen aufgetaucht, »Schreckliches – aber auch viel Schönes«.

Für unser Interview treffe ich Ursula Henke in ihrer Wohnung im zweiten Stock, die einen Ausblick auf einen belebten Platz erlaubt. Sie ist ihrer Heimatstadt, sogar ihrem Viertel, treu geblieben. Ein Viertel wie ein Dorf. Unter Ursulas Wohnzimmerfenster ist gerade Markt. Ach ja, denkt sie, wenn dort Gesichter auftauchen, die sie schon seit ihrer Kindheit kennt, inzwischen sehr alte Gesichter … Manchmal erinnern sie Ursula an Geschehnisse aus den ersten Nachkriegsjahren: wie Mutters Freundin Annegret fremdgegangen war mit mehr als einem englischen Soldaten, während ihre drei verstörten Kinder jeden Abend beteten, der

Papa möge endlich aus dem Krieg heimkommen; wie im Haus nebenan bei den Brüdern Heinz und Willi der schwarzgebrannte Schnaps dazu beitrug, dass Geselligkeiten zu Orgien entgleisten.

Völlig anders hatte sich Ursulas Mutter verhalten. Sie habe mit dem ganzen Drunter und Drüber nicht das Geringste zu tun haben wollen, sagt Ursula, die ihr deshalb heute noch dankbar ist. Der Mutter sei es nur darum gegangen, ihren Kindern beizustehen und Tag für Tag von Neuem auf die Heimkehr ihres Mannes zu hoffen.

In den Fünfzigerjahren, so Ursula, hätten sich die Leute, die sozial etwas ins Abseits geraten waren, dann plötzlich wieder der Moral entsonnen. Da seien alle auf einen Schlag ehrbar und fein geworden, so »als hätte es dieses andere Leben nie gegeben«. Und wie brav erst deren Kinder sein mussten! Wehe, da hätte Ende der Fünfziger eine Tochter ein uneheliches Kind erwartet. Was für eine Schande!

Ins Bett, weil das Zimmer so eisig war

Während des Krieges wurde Ursulas Familie mehrfach evakuiert, jedesmal an andere Orte. Wunderschön sei es in Thüringen gewesen, erzählt sie, wo sie nicht wie Evakuierte, sondern wie lieber Besuch behandelt worden seien. Da hätten sie beim Bürgermeister gewohnt. Das seien reiche Leute gewesen, die sonntags zweispännig mit der Kutsche zur Kirche fuhren. An diese Zeit habe sie nur schöne Erinnerungen: Es seien extra Plätzchen gebacken worden, es gab einen Hund und – eine Rarität in der Kriegszeit – sogar Männer im Haus. Und im Winter sei sie wie alle anderen Dorfkinder auf Skiern zur Schule gefahren.

Bei der zweiten Evakuierung traf Ursula auf sehr bescheidene Verhältnisse. Schlimm waren die Enge und das Klima des Zusammenlebens. »Aber man muss so eine Familie auch verstehen«, sagt die Siebzigjährige, deren Dialekt das Ruhrgebiet erkennen lässt, und zeigt unten auf den Marktplatz: »Stellen Sie sich mal vor, da würde plötzlich ein Bus halten mit fünfzig Leuten, und dann würde es an Ihrer Wohnung klingeln, und vor der Tür stünde eine Mutter mit zwei Kindern, und es hieße: Die müssen Sie jetzt aufnehmen.«

Die Gastgeber von damals, fährt sie fort, hätten doch überhaupt keine andere Wahl gehabt, als ihnen von ihrer kleinen Wohnung ein Zimmer zur Verfügung zu stellen. Und dann hätten sie zu bestimmten Zeiten auch noch die Küche und ihr Wohnzimmer abtreten müssen. »Wenn es oben in unserem Schlafzimmer eisig kalt war, haben wir tagsüber im Wohnzimmer gesessen. Das mussten wir dann um Punkt sieben Uhr räumen, und dann blieb nur noch« – sie schüttelt sich bei der Erinnerung –, »dass wir uns zu dritt oben ins Bett legten, weil wir sonst bitterlich gefroren hätten.«

Klaus wurde eingeschult, aber das Lernen machte ihm von Anfang an Probleme. »Meine Mutter war viel zu nervös, um ihm zu helfen«, erzählt Ursula. »Ich sehe uns drei noch in diesem fremden Wohnzimmer, wo wir so unerwünscht waren, und die Mutter und Klaus mühten sich ab mit den Hausarbeiten. Da habe ich oft gedacht: Wäre doch der Papa da, der hätte bestimmt mehr Geduld.«

In dieser Zeit war Ursulas Mutter oft schwermütig. Sie las Vaters Feldpostbriefe, in denen er dringend bat, sie möge mit den Kindern ausharren, dort sei sie in Sicherheit, alles andere sei zu gefährlich. Und während die Mutter die Briefe las, weinte sie, weil sie ihren Mann so sehr vermisste und weil das Heimweh, ihre Sehnsucht nach ihren Verwandten in Essen mit jedem Tag wuchs – bis sie eines Tages, kurz vor Weihnachten, wieder in ihre Heimatstadt zurückkehrte. Bei einem Fliegerangriff erlitt sie eine Fehlgeburt, von der sie sich nicht mehr erholte. »Sie musste dann drei Monate ins Krankenhaus«, sagt ihre Tochter. »Ja, unserer Mutter ging es im Krieg sehr schlecht. Sie hielt es einfach nicht aus, dass sie vom Vater getrennt war.«

Vom ihm kamen fast täglich Briefe, manchmal auch Päckchen

mit Lebensmitteln. Dazu schrieb er, sie sollten anderen nichts davon abgeben. Ursula erinnert sich: »Ölsardinen kamen manchmal, irgendwelche Dinge, die er sich von seiner Ration abgespart hatte. Und da hab ich mir immer vorgestellt, dass er nicht satt wurde, aber *uns* das schickt. Das war so meine Kindervorstellung.« – Während eines Heimaturlaubs nahm der Vater sie mit zu einem Besuch beim Großvater. Was dort geschah, vergaß sie ihr ganzes Leben nicht mehr: »Der Papa hat dem Großvater etwas erzählt, etwas Schlimmes, was er als Soldat in Russland erlebt hatte. Und da haben beide Männer geweint.«

Zu Fuß von Thüringen ins Ruhrgebiet

Für unser Interview hat Ursula Henke Kaffee gemacht, und sie hat einen großen Umschlag mit der Aufschrift *Post vom Vater* bereitgelegt. »Das sind die wenigen Feldpostbriefe, die wir noch besitzen«, sagt sie. Bei Kriegsende kam keine Post mehr vom Vater. Ein Brief, den Ursula ihm geschrieben hatte, kam als unzustellbar zurück.

Die Familie befand sich im Mai 1945 in Thüringen, wohin sie ein weiteres Mal evakuiert worden war. »Wir sind dann zu Fuß nach Essen gelaufen«, erzählt Ursula nicht ohne Begeisterung in der Stimme. »Daran habe ich schöne Erinnerungen. Wir waren eine Gruppe von 13 Leuten, auch die Großeltern zogen mit.« Drei Wochen waren sie unterwegs. Am Abend wurde am großen Feuer gekocht. Sie übernachteten in Scheunen. »Für uns Kinder war das schön«, sagt Ursula. »Aber die Mama hat nachts geweint. Es war schlimm, dass ich ihr nicht helfen konnte …«

Nach dem Krieg waren sie bettelarm; dreimal ausgebombt, da bleibt nicht viel Besitz. Ursula bekam einen Mantel, der einmal eine Wolldecke gewesen war. Sie zog Unterhosen aus »Zuckersackwolle« an. Ihr Kommunionkleid hatten zuvor schon drei Cousinen getragen. Eine einzige frische Erdbeere aufs Brot geschnitten – was für eine Köstlichkeit! Die Mutter tauschte ihre

Lockenwickler gegen Kartoffeln und wickelte ihre Haarsträhnen auf Zeitungspapier.

Mit zwölf Jahren war Ursulas Kindheit vorbei. Vormittags nahm sie am Unterricht in einer Aufbauschule teil; für den Rest des Tages dachte und handelte sie wie eine Erwachsene. Dann bekam sie Typhus und musste neun Monate im Krankenhaus bleiben. Die Zimmer waren Baracken, vor den Fenstern befand sich ein Graben. Wenn ihre Mutter sie besuchte, musste sie hinter dem Graben stehen. »Es war eine richtig schwere Epidemie mit Toten. Abends waren wir zu elft im Zimmer, am nächsten Tag waren es nur noch neun.« Doch am meisten quälte Ursula, dass sie ihrer Mutter nicht beistehen konnte.

Nachdem das Mädchen auskuriert war, stellte sich heraus, dass sie in der Aufbauschule nicht mehr mitkam. Sie musste zurück auf die Volksschule. Zu den gravierenden Kriegsfolgen, die ihr weiteres Leben bestimmten, gehört, dass sie nur sechs Jahre lang die Schule besuchte. Zunächst arbeitete sie als Haushaltshilfe, dann gelang es ihr, weil ihre Schulunterlagen nicht so genau angeschaut wurden, in einem Bekleidungsgeschäft eine Lehre zu machen. Dabei handelte es sich um einen Familienbetrieb mit Tradition – und mit einem Sohn, der sich in Ursula verliebte. Sie heirateten jung, bekamen zwei Kinder.

Vom Vater kam kein Lebenszeichen mehr. »Wir waren felsenfest überzeugt, er kommt wieder! Jeden Morgen haben wir das von Neuem geglaubt. Jeden Abend waren wir enttäuscht. Dann haben wir gebetet und weiter gehofft.« Und gewartet. Zwei Jahre, fünf Jahre. Bei der Mutter dauerte das Warten ein ganzes Leben. Sie weigerte sich, ihren Mann für tot erklären zu lassen, verzichtete lieber auf ihre Hinterbliebenenrente. Der verschollene Vater blieb der große Schmerz in der Familie. »Manchmal«, erinnert sich Ursula, »haben wir regelrecht gesponnen und gedacht: Vielleicht hat er sich in Russland eine neue Frau genommen und hat da auch Kinder …«

Ursula Henke und ihr Mann führten eine glückliche Ehe, in der Privates mit dem Geschäftlichen verbunden war. Die entbehrungsreichen Aufbaujahre machten sich bezahlt. Man arbeitete viel, aber man verdiente auch gut. Mit sechzig Jahren wurde Ursula Witwe. Der Tod ihres Mannes, um den sie lange trauerte, hatte zur Folge, dass auch der große Kummer über den Verlust des Vaters sie noch einmal einholte.

Im Jahr 1995 – die Mutter war schon tot – erhielten Ursula und ihr Bruder Klaus einen Brief der Kriegsgräberfürsorge. Darin stand, dass Ulrich Henke Anfang der Fünfzigerjahre in einem russischen Lager verstorben war.

Dennoch: Ursula ist dankbar. Bei allen Schwierigkeiten hat sie viel Glück gehabt. Wenn sie sich in ihrer Altersgruppe umschaut, dann weiß sie, wie leicht so ein Leben hätte missglücken können: Angesichts ihrer mangelhaften Schulbildung hätte sie arm bleiben können. Sie hätte den falschen Mann heiraten können, einen, der seine Frau mit dem Satz demütigte, dass sie »nur durch ihn etwas geworden« sei. Vielleicht hätte sie sich als alleinerziehende Mutter mit zwei Kindern durchschlagen müssen. Oder sie hätte aus falscher Rücksichtnahme gegenüber der Mutter ganz und gar auf eine eigene Familie verzichtet. Stattdessen war es Ursulas Mutter immer wichtig gewesen, dass ihre Tochter eine eigene Existenz aufbaute und dennoch das Vergnügen nicht zu kurz kam. Sie erinnert sich: »Wie oft hat die Mama die Kinder gehütet, damit mein Mann und ich tanzen gehen konnten.« Heute haben ihre Kinder selbst Kinder, und aus der Geschäftsfrau ist eine begeisterte Großmutter geworden.

Ein letzter Brief

Am Schluss unseres Interviews geht Ursula Henke noch einmal die Feldpostbriefe durch. Den Umschlag mit der Aufschrift *Post vom Vater* habe sie im Nachlass ihrer Mutter gefunden, sagt sie. »Ich weiß noch jetzt – ich bin eine alte Frau! – die Nummer: 17 5 81. Das ist die Feldpostnummer!« Dann zeigt sie mir ihren letzten Brief an den Vater, jenen Brief, der als unzustellbar zurückgekommen war. Lange hält sie ihn in der Hand, dann spricht sie aus, worüber sie nachdenkt: »Ich möchte nur mal wissen, warum mein kleiner Kinderbrief so zerfleddert ist. Die Post von meiner Mutter ist völlig in Ordnung. Aber sehen Sie das? *Mein* Brief ist total zerfleddert.« Dafür gibt es nur eine Erklärung: Ursulas Mutter muss den Kinderbrief wieder und wieder gelesen haben.

SIEBTES KAPITEL

Kriegswaise: Die Suche nach der Erinnerung

Kinder, die verloren gingen

Dass Kinder gänzlich verloren gingen, gehört zu den schmerzlichsten Erfahrungen bei Kriegsende. Sie verursachten tiefe seelische Wunden, über die später selten gesprochen wurde, oder ständig – wie in der Erzählung »Der Verlorene« von Hans-Ulrich Treichel. Der Schriftsteller zählt zu jener kleinen Gruppe jüngerer Autoren, die daran interessiert sind, die Spuren des Krieges auch bei den später Geborenen freizulegen.

In der Geschichte »Der Verlorene«, 1999 erschienen, geht es um die erstarrten Beziehungen in einer Nachkriegsfamilie. Für die Eltern gibt es nur ein zentrales Thema: die Suche nach Arnold, dem Erstgeborenen, der im Januar 1945 auf dem Treck verloren ging. Die Erzählung erschließt sich aus der Perspektive von Arnolds jüngerem Bruder, der erst nach dem Krieg auf die Welt kam und keine wirkliche Existenzberechtigung in der Familie hat, weil ja der älteste Sohn noch nicht gefunden ist.

Äußerlich sind alle Insignien des Wirtschaftswunders vorhanden, aber Mutter und Vater sind nicht in der Lage, mit ihrem Schicksal Frieden zu schließen. Über Jahrzehnte gehen sie jeder Spur nach, und sei sie noch so abwegig. Immer wieder stirbt eine Hoffnung, immer wieder baut sich eine neue auf. Besonders die Mutter des Erzählers kommt nie zur Ruhe, hängt sich an irgendwelche Illusionen, die sie als Realität definiert. Die panische Suche führt schließlich zu einem jugendlichen Findelkind, dessen Identität mit ungeheurem Aufwand geklärt werden soll. Die Eltern engagieren ein Detektivbüro und geben teure medizinische Gutachten in Auftrag. Das Schattendasein ihres jüngsten Sohnes haben sie nicht im Blick, und sie werden auch nicht von Verwandten oder Freunden darauf aufmerksam gemacht. Treichel beschreibt am Beispiel dieser Familie eine beklemmende Hohlheit des Alltags, die in den Fünfziger- und Sechzigerjahren ein weitverbreitetes Lebensgefühl war.

Nach dem Krieg, so die Statistik, war jeder vierte Deutsche auf der Suche nach einem Familienmitglied, oder er selbst wurde gesucht. In den Suchdienststellen des Deutschen Roten Kreuzes wurden 14 Millionen Meldungen registriert. Die Arbeit des Kindersuchdienstes ist auf bewegende Weise im Bonner »Haus der Geschichte der Bundesrepublik Deutschland« dokumentiert. Besucher behalten vor allem die alten Filmaufnahmen in Erinnerung: Kinder, die ihre Eltern suchen. Schüchtern blicken sie in die Kamera, nennen ihren Namen und den Ort ihrer Herkunft.

Seit einigen Jahren schon besitze ich eine vom Bonner Museum herausgegebene Broschüre über die Suchdienstkartei. Jedesmal wenn sie mir in die Hände fiel, dachte ich: Es ist gut, dass es wenigstens diesen einen Gedenkort im »Haus der Geschichte« für Kinder gibt, von denen sonst niemand spricht. Immer wieder schaute ich mir die Seite 27 an, mit den Fotos und Kurzbeschreibungen von zwanzig Kindern, und es wuchs in mir der Wunsch, wenigstens von einem der Abgebildeten die Fortsetzung zu erfahren. Schließlich wählte ich die Jungen mit ungewöhnlichen Nachnamen aus, und mithilfe einer Telefonauskunft-CD-ROM gelang es, sieben Adressen zu ermitteln. Ich schrieb sieben Briefe, ohne große Hoffnung, dass dieser Weg nach fast sechzig Jahren erfolgreich sein könnte ... Aber *ein* Brief erwies sich als Treffer. Horst Omland aus Hannover rief an, unsicher, ob er wirklich der Gesuchte sei. Doch, sein Geburtsdatum und der Geburtsort Danzig stimme. Aber er wisse nichts von der in meinem Brief erwähnten Suchmeldung, weshalb er mich bat, sie ihm zu faxen.

Kurz darauf kam ein zweiter Anruf: Seine Augen seien zu schlecht, er könne nichts Genaues erkennen. Ich versprach, ihm eine vergrößerte Kopie zu schicken. Er bedankte sich und sagte: »Ja, ja, es hat keine Eile.«

Nachdem ich ihm die Suchmeldung per Post zugeschickt hatte, bekam ich von ihm die Kopie seines Wehrpasses von 1958, mit

Text der Suchmeldung:
»Omland? Horst? Reg. Nr. G 03265307, geb. am 4.4.37 in Danzig aus: Tiegenhof bei Danzig. Mittelblondes feines Haar, dunkelgraue Augen, etwas abstehende Ohren, einige Sommersprossen zu beiden Seiten der Nase, 2 kleine Leberflecke nebeneinander auf dem Bauch (Magengegend). Mutter: Vorname unbekannt, wurde bei einem Fliegerangriff in Danzig getötet, Horst wurde verwundet. – Vater war Fabrikarbeiter, zuletzt Soldat. Geschwister: Wilhelm 16 J., Herbert 15 J., waren mit Horst am Schiff zusammen, gingen dann mit dem Gepäck fort, und Horst hat sie dann nicht mehr gesehen. Horst wurde dann von einer fremden Frau nach Kopenhagen mitgenommen.«

einem Passfoto, das ihn als jungen Mann zeigte. Er schrieb dazu: »Gleichen die Ohren denen auf dem Suchbild?«

Allerdings, so war es. Beim nächsten Telefonat erfuhr ich: Auch in seiner Familie seien Ähnlichkeiten festgestellt worden. Eines seiner beiden Kinder habe früher genauso ausgesehen wie der kleine Horst in der Suchmeldung. Doch mit dem Inhalt der Anzeige konnte Omland nicht das Geringste anfangen: Er wisse nichts über seine Mutter, auch nichts über Brüder, nichts über einen Fliegerangriff. Im Übrigen habe er Kontakt zu einer Frau aus Weimar, die behaupte, sie beide seien Geschwister, die schon als Säuglinge von ihrer Mutter in ein Heim gegeben worden waren.

Ausführliches Telefonieren war mit ihm nicht möglich, denn er litt seit seiner Kindheit an einem schweren Hörschaden, der sich, wie er glaubt, während lautstarker Bundeswehrmanöver noch weiter verschlimmert hatte.

Nach unseren Brief- und Telefonkontakten haben wir uns zweimal getroffen, in Hannover und in Weimar. Wenn man Omland persönlich erlebt hat, liegt es nahe, ihn als einen »zähen

Brocken« zu bezeichnen. Er macht kein Geheimnis aus seinen chronischen Krankheiten. 100 Prozent Behinderung, so steht es in seinem Ausweis. Dass er dennoch sein Leben selbstständig bewältigt, empfindet er mit Recht als Leistung. Er braucht gleich zwei Hörgeräte, wegen seiner Sehbehinderung fährt er nur kurze Strecken mit dem Auto, er hat Diabetes und Bluthochdruck.

1986 erlitt er einen Schlaganfall. Danach war er stumm und taub. Aber er gab nicht auf, konsultierte einen Arzt nach dem anderen, bis sich herausstellte, dass der Schlaganfall durch einen Tumor in der Hypophyse ausgelöst worden war. Nach einer Hirnoperation gewann er die verlorenen Sprach- und Hörfähigkeiten wieder – allerdings blieb eine Sehschwäche zurück. Was niemand für möglich gehalten hatte: Er schaffte die Rückkehr in seinen Beruf, erreichte sogar noch eine Beförderung, bis er 1991 als Obergerichtsvollzieher in den vorzeitigen Ruhestand ging. Heute ist er Ende sechzig, ein großer und durch die Medikamente füllig gewordener Mann. Nach seinem Schlaganfall, sagt er, sei seine Ehe auseinandergebrochen, die Entfremdung habe sich schon vorher abgezeichnet. Aber er fühle sich nicht allein. Er habe zwei Kinder und vier Enkel, die in seiner Nähe wohnen. »So weit«, sagt er, »ist alles in Ordnung.«

Ein Lager in Dänemark

Seine ersten Kindheitserinnerungen beginnen 1945: das Schiff »Lappland«, das ihn nach Dänemark brachte, und das Kinderlager in Kopenhagen. Bei seiner Ankunft war er schon acht Jahre alt. Was war vorher geschehen? Welche Ereignisse waren so unerträglich, dass sein Gedächtnis sie nicht speicherte und dazu alle Eindrücke löschte, die ihnen vorausgegangen waren? Horst Omland weiß darauf keine Antwort. 1947 wurde er von einer Mitarbeiterin der Kindereinrichtung von Dänemark nach Deutschland gebracht. »Tante Jutta hat gesagt: Ich fahre zurück.

Willst du mit? Damit war ich einverstanden«, erinnert sich Horst. Tante Jutta sei die Tochter eines Mennonitenpfarrers aus Monsheim bei Worms gewesen. Sie habe bei der Suche nach einer passenden Pflegefamilie geholfen.

Was die Situation der Kriegswaisen erschwerte, wurde in einem der bereits erwähnten frühen Erziehungsratgeber des Ernst Klett Verlags dargestellt. Von einer Fürsorgerin stammt folgender Bericht, der dem kleinen Heft als aufschlussreiche Quelle diente: »Eine Pflegefrau rühmt sich, von dem Pflegegeld für drei Pflegekinder Kücheneinrichtung, Schlafcouch und Zuschuß zum Bau des Eigenheims beschafft zu haben. In anderen Fällen dienten die Pflegekinder als billige Hilfskraft. Als besonders auffallend wird hervorgehoben, daß im Gegensatz zu den früheren Schwierigkeiten, Pflegekinder unterzubringen, diese jetzt geradezu ›*gefragt*‹ seien. Als Ursache solchen Andrangs von Bewerbern um ein Pflegekind wird in erster Linie der Wunsch nach barem Geld, das heute besonders knapp ist, angesehen. In diesem Zusammenhang seien auch die bei Schwarzwaldbauern untergebrachten ›*Hütekinder*‹ erwähnt. *Hilfehabenwollen,* Ausnutzen des Pflegekindes als Geldquelle oder als Arbeitskraft steht allzu oft im Vordergrund, während doch das *Helfenwollen* erster Antrieb zur Aufnahme eines Pflegekindes sein sollte.«

Im Fall des kleinen Horst hielt offenbar »Tante Jutta«, nachdem drei Familien sich als ungeeignet erwiesen hatten, noch so lange die Hand über ihn, bis sich ein vertrauenswürdiges kinderloses Ehepaar fand. Es handelte sich um pfälzische Weinbauern, die im Dorf das größte Gut besaßen. Als Horst bei ihnen einzog, war er zehn Jahre alt und hatte noch keine Schule besucht.

»Das vierte Schuljahr war mein erstes Schuljahr«, erzählt Omland. »Die Pflegeeltern haben mit mir jeden Abend Rechnen, Lesen und Schreiben geübt, bis ich vor Müdigkeit am Tisch eingeschlafen bin. Aber was ich zweimal gelesen hatte, das konnte ich auswendig!« Schon bald habe ihn der Lehrer wegen seiner korrekten Aussprache gelobt, doch dies hätte die Dorfkinder neidisch gemacht, auch die Tatsache, dass sein Pflegevater ein so großes

Weingut besaß; die Jungen hätten ihn nach der Schule eingekreist und verhauen.

»Ich habe gute Pflegeeltern gehabt, aber sie waren auch sehr streng«, beschreibt Omland seine Situation als Jugendlicher. »Ich durfte nie ausgehen. Aber wenigstens hat der Hufschmied mich in den Männergesangverein mitgenommen. So kam ich einmal in der Woche raus.«

Auf dem Gut arbeitete er wie ein Erwachsener. Schon früh wurden ihm verantwortungsvolle Aufgaben in der Landwirtschaft übertragen. Er lernte auch die Winzerei, weil er später einmal den Betrieb übernehmen sollte. Aber es kam anders. 1953 starb plötzlich seine Pflegemutter. Daraufhin holte der Hausherr seine Schwester auf den Hof. »Ab dann wurden nur noch Kirchenlieder gesungen«, erinnert sich Omland, »und die Frau hat mich ignoriert.« Auch vonseiten des Pflegevaters war nun keine Rede mehr davon, dass Horst adoptiert werden sollte. Ein Neffe, so wurde ihm mitgeteilt, werde das Gut übernehmen. Da dieser Verwandte kein Interesse an Weinbau und Landwirtschaft zeigte, erhielt Horst von seinem Pflegevater das Angebot: »Du kannst hier als Verwalter arbeiten.« Der Jugendliche lehnte ab.

Neuer Start in der Bundeswehr

Stattdessen ging er zur Bundeswehr, verpflichtete sich als Zeitsoldat für 15 Jahre. Danach wechselte er in den öffentlichen Dienst und wurde Gerichtsvollzieher. Eigentlich hatte er als Berufssoldat Karriere machen wollen, aber das war wegen seiner Hörbehinderung nicht möglich. »Das war dann die zweite Enttäuschung«, sagt er heute dazu.

Die Besonderheit seines Wehrpasses ist, dass er ihn 1958 mit »Horst *Um*land« unterschrieben hatte. Man sieht auch deutlich, dass bei dem handschriftlich eingetragenen Familiennamen nachträglich eine Korrektur vorgenommen wurde: Der Leiter des Kreis-Wehrersatzamtes Celle hatte einfach das »U« in ein »O«

verwandelt. – So viel nur zum Umgang mit amtlichen Dokumenten in den Fünfzigerjahren. Es waren eben noch keine geordneten Zeiten, entsprechend provisorisch sahen manche Problemlösungen aus.

Aber wie war es überhaupt zu der Namensumwandlung gekommen? Genau lässt es sich nicht mehr rekonstruieren. Ungereimtheiten in Herkunftsfragen sind nichts Seltenes bei Kriegswaisen. Fest steht für Horst Omland nur: »Ich wollte heiraten, aber meine Papiere waren nicht in Ordnung.« Das erforderte offenbar Rückfragen beim Suchdienst des Deutschen Roten Kreuzes, so dass dort seine neue Anschrift bekannt wurde. Daraufhin meldete sich eine Frau Cornelius aus Köln: Sie sei die Schwester der verstorbenen Mutter. »Soweit ich mich erinnere, konnte sie nachweisen, dass ich nicht Umland, sondern Omland hieß«, erzählt er. Weitere Kontakte mit dieser Frau habe es dann nicht mehr gegeben.

Einmal erhielt der Bundeswehrsoldat überraschend Post aus Weimar. Dafür interessierte sich auch der Militärische Abschirmdienst (MAD). »Ich musste also zum Chef rein«, erinnert sich Horst, »und der hatte einen Brief in der Hand, und gleichzeitig waren da zwei Zivilisten, die sich als MAD zu erkennen gaben und fragten: Was ist in Weimar? Da sagte ich: Tut mir leid, ich habe keine Ahnung. Und dann hat mir der Chef den Brief vorgelesen: dass Ruth mich gesucht hat und dass ich ihr Bruder sei. Da hab ich gesagt, ich weiß von nichts. Ich kenne keine Geschwister. Ich bin allein groß geworden. Ich werde erst mal gar nicht drauf reagieren. Und damit war der MAD einverstanden.«

Der Brief kam von einer Ruth, geborene Omland. Auch von ihrer Seite hörte der Briefkontakt dann auf – übrigens aus ähnlichen Gründen. Ihr Mann arbeitete damals bei der Polizei; wegen der »Westkontakte« seiner Frau bekam er Schwierigkeiten mit dem Staatssicherheitsdienst. »Unterbinden Sie das!«, lautete die Anweisung.

Im Mai 2003 ergibt sich für mich die Gelegenheit, Ruth in Weimar zu treffen. Horst Omland ist eigens aus Hannover angereist.

Eine deutsch-deutsche Geschichte

Wir sitzen in einem Café und sprechen über eine deutsch-deutsche Familiengeschichte, wie nur der Kalte Krieg sie erfinden konnte. Ruths Kommentar: »Wir durften ja keinen Kontakt haben nach Westdeutschland. Na ja, dann haben wir das gelassen, bis dann die Wende kam.«

Um es gleich zu sagen: Ruth und Horst sehen sich sehr ähnlich. Einen Gentest lehnen sie ab, was Ruths Sohn, der seine Mutter zu unserem Treffen begleitete, mit den Worten absegnete: »Die beiden verstehen sich so gut, da sag ich immer: Es ist doch völlig egal, ob sie nun hundertprozentig Geschwister sind oder nicht.« Der Sohn sitzt Horst Omland am Tisch gegenüber, beide dieselbe Gewichtsklasse, und ich denke: Neffe und Onkel – wer sonst?

Ruth, eine zierliche Frau, stellt sich entschlossen unserem Gespräch, obwohl sie davon sehr aufgewühlt wird. »Die Mutti«, sagt sie, »hat mich mit fünf Jahren zu sich geholt, das muss 38 oder 39 gewesen sein, da war Horst noch ganz klein. Die Mutti konnte nur ein Kind aufnehmen. Da ist der Horst im Heim in Danzig geblieben.«

Ihre Pflegemutter habe nicht gewollt, dass es zu Kontakten mit der leiblichen Mutter kam, die offenbar immer wieder versuchte, ihre Tochter zu sehen. »Ein einziges Mal sind meine leibliche Mutter und ich Kaffee trinken gegangen«, erzählt Ruth. »Aber ich kann mich nur an das Ereignis erinnern, nicht an sie selbst.« Später habe sie gehört, dass die Mutter in Hamburg verstorben sei. Was in der Kindersuchmeldung von Horst stehe, das könne einfach nicht stimmen …

Wenn sie von ihrer Pflegemutter spricht, wird deutlich, wie liebevoll die Beziehung war. »Als die Rote Armee eingezogen war, mussten wir mit 21 Leuten in einem Raum wohnen. Da wollte meine Mutti nicht mehr leben. Wir stiegen auf das Krantor, was ja ein Wahrzeichen von Danzig war, und sie sagte: Komm, Mädchen, wir springen da runter, dann ist eben das Leben für uns zu

Ende. Aber da habe ich gesagt: Ach Mutti, nein, machen wir weiter. Versuchen wir es doch noch einmal …«

1945 mussten sie Danzig verlassen. Zunächst verschlug es sie nach Norddeutschland. 1948 kamen sie nach Weimar. Hier lernte sie ihren Mann, den Polizisten, kennen.

Nach der Wende dann der zweite Kontakt zwischen Ruth und Horst. Beide hatten sich noch einmal an den Suchdienst gewandt. »Im Dezember 92, da sind Horst und seine Frau dann hergekommen. Sie standen in Weimar vor uns …«, erinnert sich Ruth, »und ich hab zu meiner Tochter gesagt: Das ist ja so, als ob wir uns schon jahrelang kennen würden. So eine Umarmung war das! Wir *fühlten* uns nicht wie Fremde. Und so ist die Verbindung eigentlich geblieben mit uns.«

Horst Omland steht der Beziehung nüchterner gegenüber. »Heute sehe ich ein, dass wir Geschwister sind, dass wir die gleiche Mutter hatten«, sagt er. Aber er kann die Gewissheit, die Ruth in sich trägt, selbst nicht empfinden. »Ich bin als Heimkind groß geworden. Ich kannte nicht Mama, Papa, Mutti, Vati, das kannte ich alles nicht. Das erlebte ich nur später mal im Fernsehen oder im Film. Und ich habe mich dementsprechend auch bei meinen Pflegeeltern nicht wie ein liebendes Kind benommen, sondern erwachsen.« Seiner Schwester Ruth, die sehr gefühlvoll ist, treibt sein Bekenntnis Tränen in die Augen. Dankbar erinnert sie sich, wie viel besser sie es mit »Mutti und Vati« hatte. Horst räuspert sich und erzählt weiter: »Die Pflegeeltern waren vielleicht die dritte oder vierte Familie, die da drüber entschieden hat, ob sie mich aufnehmen oder nicht aufnehmen will. Und dadurch wird man natürlich ein bisschen abgestumpft. Richtiges Familienleben habe ich also nie kennengelernt. Und deshalb ist das Gefühl gegenüber meiner Schwester nicht familiär. Für mich sind das jetzt aber gegebene Tatsachen, dass wir Bruder und Schwester sind.«

Im Anschluss an unser Treffen, verrät er, werde er Ruth für eine Woche mit nach Hannover nehmen und sie danach, damit sie nicht allein unterwegs sein müsse, wieder zurück nach Weimar begleiten.

Mutter und Großmutter verhungerten

Eine weitere Kriegswaise traf ich in Hamburg. Christa Pfeiler-Iwohn wurde in Königsberg in Ostpreußen geboren. Der Bund der Vertriebenen hatte mir ihren Namen genannt. Früher arbeitete sie als Chefsekretärin, zuverlässig, umsichtig und vor allem selbstständig. Das permanente Beschäftigtsein ist ihr geblieben, so dass von einem behaglichen Ruhestand keine Rede sein kann. Sie ist der Motor einer Art Selbsthilfegruppe, in der sich Kriegswaisen aus Ostpreußen zusammengefunden haben. Die blonde Frau wirkt auf den ersten Blick kompetent und durchsetzungsfähig. Wer ihr länger zuhört, spürt, dass sie durch unbedachte Worte leicht zu verletzen ist.

Wir kennen uns nun schon einige Jahre. Als 1999 die Vertreibungen aus dem Kosovo einsetzten, rief sie mich an und sagte, die Bilder hätten sie so belastet, dass sie den Fernseher ausgeschaltet habe. »Mir taten die Menschen weiß Gott leid. Und dass sie Hilfe brauchen, ist völlig selbstverständlich«, sagte sie. »Aber es hat mich zerrissen, wenn ich gesehen habe, wie viel Aufmerksamkeit und Hilfe und Mitleid sie heute bekommen haben, vor allem die Kinder. Wir selbst sind doch damals überhaupt nicht wahrgenommen worden. *Uns* hat nie jemand danach gefragt.«

Christa Pfeiler-Iwohn macht daraus keinen Vorwurf. Sie besitzt Augenmaß und ein großes Wissen über geschichtliche Vorgänge. Sie weiß, dass Krieg nicht gleich Krieg ist und dass jede Zeit ihre eigenen Bedingungen hat. »Für uns war eben nichts da«, sagt sie. 1945 herrschte in ganz Europa extreme Not, während die Menschen der heutigen Krisengebiete, sofern sie Hilfe erhalten, unterstützt werden von Ländern, die seit Jahrzehnten in Frieden und Wohlstand leben.

Als die Russen Königsberg – das heutige Kaliningrad – eroberten, wurde die kleine Christa Augenzeuge eines Massakers: Eine Gruppe Hausbewohner wurde an die Wand gestellt und erschossen. Danach sagte man zu Christas Mutter: Und *ihr* seid heute

Abend dran! Die Familie überlebte nur deshalb, weil rechtzeitig ein Offizier vorbeikam, der mehr zu sagen hatte als das Erschießungskommando.

Wenige Wochen später starb Christas Mutter. »Zwei Männer haben ein Loch ausgehoben, dort haben wir sie hineingelegt«, sagt sie mit beherrschter Stimme. »Meine Großmutter starb drei Tage später. Ich war gerade elf Jahre alt geworden, und meine Pflegeschwester war achteinhalb. Wir beide blieben dann allein zurück. – Meine Mutter ist verhungert, meine Großmutter auch.« Damit war sie Waise. Ihren Vater hatte sie nicht kennengelernt; er war kurz vor ihrer Geburt durch einen Unfall zu Tode gekommen. Die Elfjährige und ihre kleine Schwester überlebten durch Betteln, Schuften, Stehlen: »Ab und zu fand man Roggen, das wurde dann gemahlen und Schleimsuppe gekocht, oder wir haben an den Russenküchen gebettelt. Manchmal gab es was, manchmal gab es nichts. Ich habe dann russische Uniformen gewaschen. So habe ich mich im Winter einigermaßen über die Runden gebracht.«

Schätzungen gehen davon aus, dass es nach Kriegsende in Königsberg und Umgebung 5000 verwaiste Kinder gab, die sich selbst überlassen waren. Die Kräftigsten unter ihnen schlugen sich nach Litauen durch. Dort wurden sie von der Bevölkerung »Wolfskinder« genannt. Die Jüngeren kamen später in sogenannte Kinderhäuser, die von den Russen in Ostpreußen eingerichtet worden waren. Auch Christa und ihre Schwester wurden dort aufgenommen, zwei Jahre später brachte sie ein Kindertransport in die sowjetisch besetzte Zone. Ihre neue Heimat erhielt bald darauf einen neuen Namen, die DDR.

Hier entstand das, was Christa Pfeiler-Iwohn heute als »gereinigte Biografie« bezeichnet. »Uns wurde dort sehr schnell nahegelegt, nie wieder davon zu sprechen, was wir beim Einmarsch der Roten Armee erlebt hatten.« Lehrer nahmen die Kinder beiseite und machten ihnen klar, dass es für sie das Beste sei, ein für alle Mal darüber zu schweigen.

Als Jugendliche dann flüchtete Christa in den Westen; es dauerte noch zwei weitere Jahre, bis auch ihre jüngere Schwester ausreisen durfte.

Vierzig Jahre später: Christa Pfeiler-Iwohn bekommt ein altes Foto zugeschickt. Es zeigt eine Gruppe von dreißig Kindern. Viele von ihnen haben übergroße Schädel, kurz geschorene Haare, Wasserbäuche, Beinchen so dünn wie Stöcke, gezeichnet von den Narben des Hungers. Ein solches Kind ist auch Christa gewesen.

Die Hamburgerin hat gute Kontakte zu anderen verwaisten Kindern aus Königsberg aufgebaut. Fast alle leben in der ehemaligen DDR, überwiegend in bescheidenen Verhältnissen. Kaliningrad erlaubt deutschen Besuchern erst seit Anfang der Neunzigerjahre die Einreise, und seitdem organisiert Christa Pfeiler-Iwohn Busfahrten für Personen, die noch weniger über ihre Herkunft wissen als sie selbst. Viele waren bei Kriegsende noch zu klein, um sich zu erinnern, wer ihre Eltern waren. Die Suchdienstkartei enthält nur vage Angaben, und manche erwiesen sich schlichtweg als falsch. Leider lässt sich im Nachhinein nicht feststellen, von wem sie stammen. Angesichts der chaotischen Zustände nach Kriegsende, als in kürzester Zeit Millionen Vermisstenmeldungen abgefasst wurden, sahen sich die Suchdienststellen nicht in der Lage, auch noch Hinweise über die Informanten festzuhalten.

Auf den Reisen mit Christa Pfeiler-Iwohn nach Ostpreußen werden stets die ehemaligen Kinderhäuser aufgesucht, werden Erinnerungen wie Mosaiksteine gesammelt – eine mühsame Spurensuche und eine seelisch ungeheuer anstrengende Rekonstruktion der frühen Lebensgeschichte. Auch beim Suchdienst des Deutschen Roten Kreuzes wird nochmals nachgefragt, obwohl nach sechs Jahrzehnten die Chancen gegen null gehen. Einige wenige Menschen haben durch Christa Pfeiler-Iwohn ihre Geschwister wiedergefunden, oder sie haben erfahren, wie ihre Eltern hießen. Andere hoffen noch, dass dies möglichst bald geschieht.

Bekannt ist, dass viele Kinder von Russen adoptiert wurden. Christa Pfeiler-Iwohn kämpft darum, an Archivmaterial heranzukommen, von dem sie ganz sicher weiß, dass es noch existiert: die Unterlagen über die Arbeit in den russischen Kinderhäusern. Es ist ein zähes Unterfangen. In Moskau stellt man sich stur, in Berlin ebenfalls. Für die Betroffenen liegt der Grund auf der Hand. Es sind nicht nur Frauen, sondern auch Kinder vergewaltigt und mit Geschlechtskrankheiten infiziert worden. Russische Ärzte haben die Mädchen in den Waisenhäusern untersucht und behandelt. »Wenn wir gefragt wurden, ob Soldaten uns etwas getan hätten, haben wir natürlich nein gesagt«, berichtet Christa Pfeiler-Iwohn. »Wir wussten ja nicht, dass man die Wahrheit durch eine medizinische Untersuchung feststellen kann.« Die Befunde stehen in den Akten. Womöglich wird der Kindesmissbrauch als politischer Sprengstoff eingestuft. Damit möchte sich weder die russische noch die deutsche Seite konfrontiert sehen, nun da inzwischen die Beziehungen so freundschaftlich sind.

Aber Christa Pfeiler-Iwohn hält dagegen: Um in Ruhe alt werden zu können, brauchen Menschen ihre komplette Biografie, ohne leere Stellen, ohne Schatten. Das gehört zu den Menschenrechten.

Eine fürsorgliche Tochter

Zu den Kindern, die nicht gesehen wurden, zählt Margot Bauer aus Frankfurt. Ihr Gesichtsausdruck bleibt während unseres Gesprächs freundlich, aber schüchtern. Eine Frau um die sechzig, mit schlechter Schulbildung, wie sie ungefragt zugibt. Sie sieht nicht aus, als hätte sie ein leichtes Leben gehabt. Sie ist häufig krank gewesen – und auch heute alles andere als gesund. Aber sie geht auf ihre Beschwerden nicht weiter ein. Das Leben, sagt sie, habe es dennoch gut mit ihr gemeint. Sie schaut ihre Tochter dankbar an. Eine wunderbare, fürsorgliche junge Frau steht ihr zur Seite.

Bei den etwas komplizierteren Themen hilft Miriam weiter. »Mutter und ich haben noch eine einzige Chance«, sagt sie. »Die

Chance besteht darin, dass jemand *sie* sucht und dass das zusammenpasst.«

Miriam ist eine tüchtige, agile Frau, Mitte dreißig, die in der Pressestelle einer Behörde arbeitet. Sie ist verheiratet und hat eine ständig schnurrende überschlanke Katze. Das Interview findet in ihrer Wohnung statt, und im Verlauf des Nachmittags nimmt die Katze mehrfach auf Miriams Schoß Platz, als wolle sie das Geschehen unter Kontrolle behalten.

Die Tochter hat sich das Anliegen ihrer Mutter zu eigen gemacht. Denn auch die Jüngere leidet unter den blinden Flecken in ihrer Abstammung. »Manchmal frage ich mich, was ich wohl von meinen Großeltern mütterlicherseits habe«, erzählt sie. »Jetzt, würde ich sagen, bin ich das totale Mittelding zwischen meiner Mutter und meinem Vater. Aber dennoch beschäftigt man sich viel mit dem Unbekannten. Wie haben wohl deine Großeltern ausgesehen? Wo haben sie wohl gelebt und wie?«

Margot Bauer weiß nicht das Geringste über ihre Herkunft. Sie kennt nicht ihr genaues Alter, ja nicht einmal ihren richtigen Namen. Ihr Dasein entsprang, so muss es ihr vorkommen, irgendwo aus dem Nichts. Im Jahr 1945 wird sie aktenkundig, ein etwa dreijähriges Mädchen, namenlos. Es wurde in einem Kinderheim im ostpreußischen Götzendorf abgegeben. Vom wem? Unbekannt.

Margot Bauer ist damit einverstanden, dass zusammen mit ihrer Geschichte auch ein Foto veröffentlicht wird, das sie mit etwa 18 Jahren zeigt. Vielleicht, hoffen Mutter und Tochter, entdeckt ja jemand Ähnlichkeiten mit Mitgliedern der eigenen Familie oder in der Verwandtschaft, dann hätte man wieder eine winzige Spur …

Zweimal, 1997 und 1998, ist Margot Bauer mit Christa Pfeiler-Iwohn nach Ostpreußen gereist, auch nach Götzendorf. »Das Waisenhaus hat ja gar nicht mehr gestanden, das war kaputt«, berichtet sie, »aber ganz in der Nähe habe ich etwas erkannt, dieser Bauernhof, der stand noch.«

Ihre frühesten Erinnerungen aus dem Heim: Einmal ist das Bett unter ihr zusammengekracht. Und es gibt die Situation, dass ein Kind gebrochen hat, direkt neben ihr, auf dem Strohsack. »Es muss dann auch gestorben sein. Das war grausam. Es ist eben ein großes Glück, dass man es geschafft hat, heute noch zu leben.«

Ihre Erinnerungsbilder ergeben keinen Zusammenhang. Es sind flüchtige Momentaufnahmen, die eher verwirren als weiterhelfen. Aber Margot scheint froh zu sein, wenigstens diese zu besitzen. Denn sie beweisen, »dass da etwas war, früher«. Dass da mehr war als das Nichts. Margot und ihre Tochter haben sich schon so oft darüber ausgetauscht, und so ist das wenige, was die Mutter an Erinnerungen hat, auch in den Besitz der Jüngeren gelangt. Miriam erzählt: »Meine Mutter sprach von einem großen Haus, und davor hat sie auf einer Schaukel gesessen – deshalb frage ich mich: Haben die vielleicht einen Bauernhof gehabt?«

Für Margot sind die Bilder unscharf und so wenig greifbar wie im Traum. »Wie in der Ferne, so sehe ich meinen Vater, er hat einen Hut auf.« Dann folgt ein resigniertes Achselzucken. »Ich könnte jetzt keine Beschreibung von ihm geben.« Aber es stellt sich dazu ein immer wiederkehrendes Gefühl ein, und dieses Gefühl sagt ihr, dass sie ihrem Vater ähnlich sieht.

»Sie hat ja das Bild im Kopf!«, ergänzt Miriam. »Das Traurige ist nur, dass man so ein Bild nicht aus diesem Erinnerungsspeicher herunterladen kann. Stellen wir uns das mal vor: Wenn man das Bild jetzt ausdrucken könnte, dann hätte man endlich jemanden, nach dem man suchen könnte.«

Noch ein anderes Fragezeichen beschäftigt Mutter und Tochter. Margot Bauer mag nicht so recht glauben, dass ihr der Name erst im Kinderheim gegeben wurde. »Es ist doch selbst bei kleinen Kindern so, dass sie sich wenigstens an ihren Namen erinnern«, sagt die Mutter. »Und ›Margot‹ kommt mir überhaupt nicht wie etwas Fremdes vor. Ich grübel ja immer viel, aber ich komme auf keinen anderen Namen, nix.«

Aus dem Kommentar ihrer Tochter wird deutlich, wie oft beide diese Frage schon hin und her gewälzt haben: »Sagen wir mal, es ist völlig offen. Es gibt ja keine Geburtsurkunde, keinerlei Infos, dass sie da mit irgendwelchen Papieren abgegeben worden ist. Irgendwann wurde sie halt so genannt. Aber ob sie selber gesagt hat: Ich heiße Margot, als sie gefragt wurde, oder ob ihr jemand den Namen gegeben hat, das ist völlig unklar.«

Ende der Vierzigerjahre kam Margot in ein Heim in Sachsen. Die Zeit der Einschulung wurde zum Problem, weil der Schularzt meinte, sie werde keiner Art von Unterricht je folgen können. Bei den Nachforschungen, die Miriam anstellte, kam heraus, dass der Arzt die kleine Margot für debil gehalten hatte. »Das muss man sich mal vorstellen«, empört sich die Tochter noch heute.

Unter diesen Umständen bedeutete es für Margot eine große Chance, dass sie wenigstens die Hilfsschule besuchen durfte. »Da habe ich drei, vier Jahre ein bisschen Unterricht gehabt«, erinnert sie sich, »und dann kam ich in Stellung bei einer Familie, die hatte eine Gärtnerei: Ich hatte gerade das große A und das kleine a gelernt, und da musste ich schon auf die Berufsschule gehen ...« Deshalb, sagt sie, habe sie später nie über ihre Herkunft reden wollen – weil eben ihr viel zu kurzer Schulbesuch damit zusammenhing.

Mit kleinem Gepäck allein in den Westen

Als Margot 18 Jahre alt war, beschloss sie, in den Westen zu gehen. Allein. Sie hatte nur einen kleinen Koffer und einen Rucksack bei sich. Miriam bewundert ihre Mutter für diesen Schritt: »Also, ohne einen Job in Aussicht zu haben, in die Fremde gehen, das finde ich wirklich gewaltig mutig, wenn man die Handicaps bedenkt.«

In der Bundesrepublik wurde der Jugendlichen als Erstes der Anspruch auf Waisenrente gestrichen, weil sie nach dem in der

DDR geltenden Recht mit 18 schon volljährig war. Zuerst arbeitete sie auf einer Nordseeinsel als Küchenhilfe in einem Kinderheim. Nach einem halben Jahr kündigte sie, denn sie hatte von einer Fabrik mit Mädchenwohnheim im Frankfurter Raum erfahren, von einer Spinnerei, die Arbeiterinnen suchte. »Da habe ich einfach behauptet, ich hätte acht Jahre die Schule besucht und einen Abschluss gemacht. An die Zeugnisse in der DDR kam man ja nicht ran. Und da dachte ich: Warum soll ich denen die Wahrheit sagen …« Margot Bauer zeigt ein verschmitztes Gesicht. »Sonst hätte ich mir ja noch mehr geschadet im Endeffekt. Sonst hätte ich doch gar keine Arbeitsstelle bekommen, nix.«

Man merkt Margot an, dass sie durchaus stolz auf sich ist: »Ich hab mich durchgeboxt, irgendwie.« Mitte der Sechzigerjahre schrieb sie auf eine Heiratsanzeige und lernte auf diese Weise ihren späteren Mann kennen, Miriams Vater. »Aber leider«, ergänzt ihre Tochter, »war es nicht so, dass sie in meiner Großmutter väterlicherseits, sagen wir mal, eine gute Freundin und Mutter gefunden hätte. Die unklare Herkunft wurde eher als Makel verstanden.«

Und noch etwas anderes bedauert Miriam zutiefst: »Ich muss leider auch sagen, dass ich meine Großmutter bis zu ihrem Tod nie wirklich kennengelernt habe. Sie hatte sicher selber eine tragische Geschichte, ebenfalls durch den Krieg, und das hat sie wohl für den Rest ihres Lebens dermaßen verbittert, dass es sehr schwer war, an sie heranzukommen. Es sind wirklich tausend Fragen offen, auf die ich aller Wahrscheinlichkeit nach nie eine Antwort bekommen werde, weder von der einen noch von der anderen Seite.«

Bereits als Schülerin hatte Miriam ihre Mutter dazu gebracht, dem Suchdienst zu schreiben, in der Hoffnung, dass inzwischen doch noch weitere Hinweise aufgetaucht wären. Doch die Informationen blieben vage, unbrauchbar. Margot Bauer beschloss, ihren Fall ein für alle Mal abzuschließen, aber es gelang ihr nicht. »Irgendwann holt einen das wieder ein in den Jahren«, sagt sie mit einem Seufzer. »Da möchte man doch etwas aufgeklärt haben … Und dann ergab sich die ganz, ganz vage Hoffnung, jemand könnte mein Bruder sein.«

Ein Gentest wurde gemacht, der jede Partei 1500 Mark kostete. Aber es habe sich dann herausgestellt, so Miriam, dass die Wahrscheinlichkeit nahe null gehe. Es sei so ein Moment der Hoffnung gewesen, und dann sei es wieder abwärtsgegangen.

»Nicht zu wissen, wer man ist«, sagt Miriam, »ist, glaube ich, das Allerschlimmste daran. Das ist das Schreckliche: Es gibt eben nicht wirklich einen Trost.«

Margot Bauer hat sich nie damit abfinden können, dass sie ihre Herkunft nicht kennt. »Mit dem Alter«, sagt sie, »ist das Problem sogar noch schlimmer geworden. Man befasst sich immer mit diesen Gedanken, man möchte es verdrängen, man weiß, dass es ja nichts bringt. Aber das schafft man nicht. Und das macht einen manchmal auch krank.«

Bis heute also suchen Kriegswaisen nach Spuren ihrer Identität. Wer waren meine Eltern? Gibt es noch Geschwister? Das Grübeln über die eigene Herkunft hört im Alter nicht auf, im Gegenteil. Wenn man nicht weiß, wer man ist – wie soll man dann sein Leben zu einem guten Ende bringen?

Im Internet fand ich einen Brief, den August Katczewski an das »Ostpreußenblatt« geschickt hatte. Während ich ihn las, hatte ich den östlichen Akzent, das gebrochene Deutsch und die verzweifelte Stimme eines älteren Mannes im Ohr. Ein Hilfeschrei von jemandem, der eines anderen Menschen Bruder sein könnte.

> Dauernd lese ich das Ostpreußenblatt und endlich bin ich zu einem Schluß gekommen, daß Sie in meiner Sache mir helfen können. Es geht um die Feststellung – wer sind meine Eltern – wie heißen sie (ihre Vornamen?) ... ich bin 66 Jahre alt, kranker Rentner, nach einer Krebsmagenoperation. Ich möchte noch beim Leben wissen, wie hießen, wer sind sie – meine Eltern, warum mein Vater hat mich ins Waisenhaus abgegeben? Ich bitte sehr, flehe Ihnen an um eine Hilfe in meiner Probleme. Meine Hoffnung bei Ihnen ist.
> Mit vorzüglicher Hochachtung
> Katczewski August

ACHTES KAPITEL

Nazi-Erziehung: Hitlers willige Mütter

Die Schule der Johanna Haarer

»Eine ungeheure weltanschauliche Wandlung vollzieht sich zur Zeit in unserem Volk. Neue Pflichten, neue Verantwortung warten auf jeden. Auf Frauen wartet als unaufschiebbar dringlichste die eine uralte und ewig neue Pflicht: Der Familie, dem Volk, der Rasse Kinder zu schenken.«

Dies schrieb nicht Adolf Hitler, sondern die Ärztin Johanna Haarer im Vorwort ihres Ratgebers »Die deutsche Mutter und ihr erstes Kind« – eine der vermutlich folgenreichsten Veröffentlichungen im Dritten Reich. Sich heute mit Haarers Anleitungen zu Säuglingspflege und frühkindlicher Dressur zu beschäftigen heißt, besser zu verstehen, warum Menschen der Kriegskindergeneration häufig so merkwürdig unauffällig waren, warum sie sich selbst nicht wichtig nahmen, warum sie ihre Kindheit auch Jahrzehnte danach noch als »etwas ganz Normales« empfinden konnten.

Johanna Haarers Wissen über Kinder bezog sich nur auf ihre eigene Mutterschaft. Ausgebildet war sie zur Fachärztin für Lungenerkrankungen. Am längsten hielt sie sich in ihrem Buch mit dem Thema Reinlichkeit auf. Ihm widmete sie 25 Seiten. Für die Gedanken, die sie sich über die körperliche und die geistige Entwicklung machte, reichte eine halbe Seite. Ihre natürlichen Feinde sah Haarer in Zeitgenossen, die sich an den frühen Erkenntnissen der Psychologie und der Psychoanalyse sowie an der Reformpädagogik orientierten. In den Zwanzigerjahren gab es bereits Frauenkliniken mit Rooming-in und Dissertationen zur Notwendigkeit des Stillens gleich nach der Geburt, was – heute unbestritten – die Bindung zwischen Mutter und Kind stärkt und Stillschwierigkeiten verringert. Lange bevor die Nazis an die Macht kamen, war also schon viel über das Entstehen oder Verhindern der Mutter-Kind-Bindung nachgedacht worden.

Aber allein die Diskussion darüber war selbstberufenen Volkserziehern wie Johanna Haarer ein Dorn im Auge. Sie propagierte, dass das Kind erst 24 Stunden nach der Geburt erstmals die Brust bekommen sollte, und sie wurde nicht müde zu betonen, wie wichtig es sei, Mutter und Kind unmittelbar nach der Entbindung in getrennten Zimmern unterzubringen. Letzteres hielt sich in Deutschland bis in die Siebzigerjahre hinein. Erst dann kam es zu Überlegungen, ob dem Bedürfnis nach Nähe zwischen Mutter und Neugeborenem womöglich doch etwas Natürliches und Förderliches zugrunde liegen könne.

Haarer plädierte in ihrem Ratgeber ständig für »Ruhe«, was bedeutete, dass Babys im Wesentlichen sich selbst überlassen bleiben sollten. Gleichzeitig warnte sie vor einem Zuviel an Zärtlichkeit: »Vor allem mache sich die ganze Familie zum Grundsatz, sich nie ohne Anlaß mit dem Kinde abzugeben. Das tägliche Bad, das regelmäßige Wickeln des Kindes und Stillen bieten Gelegenheit genug, sich mit ihm zu befassen, ihm Zärtlichkeit und Liebe zu erweisen und mit ihm zu reden. Die junge Mutter hat dazu natürlich keine Anleitung nötig. Doch hüte sie sich vor allzu lauten und heftigen Bekundungen mütterlicher Gefühle.«

Auf Seite 248 heißt es dann: »Solche Affenliebe *verzieht* das Kind wohl, erzieht es aber nicht. Im Gegenteil. Wir haben schon darauf hingewiesen, daß es sehr oft schon frühzeitig zu förmlichen Kraftproben zwischen Mutter und Kind kommt. Auch wenn das Kind auf die Maßnahmen der Mutter mit eigensinnigem Geschrei antwortet, ja gerade dann läßt sie sich nicht irre machen.«

Bravo. Eine deutsche Mutter zieht ihren Stiefel durch. Es kann nach Haarer überhaupt nicht sein, dass ein Baby Grund hat, sich zu wehren. Dieser Fall ist bei ihr nicht vorgesehen. Eine deutsche Mutter kennt keine Fehler, außer dem einen: ihre Kinder zu verzärteln.

»Wehret den Anfängen!«

Nationalsozialisten wie Haarer und ihr Münchner Verleger Julius F. Lehmann lehnten die liebevolle Beziehung zwischen einer jungen Frau und ihrem Säugling ab, weil sie darin die Anfänge einer verweichlichten Jugend witterten. Der Nachwuchs sollte gestählt ins Leben gehen, »hart wie Kruppstahl«, wie es in der Nazipropaganda hieß. Daher Haarers wiederholte Warnung: »Wehret den Anfängen!«

Vor allem aber – und hier trat Verleger Lehmann mit missionarischem Eifer auf – sollten die Deutschen lernen, auf die Reinhaltung ihrer Rasse zu achten. Lehmann besaß einen der größten deutschen Medizinverlage und war in erster Linie nicht an hohen Auflagen, sondern an den Inhalten interessiert. Mit seinen Veröffentlichungen hatte er schon vor dem Ersten Weltkrieg bewirkt, dass die bis dahin von den Universitäten und Medizinern wenig beachtete Rassenhygiene diskutabel wurde. Er machte sich auch stark für den ersten Lehrstuhl für Rassenkunde, der 1930 an der Universität Jena eingerichtet wurde. Als der Verleger die Zeit gekommen sah, den Gedanken der Rassenhygiene möglichst an jede deutsche Frau heranzutragen, erkannte er in Haarer die geeignete Autorin, was dann auch ihr Vorwort bestätigte.

> Wir erleben heute einen großangelegten Feldzug unserer Staatsführung mit, in dem das gesunde Erbgut und das rassisch Wertvolle zäh verteidigt werden gegen alles Krankhafte und Niedergehende, das unter der Herrschaft eines falsch verstandenen Freiheitsbegriffes zu überwuchern drohte. Jedem Volksgenossen müssen die Augen geöffnet werden für die Bedeutung der *richtigen Gattenwahl auch nach gesundheitlichen und rassischen Gesichtspunkten.* Drei Marksteine weisen hier die Richtung: Das Gesetz zur Verhütung erbkranken Nachwuchses, das Gesetz zum Schutze des deutschen Blutes und der deutschen Ehre und das Ehegesundheitsgesetz.

Der Ratgeber, dessen Titelblatt die Autorin als »Frau Dr. Johanna Haarer« bezeichnet, war nach seinem ersten Erscheinen 1934 schon nach wenigen Wochen vergriffen. 1937 war die Auflage auf 100 000 gestiegen, und ein Fortsetzungsband »Unsere kleinen Kinder« war herausgekommen. Bis Kriegsende wurden von »Die deutsche Mutter und ihr erstes Kind« 700 000 Exemplare verkauft. Ohne Zweifel hatte die Erfolgsautorin und glühende Anhängerin des Führers, die 1939 mit ihrem Lesebuch »Mutter, erzähl von Adolf Hitler« einen weiteren Bestseller landete, in der Säuglingspflege und der Kindererziehung Maßstäbe gesetzt. Aber die Erfolgsstory ging nach dem Krieg weiter: 1949 war das Buch wieder auf dem Markt. Nun hieß es statt »Die deutsche Mutter und ihr erstes Kind« nur noch »Die Mutter und ihr erstes Kind«, war von nationalsozialistischem Gedankengut gereinigt, hielt sich auch mit pädagogischen Äußerungen weitgehend zurück und galt bis zu seinem letzten Erscheinungsjahr 1987 als ein Standardwerk. Ein Jahr später starb Johanna Haarer.

Der kaum veränderte Titel der Neuerscheinung legitimierte gleichzeitig die Ursprungsfassung: Sie stand weiterhin daheim im Bücherregal, bereit, bei Erziehungsbedarf neues Unheil anzurichten, weil Eltern keinen Grund sahen, sich von einer so anerkannten Kapazität auf dem Gebiet der Säuglingspflege und Kleinkindpädagogik zu trennen.

Seinen Erfolg in der Nazizeit verdankt der Haarer-Ratgeber der Tatsache, dass er institutionell gefördert wurde. Vor allem geschah dies in der »Reichsmütterschulung«, die von der NS-Frauenschaft ins Leben gerufen worden war. Die Kurse wurden im Laufe der Jahre von Millionen jungen Frauen besucht. Auch in den Einrichtungen des BDM galt im Fach Säuglingspflege Dr. Haarer als die maßgebende Autorität, die noch weit in die neue Bundesrepublik hineinreichte.

Interessant ist in diesem Zusammenhang ein Abschnitt aus der bereits erwähnten Untersuchung »Deutsche Nachkriegskinder«. Anfang der fünfziger Jahre wurden Mütter gefragt, wann ihre Kinder trocken waren. Das Ergebnis: 24 Prozent mit einem Jahr,

26 Prozent mit eineinhalb Jahren und 22 Prozent mit zwei Jahren. Aus heutiger Sicht sind das verblüffende Zahlen, geht man doch davon aus, dass Trockenwerden ein Reifungsprozess ist und dass Kinder frühestens ab dem zweiten Lebensjahr ein Gefühl für die Blasenfüllung entwickeln. Eine amerikanische Studie, die 400 Mittelklasse-Kinder aus den Vorstädten Philadelphias erfasste, kam zu dem Ergebnis, dass von Trockensein erst ab drei Jahren die Rede sein könne. Und so sieht das frühe Trainingsprogramm von Johanna Haarer aus:

> Beginnt man mit dem Abhalten, bevor das Kind sitzen kann, so faßt man es von rückwärts an beiden Oberschenkeln unter und hält es über das Töpfchen. Das Körperchen findet Halt an den Unterarmen der Mutter. Im Anfang ist es reiner Zufall, wenn die Entleerung ins Töpfchen erfolgt. Sobald das Kind zu pressen beginnt, sagen wir ihm immer den gleichen Laut vor, der eben in der Kinderstube für diese Verrichtung üblich ist – z.B. »A-aa« für Stuhl oder »bsch-bsch« für das Brünnlein.

»Das Kind nicht riechen können«

Wichtig sei, sagt Haarer, dass das Kind begreife, »dass die Entleerungen eine Pflicht sind, die es regelmäßig erfüllen soll«. Aber das reicht noch nicht. Die Babys sollen schon früh lernen, sich vor ihren Ausscheidungen zu ekeln. Und wie! Dazu noch einmal ein Haarer-Zitat:

> Stellen wir ihnen die Durchnässung mit Harn, die Beschmutzung mit Stuhl und schlechte Gerüche als etwas Abscheuliches hin, und zeigen wir ihnen, daß derartiges immer sofort entfernt, beschmutzte Kleidung gewechselt werden muß. Wenn wir dies immer wieder unermüdlich tun, bekehren wir das Kind bald zu unserem Standpunkt. Es

> wird zunehmend unglücklich und unbehaglich, wenn es naß oder schmutzig ist. *Es verlangt nach Sauberkeit.* Haben wir es erst so weit, dann ist der Kampf schon halb gewonnen.

Wie solches Belehren Wirkung erzielen soll, ohne dass ein Kind sich abgewertet und abgelehnt fühlt, verriet die Autorin nicht. Sie konnte es vermutlich auch nicht, sprach stattdessen immer wieder von dem »berüchtigten Kleinkindergeruch«, was Sigrid Chamberlain zu der Feststellung veranlasst: »Haarer kann das Kind, kann Kinder nicht riechen, das macht sie an vielen Stellen deutlich.«

In ihrem 1997 erschienenen Buch »Adolf Hitler, die deutsche Mutter und ihr erstes Kind« hatte die Soziologin Chamberlain den Ratgeber als Teil des Nazierziehungsprogramms entlarvt. Sie sieht in den Handlungsanweisungen von Haarer vor allem »die Verhinderung von Liebesfähigkeit«; den Müttern sei nahegelegt worden, ihren Neugeborenen »das Antlitz zu verweigern«. Tatsächlich wird auf vielen Abbildungen im Buch das Baby sonderbar steif gehalten, was wenig Blickkontakt und kaum körperliche Berührung erlaubt. Hier wurde, so Chamberlain, »absichtsvoll zu Beginn des menschlichen Lebens Bindungs-, Beziehungs- und Liebesfähigkeit zerstört«.

In ihrem Ratgeber hatte sich Haarer mit dem Erziehungsziel der Nazis verbündet, wonach der Deutsche hart zu sich selbst und zu anderen sein sollte, aber auch opferbereit. Ihre Anleitungen zur Säuglingspflege förderten einen Menschentypus, dessen Beziehungsfähigkeit wenig ausgeprägt war. Dafür wurden schon früh die Weichen gestellt, vor allem dann, wenn es gelang, den Geruch eines Säuglings regelrecht zu verteufeln. Haarer wusste: »Ein richtig gepflegtes Kind riecht nicht!« Chamberlain wiederum setzt dem entgegen, dass der Geruchssinn eine wichtige Rolle im wechselseitigen Bindungsprozess zwischen Mutter und Kind spiele: »Spätestens vom fünften Lebenstag an erkennt der Säugling den Geruch seiner Mutter und wendet sich der Quelle dieses Geruches spontan zu. Das Baby bevorzugt auch den Geruch seiner Mutter vor dem Geruch anderer Frauen. Mütter berichten ihrerseits häufig, daß jedes ihrer Kinder einen anderen Körpergeruch gehabt habe.«

Als ich Chamberlains Buch las, fragte ich mich, warum Haarers Ratgeber nicht schon von der 68er-Bewegung ausgegraben und angeprangert worden war. Deren Protagonisten sahen in der Kleinfamilie – also dem Milieu, in dem sie selbst groß geworden waren – ein Grundübel. Die neuen pädagogischen Experimente, das Entstehen der sogenannten Kinderläden in den Siebzigerjahren – dies alles entwickelte sich in krasser Abgrenzung zum autoritären Erziehungsstil der eigenen Eltern. Man wollte die Familie von »repressiven Strukturen« befreien. Die unentrinnbaren Abhängigkeiten der Kinder von ihren Eltern sollte es künftig nicht mehr geben.

Zu diesem Zeitpunkt war die Forschung darüber, wie frühkindliche Bindungen entstehen oder zerstört werden, noch nicht weit gediehen. Dass durch die Folgen der Nazipädagogik auch ihre eigene Bindungsfähigkeit Schaden genommen haben könnte, war den 68ern zunächst nicht bewusst. Nicht mit den Eltern über die Nazizeit reden zu können gehörte sozusagen zur familiären Grundausstattung der rebellischen Studenten. Aber wie Chamberlain zu bedenken gibt, hatte möglicherweise das Kommunizieren von Anfang an nicht stattgefunden. Vielleicht wurde das Schweigen der Eltern doch nicht durch die Vorwurfshaltung der eigenen Kinder ausgelöst oder durch Scham- und Schuldgefühle, sondern es war schon vorher nie zu einem Dialog in den Familien gekommen.

Ende der Siebzigerjahre dann – nicht zufällig der Beginn der Therapiewelle – waren die 68er bei sich selbst und ihren Beziehungsstörungen angekommen, wie sie Peter Schneider rückblickend in seinem Roman »Paarungen« beschrieb:

> Jeder vereinzelte sich, stahl sich mit seiner kleinen, mißtrauischen Liebe, mit seiner Trennung auf Probe in seine

vier Wände davon, zeugte Kinder bei heruntergelassenen Jalousien. Heimlich traf man sich auf dem Standesamt, feierte Hochzeit vor dem Schreibtisch des Standesbeamten, im Kreis von zwei oder drei Freunden, auf deren Verschwiegenheit Verlaß war, und teilte anschließend auf umweltfreundlichen Karten die unfrohe Nachricht mit. Was war eine Hochzeit ohne Zeremoniell, ohne Pathos? Fragte man, wurde von Steuervorteilen geredet, von der notwendigen Rücksicht auf zukünftige Kinder, vom erwiesenen Scheitern alternativer Lebensformen. Selten, daß ein Paar den Entschluß zur Ehe mit dem einzigen Satz begründete, der des Anlasses würdig war: Wir lieben uns und wollen zusammenbleiben, und zwar, um es genau zu sagen, für immer!

Streit mit der Nazimutter

Die Verwaltungsjuristin Renate Blank*, 1940 geboren, Mutter von zwei Kindern und zum zweiten Mal verheiratet, gehörte selbst zur rebellierenden Jugend in Berlin, obwohl sie 1968 keine Studentin mehr war, sondern versuchte, die Balance zwischen Beruf und Familie zu finden. »Nachdem mein Sohn geboren war«, erinnert sie sich, »kam meine Mutter und brachte mir diesen Haarer-Ratgeber aus der Nazizeit mit. Ich sah nur das Titelbild und hatte schon genug!« Es zeigte eine sehr deutsch aussehende Jungmutter, die ihr Kleinkind auf dem Arm hält, es aber nicht etwa anschaut, sondern statt dessen triumphierend in die Kamera blickt. Damals hatte Renate den Ratgeber nicht einmal aufgeschlagen, sondern nur zu ihrer Mutter gesagt: »Nimm den Schund wieder mit!« Dreißig Jahre später las sie das Buch von Sigrid Chamberlain, das sich mit ebendiesem »Schund« beschäftigte. »Und als ich die Fotos sah, die ja Zitate aus dem Haarer-Buch sind«, erzählt sie, »fiel es mir wie Schuppen von den Augen: diese distanzierten jungen Mütter mit ihren weißen, gestärkten Schürzen. Ich dachte vorher immer, das war die Macke von *meiner* Mutter.«

Das Verhältnis zwischen Renate und ihrer Mutter war nie spannungsfrei. Noch als Erwachsene litt die Tochter unter den Folgen der demütigenden Erziehungsmethoden in ihrem Elternhaus. Als sie dann sah, dass Gerda Blank* als Oma bei ihren Enkeln genau da weitermachen wollte, wo sie bei ihren Kindern, als sie ihr entwachsen waren, eines Tages hatte aufhören müssen, kam es zum ersten großen offenen Streit und schließlich zum Bruch. – Jahre später dann entdeckte sie Sigrid Chamberlains Auseinandersetzung mit den Haarer-Büchern. Vor allem in dem Kapitel »Das Kind nicht riechen können« fand Renate eine Bestätigung dessen, was sie auf dem Höhepunkt ihres Streits der Mutter geschrieben hatte – in einem Brief, auf den nie eine Antwort gekommen war.

> Ich hatte während der folgenden zwanzig Jahre wenig Glück mit Freundinnen, und schon gar nicht mit Männern. Ich war mißtrauisch und zu sehr darauf bedacht, mich nicht zu entblößen. Alles, was mich zusammenhielt, war eine Fassade aus Lächeln und Lebhaftigkeit. Niemand, so glaubte ich, würde mich lieben können, wenn er mir erstmal wirklich nahe gekommen war. Auch dies, Mutter, ist unmittelbar die Folge Deiner Erziehungstaten. Du hattest mir klar gemacht, daß ich stinke. Das hast Du mir im Grunde nur hin und wieder gesagt, aber oft genug, um mich glauben zu machen, daß ein abscheulicher Geruch an mir hafte. Da Du mir nie, kein einziges Mal, das Gegenteil gesagt hast, mußte ich davon ausgehen, daß dies ein Dauerzustand an mir war, der offenbar weder durch eifriges Waschen noch Zähneputzen zu beseitigen war.

Neben dem Reinlichkeitskampf sah die Nazipädagogin Johanna Haarer auch das Füttern als eine Schlacht an, die gewonnen werden musste. Sie verstand absolut nicht, dass Säuglinge ab einer bestimmten Entwicklungsstufe nicht mehr nur passiv sind, sondern die Dinge selbst in die Hand nehmen wollen, wobei dann gelegentlich der Spinat in Mamas Gesicht landet. Auf Haarers Ratschläge reagiert Chamberlain mit unüberhörbarer Empörung: »Das Baby soll mit festem Griff bewegungslos gehalten werden, so daß es nur noch den Mund öffnen und schließen kann und schlucken muß, was der Erwachsene ihm zuteilt, und zu einem Zeitpunkt, den dieser bestimmt.« Sie sieht darin einen ungeheuerlichen Akt der Unterwerfung und Destruktion.

> Ich war schon Anfang zwanzig, als ich zum ersten Mal in der Lage war, Essen zu genießen. Ich erinnere mich noch genau. An der Uni hatten Leute gefragt: »Renate, kommst du mit in die Pizzeria?« Wenn ich an die gemeinsamen Essen bei uns zu Hause denke, wird mir übel. Hast Du wirklich vergessen, Mutter, wie die Stimmung am Eßtisch war? Wie Deinen drei Kindern der Prozeß gemacht wurde; wie sie wegen ihrer schlechten Noten zusammengestaucht wurden, wie Verbote und andere Strafen verhängt wurden für falsches Benehmen – eine lange Liste der Vergehen, die Du in Deinem Kopf gespeichert hattest und die nun dem Vater vorgelegt wurde, damit auch er sich an dem Erziehungsprogramm beteiligte. Gleichzeitig warst Du gekränkt, wenn so wenig gegessen wurde. Du sahst darin eine Missachtung Deiner Kochkünste. Du hattest keinen Blick dafür, dass es Kindern auf den Magen schlagen könnte, wenn sie sich bedroht fühlen. Am schlimmsten aber war es, wenn jemand Dein Essen nicht mochte – wenn jemand würgte und würgte und es am Ende gar erbrach, zum Beispiel die gekochte Fettschwarte vom Eisbein. So etwas war in Deinen Augen offene Meuterei. Da setzte es sofort eine Ohrfeige, und es mußte dreimal der Satz wiederholt werden: »Was Mutti kocht, schmeckt gut.«

Wenn die Eltern Blank – was äußerst selten geschah – in den Fünfzigerjahren auf den gnadenlosen Umgang mit ihren Kindern angesprochen wurden, dann antworteten sie im Brustton der Überzeugung: »Wir halten nichts von Affenliebe.«

Alle drei Kinder wurden im Krieg geboren, und alle drei wurden getreu den Grundsätzen erzogen, die Johanna Haarer unters Volk gebracht hatte. »Liebe Gerda, bist auch streng genug zu den Kindern?«, mahnte Albert Blank in einem Feldpostbrief.

Johanna Haarer zeigte viel Verständnis für Eltern, die glaubten, sich nicht anders als mit Gewalt durchsetzen zu können: »Manchmal verfängt eben nichts anderes mehr als eine ›fühlbare‹ Strafe, und aus dem abschreckenden Klaps werden ein paar nachdrücklichere Schläge.«

Jede Art unerwünschten Verhaltens sollte einem Kind so früh wie möglich ausgetrieben werden, und hierzu zählte in vielen Familien: Weinen und Klagen im Keim zu ersticken – so wie Hitler selbst es gefordert hatte. Dazu gab es zwar explizit von Haarer keine Äußerung, aber ihre ganze Haltung gegenüber dem Kind machte deutlich, dass es seiner Mutter zu folgen hatte. Keine Widerrede! Auf diese Weise geschah es, dass sich die Erwachsenen, ganz gleich, wie hart sie ihre Kinder anfassten, von Haarers Autorität ermutigt fühlten.

Wie Wölfchen seine Lebensfreude verlor

Anfang April 1943: Die Deutschen stehen unter dem Schock der Niederlage von Stalingrad. Eltern bangen um ihre Söhne, Frauen um ihre Männer, von denen schon seit Wochen keine Feldpost mehr kam. Die allgemeine Stimmung ist eine Mischung aus Angst, Sorge und Gereiztheit. In einem Zug von Breslau nach Berlin sitzt die junge Gerda Blank mit ihrem halbjährigen Sohn und der kleinen Renate. Am Anfang der Reise ist Wölfchen noch ein richtiges Strahlekind. Als würde die Sonne aufgehen, sagen die Mitreisenden im Abteil, ja, wie das wärmt in diesen schweren Zeiten … Aber dann fängt der Säugling an zu quengeln, brüllt schließlich los. Sein Geschrei steigert sich, wird unerträglich. Seine Mutter schafft es nicht mehr, ihn zu beruhigen. Da wendet sie sich mit einem Lächeln an die anderen Menschen im Abteil und fragt höflich: »Hätten Sie etwas dagegen, wenn ich ihn mal kurz durchprügele?« Aber nein, wird ihr bedeutet, machen Sie nur ...

Die Mutter legt Wölfchen übers Knie und schlägt ihm ein paarmal aufs Hinterteil – »durchaus kräftig«, wie sie später mit Nachdruck sagen wird, »sonst hätte es ja nicht gewirkt«. Und wie es wirkte: Der Säugling schnappt noch mal kurz nach Luft und schläft postwendend ein.

Später wird die Geschichte von Wölfchens schlagartigem Verstummen in das Repertoire der Familienanekdoten aufgenommen. Noch als alte Frau wird Gerda Blank davon erzählen, allerdings nur im Kreise von Gleichaltrigen, bei denen sie sich der Haltung sicher sein kann, dass »Klapse noch nie jemandem geschadet haben«.

Wölfchen war überhaupt so ein Wunderkind, wird die Mutter hinzufügen: Mit einem Jahr schon sauber. Und immer so ein strahlendes Gesicht. Und so schöne Bewegungen, als es dann laufen konnte …

Wenn der Vater noch lebte, er hätte Wölfchens Kindheit womöglich etwas anders geschildert. Wenige Wochen bevor Albert Blank in den Siebzigerjahren starb, hatte er sich laut darüber Gedanken gemacht. »Irgendetwas ist damals schiefgelaufen mit Wolf«, sagte er in einem der wenigen offenen Gespräche mit seiner Tochter. »Er war so ein graziöses Kind. Aber mit drei Jahren wurde er plötzlich verkrampft; und so ist er bis heute geblieben.« »Man hätte ihn vielleicht nicht schlagen sollen«, meinte Renate. Der Vater zuckte zusammen und schwieg.

Es war das einzige Mal, dass die Tochter es wagte, seine Erziehungsmethoden zu kritisieren. Weil sein Zweitältester mit zwei Jahren noch ins Bett machte, schlug ihm der Vater jedesmal mit einem Stöckchen auf die Beine, bis sie rote Striemen zeigten – mit dem Erfolg, dass der Junge noch mit zwölf Jahren ein Bettnässer war. Auch scheuchte der Vater seine drei- und vierjährigen Söhne mit nackten Füßchen über die spitzen Steine seines Hofs. Ihr Jammern rührte ihn nicht, im Gegenteil, da mussten die Kleinen dieselbe Strecke wieder zurück … Die Schulzeit brachte dann neue Gründe, den Nachwuchs zu quälen. Schlechte Klassenarbeiten und Zeugnisse hatten Prügel zur Folge; alle drei Kinder entwickelten sich zu Schulversagern.

Von klein auf waren sie eingeschüchtert worden. Widerstand und Widerworte durfte es gegenüber Mutter und Vater nicht geben. Da kam sofort eine Ohrfeige, oder der Rohrstock wurde eingesetzt. Ihr Leben lang wird sich Renate daran erinnern, dass sie als Sechsjährige in einer Gaststätte, »ohne zu mucksen«, etwas Scheußliches austrank – eine heiße Zitrone, die versehentlich mit Salz statt mit Zucker serviert worden war.

Ihr Bruder Wolf, dem schon so früh die Freude am Leben ausgetrieben worden war, entwickelte sich zu einem Erwachsenen, der sentimental werden konnte, aber kaum je Einfühlsamkeit zeigte. Seine eigenen Kinder schlug er zwar nicht, aber als seine Frau es nicht ertrug, ihr Baby abends im Bett schreien zu lassen, sagte er: »Dann tu dir doch Ohropax rein. Dann hörst du nichts.« Er meinte derartige Problemlösungen völlig ernst – ähnlich wie seine Mutter, die noch im hohen Alter das Verprügeln eines Säuglings für ein geeignetes Erziehungsmittel hielt.

Auch Mädchen weinen nicht!

Dass in der Nazizeit der Satz »Ein deutscher Junge weint nicht!« ergänzt wurde durch »Auch ein deutsches Mädchen weint nicht!«, ist für Sigrid Chamberlain sehr wichtig: »In den Mädchen wurde nämlich früh und absichtsvoll etwas zerstört, das gemeinhin als ihr Privileg gilt: nämlich das Lebendürfen von Gefühlen. Es wachsen dann Frauen heran, die, wenn sie einmal Mutter werden, ihre Kinder wiederum in einem kaum vorstellbaren Ausmaß innerlich alleinlassen, auch wenn sie es bewußt gar nicht wollen.«

Wenn ein kleines Kind aufgrund von Schmerzen oder Angst weine und dann wegen seines Weinens geschlagen werde, dann, so Chamberlain, könne es geschehen, »daß das Kind seine eigenen Zustände gar nicht mehr wahrnimmt und sich innerlich völlig abtötet«. Die Soziologin spricht aber auch davon, dass »kümmerliche Reste von Spontaneität« überleben könnten. Diese wiederum könnten sich dann in kleinen Fehlern ausdrücken, die dem Kind »aus Versehen« passieren. Chamberlain stellt fest: »Gerade solche Fehler provozierten oft besonders heftige Wutausbrüche der Mutter.«

Von Deiner Seite gab es keinen Schutz, sondern nur Verrat. Deine Tochter zu sein hieß, Dir ganz und gar ausgeliefert zu sein: Deinen Launen, Deinem Frust, Deinem Zorn und Deiner gelegentlichen Gnade. War ich unaufmerksam, fiel mir etwas zu Boden, hast Du mich beschimpft oder geschlagen. War ich total in ein Buch vertieft und deshalb nicht in der Lage, ad hoc Deinen Befehlen zu gehorchen, hast Du mich geschlagen. Erst schriest Du: »Hände aus dem Gesicht!« – dann schlugst Du zu. Ich gehorchte jedesmal, ich nahm die Hände vom Gesicht, weil ich an den Rohrstock dachte.
Du hast von mir absoluten Gehorsam erwartet. Gab ich Widerworte, schlugst Du mir ins Gesicht. Weigerte ich mich, Lebertran zu schlucken, schlugst Du mich ins Gesicht. War ich nicht leise genug, so daß Dein Mittagsschlaf gestört wurde, schlugst du mich ins Gesicht. Es war auch gefährlich, in Deiner Gegenwart zu weinen, jedenfalls aus Verzweiflung oder Angst: das war für Dich kein Grund. Du sagtest immer: »Wer weint ohne Grund, der kriegt eine Ohrfeige, damit er weiß, warum er weint.«
Ging mir etwas kaputt, oder hatte ich Dir einmal nicht gehorcht, setzte ich alles daran, Deine Wut zu mildern: mit Schmeichelei, mit Beschwichtigung, mit Selbstbezichtigung, mit Verschweigen, mit Lügen. Aber wehe, Du hast

mich beim Lügen erwischt: Dann hast Du erst recht auf mich eingeprügelt. Wenn Du Deinen Erziehungsauftrag mit solcher Deutlichkeit spürtest (nämlich: man muß dem Kind das Lügen austreiben), gab es keinen Funken Gnade mehr. Dann hieß es: »Hol den Rohrstock, Renate – wir gehen in den Keller!«

Es gab Pausen. Du hast mich nicht ständig geschlagen. Aber die Bedrohung blieb. Mit einer Ohrfeige war stets zu rechnen. Als ich erwachsen war, habe ich Dich einmal gefragt: »War ich ein aufmüpfiges Kind, schwer erziehbar, mißraten?«

»Keineswegs«, sagtest Du. »Ich habe nicht in Erinnerung, daß du schwierig warst.«

»Aber warum hast du mich dann so viel geschlagen?«

»Renate, du übertreibst.«

Natürlich gab es auch zu Haarers Zeiten Familien, in denen es nicht üblich war, Kinder zu verprügeln. Ihnen legte die Ärztin und Autorin nahe, dass »das schreiende und widerstrebende Kind, falls es sich weiterhin ungezogen aufführt, gewissermaßen ›kaltgestellt‹, in einen Raum verbracht wird, wo es allein sein kann und so lange nicht beachtet wird, bis es sein Verhalten ändert. Man glaubt gar nicht, wie früh und wie rasch ein Kind solches Vorgehen begreift.«

Und man glaubt gar nicht, möchte ich hinzufügen, wie leicht man »ungezogene« Kinder, die in Wahrheit vom Krieg verstört waren, mit diesem Erziehungsstil lenken konnte: vom Horror des Luftschutzkellers in den Horror der dunklen Abstellkammer …

Sigrid Chamberlain führt in ihrem Buch die Bestrafungsvielfalt der schwarzen Pädagogik auf, die durch Johanna Haarers Ratgeber noch einmal folgenreich autorisiert worden war. Dass »Schläge noch keinem Kind geschadet« haben, wurde als Merksatz nicht nur in den Familien von Generation zu Generation weitergereicht, sondern auch in der Institution Schule. Bis in die

Siebzigerjahre hinein konnten gewalttätige Lehrer ungebremst ihre Schreckensherrschaft aufrechterhalten, obwohl ihre Kollegen und auch die Eltern genau Bescheid wussten; so lange hielt sich eine Erziehungskultur, wonach ein prügelnder Lehrer keinen Gegenwind zu befürchten hatte.

In Erinnerungen an die Nazivergangenheit taucht er immer wieder auf. Ein typisches Exemplar beschrieb der Kölner Architekt Peter Busmann auf der Jahrestagung des »Ordens Pour le Mérite« im Juni 2003 in Berlin. In seinen Vortrag »Architektur im Schnittpunkt von Zerstörung und Überleben« baute er ein zentrales Kindheitserlebnis ein, das es verdient, weitererzählt zu werden:

> Ich möchte Ihnen eine kleine Geschichte erzählen, die ich 1943 als Kind in Kiel erlebt habe: Stellen Sie sich ein häßliches kasernenartiges Schulgebäude vor und da den Schulhof während der Pause. Ich prügle mich mit einem Klassenkameraden, und wie das Schicksal es will, liege ich gerade in dem Moment über meinem Gegner, als wir beide in eines der Souterrain-Fenster fallen, dessen Glasscheiben mit lautem Klirren zu Bruch gehen.
> Kaum bin ich wieder auf den Beinen, werde ich von einer schadenfroh grölenden Horde zum aufsichtführenden Lehrer gestoßen. Der nimmt mich wortlos mit in das Klassenzimmer, entnimmt dem Schrank einen Rohrstock, schlägt mich aber nicht, fährt nur mit dem Daumen fast liebevoll über das Marterinstrument und sagt: »Morgen, Freundchen …«
> Wieder losgelassen, bin ich allein mit meiner Angst und den jagenden herzklopfenden Gedanken, deren Mittelpunkt nicht so sehr die bevorstehende Züchtigung ist wie die Scham, »es« zu Hause erzählen zu müssen.
> Zu Hause bringe ich kein Wort heraus.
> In der Nacht werden wir von heulenden Sirenen aus dem Schlaf gerissen. Fliegeralarm jagt uns alle in den Keller,

fragwürdiger Schutz im Getöse von FLAK- und Bombentreffern.
Unser Block bleibt dieses Mal noch verschont, und ich muß mich am nächsten Morgen mit bleischwerem Herzen auf den Weg zur Schule machen. Von der letzten Straßenbiegung sind es noch wenige Schritte bis zur Schule, als ich aufblicke, kann ich es nicht fassen: Die Schule ist weg.
Anstelle des gewohnten Backsteinmassivs nur ein Haufen rauchender Trümmer. Ich kann mich nicht erinnern, je wieder ein solches Glücksgefühl gehabt zu haben wie in diesem Moment.

NEUNTES KAPITEL

»Aber recht, recht lieb wollen wir sein …«

Wenn Kinder zu Freiwild werden

Vor zwölf Jahren starb Elisas Schwester. Es war Selbstmord. Die Fünfzigjährige hatte sich von einer Talbrücke in die Tiefe gestürzt – genau jene Brücke, auf der Elisa und Mechthild schon als kleine Mädchen gestanden und überlegt hatten: Machen wir doch einfach Schluss und springen …

Die Kindheit von Elisa, geboren 1944, wäre auch ohne Krieg eine Kette von Gewalt und Leid gewesen. Denn ihr größter Feind waren nicht die Bomben und der Hunger, sondern ihr eigener Vater. Dennoch habe ich mich entschlossen, ihre Geschichte zu erzählen, weil sie deutlich macht, dass Kinder damals doppelt gefährdet waren. Man weiß zwar, dass Kinder in Zeiten von Chaos und Elend oft alleingelassen werden, aber man denkt nicht unbedingt weiter: dass dies günstige Umstände sind für Erwachsene, die einen Gewinn daraus ziehen, sich an Schwächeren zu vergreifen. Kinder können im Krieg zu Freiwild werden.

Auch lässt sich am Beispiel von Elisa Freiberg* gut darstellen, was Traumata anrichten können: dass die Folgen häufig erst viele Jahre später – wie aus heiterem Himmel – auftauchen und dass die Symptome meistens nichts über die Ursache verraten. Elisas Überlebensgeschichte zeigt, dass es möglich ist, sich dem Grauen der eigenen Kindheit zu stellen, ohne daran zu zerbrechen. Es ist wirklich kein Naturgesetz, dass im Alter alles schlimmer wird. Es kann auch besser werden. Man muss nicht alles aushalten. Es kann sich lohnen, nach Alternativen zu suchen, wenn der Körper oder die Seele schmerzen: So mancher Patient, der deshalb unter starke Medikamente gesetzt wurde, hätte vielleicht bessere Chancen, wenn sein Arzt auch einmal ein Kriegstrauma in Betracht zöge.

Aber kommen wir zum Ausgangspunkt unseres Kapitels zurück, zum Elend der Nachkriegsjahre. Wenn davon berichtet wird, ist gleichzeitig immer wieder von einem großartigen Zusammenhalt die Rede. Schaut man genauer hin, entpuppt sich die Solidarität als etwas, das sehr schnell an seine Grenzen stieß. Notgemeinschaften entstanden, weil Menschen in Gruppen mehr Chancen hatten durchzukommen und weil sie sich auch vor Überfällen und Diebstahl besser schützen konnten. Es wird leicht übersehen, dass die Fürsorge für die eigenen Kinder, wenn es um das nackte Überleben geht, oft nur ein Mythos ist. Wir wissen von den Straßenkindern in Brasilien, die fortgeschickt wurden oder aus eigenem Antrieb ihre Familie verließen, weil sie dort nicht genug zu essen bekamen oder misshandelt wurden. Wir hören von Eltern, die ihre Kleinkinder verkaufen oder ihre pubertierenden Töchter in Bordelle geben. Wir erinnern uns vielleicht an die Zeichnungen des Malers Heinrich Zille, die im Berliner Hinterhofmilieu entstanden. Seine Bildbände »Mein Milljöh« sowie die Zyklen »Hurengespräche« und »Berliner Luft« wurden während des Ersten Weltkriegs veröffentlicht. Seine satirisch-humoristischen Zeichnungen weisen ihn als einen genauen Chronisten der damaligen Elendsverhältnisse aus.

Zille weiß, dass der Wortwitz der Armen ein Teil ihrer Überlebensstrategie ist, aber er übersieht auch nicht die stumme Not der Kinder – zerlumpte kleine Wesen, hungernd und bereit zur Prostitution. All dies scheint in Zilles Hinterhöfen genau wie in den brasilianischen Slums kein Geheimnis unter den Bewohnern zu sein, weil die Armut von einer Generation in die nächste weitergetragen wurde.

Ein Volk von Zerlumpten und Bettlern

Die Kapitulation der Deutschen 1945 führte dagegen zur Verelendung eines Volkes, das einmal bessere Zeiten gekannt hatte. Am 30. Juli 1944 notierte der Sozialist Erich Nies in seinem später veröffentlichten »Politischen Tagebuch«: »Das deutsche Volk wird in seinen Trümmern jahrelang leben müssen, hungernd und arm, furchtbar arm, arm wie noch zu keiner Zeit seiner Geschichte. Es wird dem hypnotisch wirkenden Blick der ganzen Welt ausgesetzt sein und in seinen Ohren wird wie Donnergetöse die höhnende Weltenstimme gellen: Du hast's verdient, es geht Dir grimmig schlecht (Faust). Und jeder Einzelne wird empfinden müssen, daß er ins Leere klagt.«

Genauso kam es. Aus einer Gesellschaft mit überwiegend kleinbürgerlichen Strukturen wurde quasi über Nacht ein Volk von Zerlumpten und Bettlern, unter ihnen nicht wenige, die sich an eine bizarre doppelte Moral klammerten. Werte wie Anständigkeit und Ehrlichkeit wurden zum Schein hochgehalten, obwohl kaum eine Großstadtfamilie durchgekommen wäre, hätte sie diese beherzigt. Es war das große Verdienst des Kölner Kardinals Frings, dass er von der Kanzel herab Verständnis für das Stehlen von Kohlen zeigte, weshalb in der Bevölkerung für diese Art von Diebstahl das Wort »fringsen« in Umlauf kam.

Was als Anekdote in die Kölner Stadtgeschichte einging, macht deutlich, wie schwer es dem Einzelnen gefallen sein mochte, moralisch die Orientierung zu behalten. Kurz: es handelte sich um Zeiten, in der Menschen besser klarkamen, wenn sie hie und da ein Auge zudrückten. Es war auch nicht ungewöhnlich, dass gleich beide Augen geschlossen wurden, wenn Erwachsene eigentlich genau hätten hinsehen und eingreifen müssen. Unter solchen Bedingungen sind Aufmerksamkeit und Schutz für Kinder auf ein Minimum herabgesetzt. Das bedeutet: Gewalttätige Eltern haben die denkbar besten Chancen, ungehindert ihre Kinder zu quälen.

Ein Gott, der alles rechtfertigt

Wie alle Väter, die prügeln, sah auch Walter Reichel* sich nicht als Sadisten, sondern als verantwortungsbewussten Erziehungsberechtigten, der aus Elisa, Mechthild und den anderen Kindern anständige Menschen machen wollte. Zudem hatte er eine Autorität auf seiner Seite, die durch nichts und niemanden angegriffen werden konnte: Gott. Was auch immer Reichel oder seiner Familie an Schlimmem widerfahren sollte – der liebe Gott hatte es so gewollt.

Elisa besitzt einen Brief, den er von einer Reise an seine Frau und die Kinder schrieb, nachdem er einen schweren Luftangriff miterlebt hatte: »Viele kleine und große Menschen sind tot. In einem Kindergarten sind allein siebzig Kinder mit den lieben Tanten verschüttet gewesen. Sie sind alle tot. Papa ist recht traurig da vorbeigegangen.« Am Schluss des Briefes heißt es: »Vergeßt nie, daß einmal der Tag kommen kann, da auch uns eine Kugel trifft. Ich bin so froh, dass ich weiß, der liebe Gott nimmt uns dann zu sich in den Himmel. Darum brauchen wir gar keine Angst zu haben. Aber recht, recht lieb wollen wir sein zu allen Menschen, besonders aber zu unseren Angehörigen, zur Oma, Mutti und den Geschwistern.«

Über seine Einstellung zum Nationalsozialismus weiß Elisa wenig. Er sei gern Soldat gewesen, glaubt sie, zumal er den ganzen Krieg über in Deutschland blieb und nicht an die Front musste. Er habe wohl zu jenen Mitläufern gehört, die Hitler von seinen Verbrechen abgetrennt hätten, nach dem Motto: Das hat der Führer nicht gewusst …

Bei Kriegsende hatten alle Familienmitglieder überlebt – aber ärmer als Reichel konnte einer gar nicht sein. Er war Pastor in einer christlichen Freikirche, die ihr Gemeindeleben und damit auch die Pfarrer aus eigenen Spenden finanzierte. Jeder andere Vater einer siebenköpfigen Familie hätte irgendwelche Hilfsarbeiten angenommen oder sich an Schwarzmarktgeschäften beteiligt, damit die Seinen etwas zu essen hätten. Nicht so Pfarrer Reichel. Er war der Meinung: Gott wird schon für meine Familie sorgen. »Kinder sind ein Geschenk Gottes, so sah er das«, erinnert sich seine Tochter Elisa. »Man muss sich um sie nicht kümmern. Das macht der liebe Gott. Wenn der liebe Gott ihnen nichts zu essen gibt, dann verhungern sie eben, das will dann der liebe Gott so …«

Elisa Freiberg ist eine verblüffend jung aussehende Frau, die ihren vorzeitigen Ruhestand genießt, zum zweiten Mal verheiratet, diesmal glücklich. Einige Wochen vor unserem Gespräch ist sie mit ihrem Mann aus der Stadt ins Grüne gezogen. Gelegentlich kommen ihre Kinder und die Enkel zu Besuch. Alles in Ordnung also? Ja und nein, sagt Elisa und führt mich zu einer Gartenbank. Es sei schön, dass sie keinen Berufsstress mehr habe. Aber leider sei richtig, was in ihrem Rentenbescheid aufgeführt sei: ihr Rückenleiden, die Depressionen, die posttraumatische Belastungsstörung. Zum Glück komme selten alles auf einmal, und es gebe auch beschwerdefreie Phasen. Aber nie wird Elisa vergessen, wem sie das verdankt: ihrem Vater.

Bußrituale für Heimkehrer

Pastor Reichel glaubte zu wissen, was Gott ihm auftrug. Gerade in diesen schweren Zeiten fühlte er sich zum Prediger und Seelsorger berufen, weshalb er seine Frau und die fünf Kinder 1946 aus einer fast unzerstörten hessischen Kleinstadt in das ausgebombte Kassel schleppte. Sie kamen im Gemeindehaus unter, allerdings im Keller, weil es sich um eine Ruine handelte. Jeden Tag ging der Pfarrer unverdrossen bis zu vierzig Kilometer zu Fuß, um in der Umgebung die Gemeindemitglieder zu sammeln und um die Kirche wieder aufzubauen. Damit traf er durchaus auf ein großes Bedürfnis. Viele Menschen, die den Boden unter den Füßen verloren hatten, suchten wieder Halt im Glauben. Für die einen war ein Pfarrer dann eine Vertrauensperson, wenn er die Ärmel hochkrempelte und Schutt wegräumte, nebenbei Kinder taufte oder beerdigte und dafür sorgte, dass ein Zusammenhalt in der Gemeinde entstand.

Doch die Männer, die Walter Reichel aufsuchten, wollten etwas anderes: Erlösung. Sie hatten ihren Besitz, ihre Gesundheit, die besten Jahre ihres Lebens und womöglich auch ihre Identität verloren: Heimkehrer, oft nur noch ein Schatten ihrer selbst. Durch

Krieg und Gefangenschaft waren sie es gewohnt, geführt zu werden. Und nun suchten sie eine neue Autorität, die ihnen sagte, wie es weitergehen sollte – vor allem aber, wie das Grauen, das sie in sich trugen und das ihre Träume beherrschte, ein für alle Mal auszulöschen sei.

Elisa, Reichels Tochter, weiß es deshalb so genau, weil sie sich als Kind häufig in Vaters Arbeitszimmer aufhielt: »Ich hatte Frostbeulen, und sein Zimmer war als Einziges geheizt.« Täglich fanden dort Andachten im kleinen Kreis und Beichtrituale statt. Der Pastor machte den Heimkehrern klar, ihr früheres sündhaftes Leben trage die Schuld daran, dass der Krieg verloren worden sei. »Die ausgemergelten Männer haben dann geweint und gejammert, damit die Gnade wieder über sie kommt«, erinnert sich die Tochter. »Heute würde man von Exorzismus sprechen.«

Und weil die Heimkehrer so sehr des Trostes bedurften, den ihnen der Geistliche nicht gab, holten sie sich sein Töchterchen und setzten es sich auf den Schoß. Elisa schüttelt sich heute noch vor Ekel. »Denen tat es gut, so ein kleines liebes Mädchen zu betatschen«, sagt sie, »und das kleine liebe Mädchen wehrte sich nicht. Unser Vater hatte in uns hineingeprügelt, dass Erwachsene *immer* im Recht waren.«

Für sie besteht heute kein Zweifel, dass Walter Reichel seinen Glauben wie eine Droge einsetzte, die jede Realität von ihm fernhielt. Dass er selbst Gott missbrauchte, indem er sich wie dessen persönlicher Stellvertreter aufspielte: ein Guru in den Trümmern. Seine Familie aß derweil Kartoffelschalen. Stellte der Vater fest, dass die Kinder Lebensmittel gestohlen hatten, schlug er sie mit einem Lederriemen oder einem Rohrstock. In den Keller mussten sie für das Strafgericht gar nicht mehr gehen, dort wohnten sie bereits.

»Besonders demütigend war«, sagt Elisa, »dass wir die Schuld dafür übernehmen mussten. Wir mussten uns bücken und stillhalten. Der Vater hat uns immer gesagt: Lieber holt euch Gott in den Himmel, als dass ihr hier auf Erden irgendetwas macht, das sündhaft ist.« Elisa wird nie vergessen, wie ihre älteste Schwester, die »vernünftigste« von allen Geschwistern, zum Vater hinging und sagte: »Vater, hau mich, damit ich ein liebes Kind werde.« Manchmal brach Reichel nach einer Züchtigung voller Selbstmitleid in Tränen aus und rief: »Der liebe Gott verlangt von mir, dass ich euch bestrafe.« Für seine Söhne und Töchter bestand kein Zweifel, dass ein solcher Vater, wie Stammvater Abraham im Alten Testament, berechtigt war, seine Kinder zu töten …

Rückblickend sieht Elisa in ihm einen fanatischen, pietistischen Eiferer. Noch heute, sagt sie, würden die Untaten solcher Gottesmänner beschönigt, vertuscht und ihre Opfer »verteufelt«.

Sterben wollen und in den Himmel kommen

Als Vierjährige wollte Elisa sich gemeinsam mit einer Freundin umbringen: »Damit wir sterben und in den Himmel kommen.« Die größeren Kinder hatten ihr erklärt, dass Wolfsmilch, eine typische Trümmerpflanze, tödlich wirke. Gut so – die beiden Mädchen tranken den weißen Saft. Elisa bekam danach Durchfall und Fieber. »Mir war ein paar Tage elend von der Vergiftung«, erinnert sie sich. Aber ihre Freundin habe sie danach nie wiedergesehen. »Wer in den Ruinen lebt, sagt meistens nicht Bescheid, wenn er wegzieht. Aber ich habe damals gedacht, sie sei tot und ich hätte sie umgebracht. Natürlich habe ich nie mit jemandem darüber geredet.«

Da gab es noch die Mutter, aber sie war ständig unterwegs, irgendwo im Hessenland oder weiter weg, um für ihre Kinder etwas Essbares aufzutreiben. Ein halbes Dutzend Verwandte kümmerte sich derweil um Elisa und ihre Geschwister: »Aber auch von denen wurden wir verhauen.« Großeltern, Tanten und Onkel waren inzwischen in das zerstörte Haus gezogen, hatten notdürftig Mauern hochgezogen und das Dach geflickt. Dennoch blieb es undicht. Es regnete herein – es schneite sogar in die Zimmer.

Und immer wieder der Hunger! »Nachdem meine größere

Schwester eingeschult war, saß ich, vier Jahre alt, monatelang mit ihr im Unterricht; ich saß völlig unbeschäftigt dabei, nur weil es danach Brei ins Henkeltöpfchen gab.«

Pfarrer Reichel spielte derweil den Gerechten. Als sein ältester Sohn Käse verteilte, den er in den Trümmern in einem Schwarzhändlerlager entdeckt hatte, rief der Vater die Polizei und zeigte die Männer an. Ein anderes Mal entriss er dem Sohn eine Stange Zigaretten – so ziemlich das Kostbarste, was man in diesen Zeiten besitzen konnte – und warf sie ins Plumpsklo. »Alles Sünde«, schrie er dabei, »alles Sünde!«

Auch mussten Reichels Kinder von dem wenigen, was sie besaßen, etwas abgeben an andere, die noch ärmer waren. Elisa erklärt: »Man musste auf alles verzichten, was darauf hindeutete, dass man gierig wird. Aber daraufhin wurden wir Kinder ja erst recht gierig! Und später, als Erwachsene, bin ich dann geizig geworden. Aber das habe ich inzwischen abgelegt.«

Im eiskalten Winter 1947 erhielt ihre Mutter aus den Care-Paketen einen Pelzmantel, aber auch den musste sie auf Befehl des Vaters weggeben. Sie widersprach nicht, war sie doch schon in ihrem eigenen Elternhaus auf absoluten Gehorsam programmiert worden. Sie verhütete auch nicht, weil ihr Mann dies für Sünde hielt, und so kam es, dass in den Nachkriegsjahren noch zwei weitere Kinder geboren wurden.

Elisa war die fünfte in der Geschwisterkette und die bravste. Denn: »Man sieht ja, was den älteren Geschwistern passiert.«

Ihre Eltern schienen immer froh gewesen zu sein, glaubt sie, wenn Erwachsene sich anboten, die Kinder vorübergehend zu sich nach Hause zu nehmen. »Es waren Leute, die meinten: ›Die Kinder sind ja so niedlich‹ – und wir waren einverstanden, weil wir dort eventuell etwas zu essen kriegten.«

Die Eltern ließen ihre Kinder ziehen, ohne an Kontrolle überhaupt nur zu denken. Der liebe Gott würde schon für sie sorgen … Derweil nutzte eine Frau aus der Gemeinde die günstigen Umstände, indem sie zwei Mädchen, drei und fünf Jahre alt, an die Hand nahm und sie immer wieder demselben Mann zuführte. Über ein Jahr, so rekonstruierte Elisa während einer Therapie, wiederholte sich der sexuelle Missbrauch. Erst seien es Doktorspiele gewesen, dann hätten sie den Mann befriedigen müssen. »Dafür stand dann Brot da.«

In der Welt, die Elisa und Mechthild von ihren Eltern übernommen hatten, kamen »böse Onkel« nicht vor. Es galt nur, dass man als Kind den Erwachsenen zu gehorchen hatte, ohne Wenn und Aber. So begannen Jahre versteckten Leidens.

»Man versuchte, es zu erzählen, aber es glaubte einem keiner«, sagt Elisa. »Und wenn man erst einmal als Missbrauchsopfer programmiert ist, dann passiert es immer wieder.« Wieder zieht Ekel über ihr Gesicht. »Da versteckte man sich in den Trümmern, weil man mal musste, und schon stand da ein Jugendlicher und zwang einen, ihn zu befriedigen.« Sie starrt vor sich auf ein Rosenbeet, dann spricht sie leise weiter: »Es gab eben immer Gewalt. Ob nun vom Vater geschlagen oder von anderen Männern mit Gewalt gezwungen, das war für mich eins. Ich musste etwas über mich ergehen lassen. Man fühlte sich so elend, man fühlte sich so schmutzig. Und ich hatte immer im Bewusstsein, dass alles, was mir geschah, von Gott so gewollt war.«

»Ich habe keine Eltern mehr«

Die Folge war, dass Elisa als Kind verstummte. Sie hörte auf zu reden. Nur noch gelegentlich wechselte sie ein paar Worte mit Gleichaltrigen. »Das war bei mir natürlich schon eine psychische Erkrankung«, weiß sie heute. »Mit neun Jahren habe ich dann entschieden: Erstens, ich lasse mich nie mehr anfassen, und zweitens, ich habe keine Eltern mehr. Es hilft mir ja sowieso keiner.«

Kurz darauf erklärte ihr Vater völlig unvermittelt, er werde seine Kinder ab sofort nicht mehr schlagen. Sie müssten jetzt selbst die Verantwortung für ihr Tun übernehmen. Was war geschehen? Hatten ihn andere Erwachsene endlich zur Vernunft gebracht? Elisa schüttelt den Kopf. »Nein. Es war ihm klar, dass wir, als wir größer wurden, auch mehr hätten erzählen können. Und davor hatte er Angst. Da ist er vorsichtig geworden.«

Sie hält ihren Vater für jemanden, der sein Verhalten noch steuern konnte: »Schon früher hatte er sich zusammengenommen, sobald er damit rechnen musste, dass seine Misshandlungen auffielen.« Wie mühelos, weiß seine Tochter heute, hätte er von Menschen seiner Umgebung ausgebremst werden können, wenn die ihm nur ein einziges Mal mit der Polizei gedroht hätten!

In friedlichen oder auch nur halbwegs geordneten Zeiten hätte ein Vater wie Walter Reichel seinen Sadismus kaum über so viele Jahre und womöglich auch nicht so exzessiv ausleben können. Vielleicht wäre er irgendwann vor Gericht gestellt und danach in eine psychiatrische Klinik eingeliefert worden. In Zeiten des Terrors allerdings, wenn es den Herrschenden darum geht, ein Klima von Bedrohung und Willkür zu erzeugen, sind perverse Gewalttäter geradezu gefragt: wie jener Typus, der zunächst in der SA eine Heimat fand, in deren Uniform er ungestraft jüdische Mitbürger zusammenschlagen konnte – und später dann im Konzentrationslager, das ihm völlig freie Hand ließ, wenn er Lust darauf hatte, Häftlinge zu schinden, zu quälen oder zu töten.

Die Folgen der Grausamkeiten spürt Elisa bis heute, trotz jahrelanger Psychotherapie. Aber von außen merkt man ihr nichts an. Stets war es ihr wichtig gewesen, nicht aufzufallen. Ganz anders ihre Schwester Mechthild. Als Jugendliche begann sie zu stehlen, wohl auch aus Rache, glaubt Elisa. Dem Vater sei es jedesmal furchtbar peinlich gewesen, wenn die Polizei erschien. »Das zeigte ja: bei Pastors ist auch nicht alles in Ordnung.« Aber später verselbstständigte sich bei Mechthild das Stehlen und wurde zu einer psychischen Störung. Noch als Erwachsene hatte sie lange Zeit Probleme damit. Außerdem trank sie zu viel und konnte schließlich aus dem Teufelskreis der Sucht nicht mehr aussteigen. Alkoholkrank war sie und tablettenabhängig – und sie wurde, wie ihre Schwester es heute sieht, immer abhängiger von ihren Eltern, deren Lebenslügen sie sich unterwarf. Mehrfach versuchte Mechthild, sich umzubringen. Nach jedem Suizidversuch saß der Vater mit Vorwürfen an ihrem Bett: »Warum tust du uns das an?«

Während es für Mechthild kein Entkommen gab aus dem alten Familienmilieu, weil sie ihr Versagen als eigene Schuld sah, wurde Elisa immer unabhängiger von ihren Eltern. Was sie stützte, war ihre Entscheidung mit neun Jahren: Ich habe keine Eltern! Ich brauche niemanden! – Das rettete sie, führte sie jedoch zwangsläufig in eine große Einsamkeit. Sie besaß keine richtige Familie mehr, aber sie konnte auch keine neuen Bindungen eingehen, weil ihr die Fähigkeit zu vertrauen fehlte. Dennoch, es war eine Trennung in kleinen Schritten. Äußerlich änderte sich wenig. Noch besuchte sie die Eltern, noch sah sie ihre Geschwister. Noch blieb sie der Kirchengemeinde treu und fand dort den Mann, den sie jung heiratete. Im Interview schildert sie ihn als freundlich, intellektuell und unemotional. Sie selbst habe die Ehe gar nicht gewollt, aber die Eltern und Mitglieder der Gemeinde hätten sie unter Druck gesetzt.

Mit 22 Jahren bekam sie ihr erstes Kind. Alles hätte endlich gut werden können. Stattdessen erlebte Elisa ihren ersten Zusammenbruch. Sie konnte das Neugeborene nicht schreien hören …

»Und meine Tochter hat dauernd geschrien! Sie hörte überhaupt nicht mehr auf«, sagt sie. »Und da hab ich gedacht, hoffentlich wird sie krank und stirbt.«

Aus Angst, sie könnte dem Kind Gewalt antun, flüchtete sie aus der Wohnung – das schreiende Bündel allein zurücklassend –, rannte um den Häuserblock herum, bis sie sich beruhigt hatte. »Das ging so über Wochen«, erinnert sie sich. Keiner hat ihr geholfen. »Ich habe tagelang geheult und nicht gewusst, was los ist und was ich machen soll.« Heute weiß sie, dass sie in der Hilflosigkeit des Säuglings ihren eigenen Gefühlen als Kind wiederbegegnet und davon überwältigt worden war. Das Unlösbare ihrer Aufgabe hatte darin bestanden, dass sie das Neugeborene schützen sollte – während sie sich selbst völlig ausgeliefert fühlte.

Ausbruch und Neubeginn

Es waren die Sechzigerjahre. Elisa hatte noch nie von Psychotherapie gehört. Sie schämte sich ihrer »Zustände« und bekämpfte sie mit Disziplin, was lange Zeit auch funktionierte. Es kam ihr nicht in den Sinn, die Ursache dafür in falscher Erziehung zu sehen. Erst mit 34 Jahren, als ihre Lebensenergie so gut wie erschöpft war, wurde ihr bewusst, was für einen grausamen Vater sie gehabt hatte.

Rein äußerlich verlief der Alltag der jungen Frau ohne Zwischenfälle. Sie arbeitete als Kinderkrankenschwester und bekam mit 25 Jahren wieder eine Tochter. Ende der Siebzigerjahre dann kam ihr der Gedanke, es könne so nicht weitergehen mit ihren »Zusammenbrüchen«. Sie nahm sich eine Deutschlandkarte vor und suchte die Stadt, die am weitesten von Kassel entfernt lag. So entstand der Plan für einen Umzug nach München. Es war der große Wendepunkt in ihrem Leben. Sie trat aus der Kirche aus, packte zwei Koffer und ließ ihre Töchter, damals acht und elf Jahre alt, bei ihrem Mann zurück. »Die hatten es da viel besser«, sagt sie. »Ich hätte ihnen nichts bieten können – und außerdem«, sie hält kurz inne, bis sie zugibt: »Ich hätte es nie gepackt mit den Kindern.«

In München arbeitete sie wieder in einer Klinik, wie üblich hart und ausdauernd. Auf der Station war sie vor allem deshalb beliebt, weil sie nie wegen Krankheit fehlte. Sie gönnte sich kein Auskurieren, keine Erholung. Jedes Unwohlsein, jede körperliche Schwäche wurde schon im Ansatz bekämpft. »In der Klinik fand ich immer jemanden, der großzügig Spritzen setzte«, berichtet sie. »Das war vor zwanzig, dreißig Jahren kein Problem. Hauptsache, die arbeitet weiter…« Es war ihr nicht bewusst, was sie tat – dass sie, indem sie Erkrankungen ignorierte, den Kontakt mit einem Gesetz aus ihrer Kindheit vermied: Wer krank ist, der hat es selbst verdient. Das ist eine Strafe Gottes dafür, dass er Schlimmes getan hat.

Nun, da sie sich aus der Enge ihrer Familie und des Gemeindelebens befreit hatte, war sie plötzlich nicht mehr allein. Sie fand einen anregenden Freundeskreis. Er bestand überwiegend aus Menschen, die noch studierten oder an der Universität arbeiteten. Auf diese Weise erschloss sie sich eine völlig neue Welt. Mit der Zeit entdeckte sie verblüffende Fähigkeiten: Sie war klug, sie lernte schnell, sie sog die neuen Erkenntnisse förmlich auf. Der intellektuelle Diskurs lag ihr, das Überdenken und Ordnen schwieriger Zusammenhänge. Psychologie interessierte sie am meisten. Sie erhielt Zugang zu einem Seminar an der Münchner Universität. Ihre Beiträge wurden beachtet, sogar gelobt, und damit verringerten sich ihre Hemmungen, hier, in einem akademischen Rahmen, der ihr eigentlich gar nicht zustand.

Elisa traute sich etwas zu. Es tat ihr gut, dass sie bei Männern begehrt war. Ihr Leben befand sich auf einem guten Weg.

Doch ihre Vergangenheit holte sie auch diesmal ein. Es kam zu einem weiteren Zusammenbruch, einem »psychischen Ausnahmezustand«, wie sie es rückblickend nennt. Der Auslöser war, dass ihre älteste Tochter mit 13 Jahren in Mutters Wohnung einzog. »Ich dachte, dass ich ihr diesen dringenden Wunsch nicht abschlagen dürfe«, erklärt Elisa ihre damalige Zustimmung, obwohl sie ahnte, dass das Zusammenleben mit der Pubertierenden sie überfordern würde.

In kürzester Zeit war sie wieder das alte Bündel Elend: Heulen. Sich verkriechen. Nicht wissen, was los ist. Sich keine Hilfe holen. Ihre Angst, in der Psychiatrie zu landen. Ihre Angst vor einer Diagnose. Was würde einem da alles angehängt werden …

Vorbei waren die Zeiten, als das Arbeiten ihr Halt gegeben hatte. Nun suchte sie darin nur noch Betäubung. Ein sonderbarer Rhythmus bestimmte ihren Alltag: Sie arbeitete wochenlang, monatelang bis zur restlosen Erschöpfung – bis nichts anderes mehr half, als sich restlos aus dem Verkehr zu ziehen, was bedeutete, sich zwei Tage in ihrem Zimmer einzuschließen.

Stress macht sie vergesslich

Andere Symptome kamen dazu. Vergesslichkeit war eines davon. Auf Reisen fiel ihr plötzlich der Name ihres Hotels nicht mehr ein. Beim Autofahren überlegte sie plötzlich, warum sie dort war, wo sie sich gerade befand, warum sie überhaupt dorthin gefahren war. »Aber ich konnte meine Aussetzer und das plötzliche Losheulen gut kaschieren«, sagt sie. »Darum weiß ich, wie sich Analphabeten fühlen, wenn sie anderen etwas vormachen.«

Ihr Blutdruck stieg auf einen Wert von 240. Die Rückenbeschwerden wurden unerträglich. Endlich nahm sie wahr, dass sie sich in einer Wiederholungsfalle befand. Freiwillig begab sie sich in eine Psychotherapie, die sie aus eigener Tasche finanzierte, weil sie nicht wollte, dass irgendjemand ihr eine Krankheitsdiagnose verpasste. In der Therapie setzte sie sich erstmals mit ihrer Familie auseinander. In kleinen, vorsichtigen Schritten erforschte sie, was mit ihr geschehen war.

Einmal fragte sie ihre Eltern: »Warum habt ihr mir das angetan?« Antwort: »Ach, es war eben eine schlimme Zeit.« Außerdem sagte sie zu ihrem Vater: »Ich werde nicht zu deiner Beerdigung kommen. Was soll ich trauern …« Er ignorierte es.

Und so schildert Elisa ein typisches Telefonat mit ihrer alten Mutter, die manchmal anruft und sich beschwert, dass sie nicht besucht wird.

»Mutter: Warum kommst du nicht? Ich bin doch auch für dich da!

Elisa: Ich spüre das aber nicht. Das muss dir doch auch so gehen. Du hast doch selbst gesagt: Als du mich bekommen hast, da ging alles drunter und drüber …

Mutter: Jaja, aber ihr seid doch alle Gottes Kinder. Warum besuchst du mich nicht?

Elisa: Weil wir uns nichts zu sagen haben. Es ist schade, du bist eine nette ältere Dame, aber wir haben uns nichts zu sagen.«

Elisas Abgrenzungen klingen hart. Aber sie sagt, sie muss es tun, um nicht wieder in das alte Familienklima hineinzugeraten.

Nicht von einer älteren Dame fühlt sie sich bedroht, sondern von deren Haltung: so zu tun, als sei alles in Ordnung – anstatt zu dem zu stehen, was Elisas Leben vergiftete. Mit ihrem Verschweigen wiederholt die Pfarrerswitwe ihr Verhalten von früher, als sie es versäumte, ihre Kinder zu schützen. Elisa kann sich dem nicht mehr aussetzen, weil es sie in die zerstörerischen Gefühle ihres frühen Traumas zurückschleudern würde. – Ihre Mutter tröstet sich damit, dass sie noch genug andere Kinder habe.

Aber so einfach, wie es jetzt vielleicht klingen mag, war es für die Tochter nicht, den für sie passenden Abstand zu finden. Natürlich sah sie auch die Hilflosigkeit ihrer Mutter, sah, was sie geprägt hatte, sah auch sie als ein Opfer der Schreckensherrschaft von Vater Reichel. Dazu kam: Elisa war Krankenschwester. Sie nahm die Verpflichtung, Schwächeren zu helfen, sehr ernst. Was sie viele Jahre bedrückte, war die Frage: Was mache ich, wenn die Eltern alt und schwach werden? Muss ich nicht für sie da sein, wenn ihnen etwas passiert?

Ihre Schwester Mechthild war diese verpflichtenden Gefühle gegenüber den Eltern nie losgeworden, obwohl *sie* es war, die Hilfe gebraucht hätte. Das Schicksal ihrer Schwester vor Augen, gewann Elisa schließlich die Einstellung: Wer immer gut zu den Eltern sein will, soll das tun – aber *ich* muss nicht diejenige sein.

In der Psychotherapie lernte sie zu begreifen, dass ihre plötzlichen Erinnerungslücken durch emotionalen Stress verursacht wurden, immer dann, wenn irgendwelche Auslöser – ein Geruch, ein Satz, eine Farbe – an das alte Trauma rührten, aber ohne dass dies erkennbar mit Erlebnissen ihrer Kindheit verknüpft war. Da sie merkte, dass sie der beruflichen Belastung nicht mehr gewachsen, beschloss sie, nur noch halbtags zu arbeiten.

»Sucht euch Ersatzeltern!«

Sechs Jahre lang wurde Elisa psychotherapeutisch begleitet. Es war eine Zeit der Aufarbeitung, des Nachreifens und der nachgeholten Bildung. Ihr Selbstwert stieg. Sie machte das Abitur nach und wurde Psychologiestudentin. Einiges von dem, was sie hörte, setzte sie um. Das war manchmal wie eine Ernte. Ein Professor hatte gesagt, es sei gut, sich Wahlverwandte zu suchen. »Er stand im Seminar und riet uns: Guckt euch an, was andere anders machen«, erinnert sich Elisa. »Wenn nötig, sucht euch Ersatzeltern. Da lernt ihr vielleicht die besseren Regeln, wonach ein Zusammenleben funktionieren kann.«

Es war ein Gedanke, den auch Elisas Tochter aufgriff. Mit 17 Jahren verließ sie die Wohnung ihrer Mutter und zog bei einer befreundeten Lehrerin ein. Viele Jahre gab es auf Wunsch der Tochter überhaupt keinen Kontakt mehr. Seit einiger Zeit kommen Mutter und Tochter, die inzwischen ein Baby hat, wieder zusammen. Sie treffen sich ein- bis zweimal im Jahr. Eine vorsichtige Begegnung. »Es ist, als wäre da zwischen uns nie etwas gewachsen«, gibt die Mutter offen zu. »Gefühlsmäßig ist das schwer zu fassen.« Mit ihrer Jüngsten könne sie sich viel leichter verständigen, vermutlich weil sie während der Pubertät beim Vater geblieben sei.

Ein weiterer Wendepunkt war für Elisa der Selbstmord ihrer Schwester Mechthild: Ihr Körper reagierte so heftig, wie sie es vorher noch nie erlebt hatte. Beide Schultern wurden steif, es kam zu einem Bandscheibenvorfall. Danach war sie eineinhalb Jahre krankgeschrieben. Ihr Körper schien das Gesundwerden zu verweigern.

Eine Besserung trat erst ein, nachdem Elisa ihre Form der seelischen Behinderung akzeptiert hatte und alles in die Wege leitete, um vorzeitig in den Ruhestand gehen zu können. »Es gibt Zeiten«, erklärt sie, »wo meine Schwierigkeiten und mein altes Elend mich wieder einholen, und dann brauche ich eine Auszeit. Wenn ich das berücksichtige, dann haut es mir nicht immer gleich die

Beine weg.« Es ist für sie hilfreich, sich vorzustellen: »Wenn ich zum Beispiel kriegsversehrt wäre und mir würde ein Bein fehlen, dann könnte ich auch nicht so schnell rennen wie die anderen.« Das habe sie sich gemerkt im Laufe der Jahre: Je weniger sie in ihren Tag hineinpacke, desto besser könne sie ihre Grenzen spüren.

Eine Amtsärztin hatte, als es darum ging, die Berufsunfähigkeitsrente zu begründen, in einem Gutachten geschrieben: »Die erlittenen Traumatisierungen von Frau Freiberg sind mit den Erlebnissen von KZ-Häftlingen durchaus vergleichbar und bilden eine ausreichende Voraussetzung für die Entwicklung einer posttraumatischen Persönlichkeitsveränderung.«

Jemand wie Elisa, deren Grenzen als Kind permanent verletzt wurden und die sich später ständig überforderte, musste vor allem lernen, die Warnsignale zu erkennen; merken, wann ihr etwas zu viel wird; nicht darauf schielen, was andere Menschen aushalten; sich abgrenzen, bevor sie zusammenbricht.

»Ich bin unglaublich anfällig für Störungen«, gibt sie zu. Ihre Töchter wüssten Bescheid, sie machten ihr deshalb keine Vorwürfe mehr. »Wenn jetzt die Kinder kommen, dann kann es passieren – wenn ich mich nicht ganz bewusst darauf einstelle –, dass ich plötzlich gefühlsmäßig auseinanderfalle ...« Dann ist sie tagelang nur noch heulendes Elend, außer Gefecht gesetzt. Dann muss sie sich völlig zurückziehen.

»Und das Schlimme ist, ich kann mich nicht erinnern, an welchem Punkt das eingesetzt hat, dieser Stress. Ich habe keine Anhaltspunkte dafür, was mir dann quergekommen ist.« Und darum bleibe jemand wie sie auch einsam, weil man bestimmte Sachen nicht machen könne, weil ihr dafür die Spontaneität fehle. Es sei ihr eben nicht möglich, auf jedes Zusammentreffen positiv zu reagieren. Sie müsse es vorher planen, nach einem geeigneten »Setting« suchen.

Und dennoch fühlt sie sich keineswegs vom Leben ausgeschlossen. Ängstlich sei sie nicht. Auch die schlimmsten Erfahrungen haben – wenn sie erst einmal überwunden sind – etwas

Gutes, das weiß sie. »Durch den frühen Elternverzicht habe ich notwendigerweise gelernt, mutig, flexibel und autark zu leben.« Vor allem auf ihren Reisen profitiert sie davon.

Nach unserem Gespräch war sie 400 Kilometer mit dem Fahrrad unterwegs, um Freunde zu besuchen und um das schöne Sommerwetter zu nutzen. »Mein Mann hatte keine Zeit, mich zu begleiten«, sagte sie mir am Telefon. »Da bin ich eben allein losgefahren.« Elisa besteigt ihr Fahrrad so selbstverständlich, wie andere ihr Auto starten.

Im Laufe der Jahre haben sie und ihr Mann ein Faible für Abenteuerurlaube entwickelt. Stets nehmen sie ihre Fahrräder mit. »Wir haben wunderbare Radreisen gemacht«, erzählt sie, »in Afrika, Südamerika, Indien, Thailand.« Zuletzt, auf Kuba, mussten sie 600 Kilometer auf der Autobahn fahren. Das war so nicht geplant; sie hatten gehofft, ein Fahrzeug würde sie mitnehmen, wenigstens einen Teil der Strecke, aber das geschah nicht. Denn auf Kuba mit seinem schlechten öffentlichen Transportsystem ist die Bevölkerung auf Mitfahrten in Lastwagen dringend angewiesen. Diese begehrten Plätze gegen Dollar den Touristen zu überlassen ist offiziell verboten.

In einem tropischen Land tagelang in den Abgasen von LKWs zu radeln verbucht die Sechzigjährige unter Frust. Wie sollte es auch anders sein? Gemessen an dem, was sie in ihrem Leben schon alles bewältigt hat, sind miserable Reisebedingungen etwas Lästiges, mehr nicht. Da strampelt man eben weiter, bis die Zeiten wieder besser werden.

ZEHNTES KAPITEL

Das Trauma, der Krieg und die Hirnforschung

Eine persönliche Katastrophe

Er war ein Bild von einem Mann, stark und mutig. Aber auch launisch konnte der Krieger sein, weshalb nicht immer auf ihn Verlass war, wenn die Kämpfe losgingen. Die Rede ist von Achilles – griechischer Held des Trojanischen Krieges. Nein danke, sagt er, als er wieder einmal aufs Schlachtfeld gerufen wird. An seiner Stelle zieht sein bester Freund in den Kampf. Als Achilles erfährt, dass Patroklos von Hektor getötet wurde, erfasst ihn ein mörderischer Zorn, der alle heiligen Gesetze beiseiteschiebt. Eindringlich beschreibt der griechische Dichter Homer die Verwandlung des Heros zur Bestie. Achilles metzelt Hektor nieder, bindet die Leiche an seinen Wagen und schleift ihn rund um die Stadt, vor den Augen der Trojaner, die auf der Stadtmauer stehen.

Sie war jung, unerfahren und verliebt in einen Prinzen, der nach dem Tod seines Vaters einen verwirrten Eindruck machte. Dann erleidet Ophelia mehrere schwere Verluste. Als Erstes verlässt sie ihr Bruder, der zu einer Reise mit unbestimmter Rückkehr aufbricht. Danach wird ihr Vater – wenn auch versehentlich – von Hamlet umgebracht. Und dann die nächste persönliche Katastrophe: Der Prinz trennt sich von ihr. Er habe sie nie geliebt, sagt er und fordert sie auf: »Geh ins Kloster!« Ophelia verliert den Verstand, sie ist für niemanden mehr erreichbar, singt und summt nur noch vor sich hin. Schließlich ertrinkt sie in einem Bach, und die Totengräber machen sich Gedanken darüber, ob es Selbstmord war oder nicht.

Schon lange bevor die naturwissenschaftliche Medizin es tat, beschäftigte sich die Kunst mit Menschen, die schwere seelische Verletzungen erlitten hatten und danach nicht mehr sie selbst waren. Große Dichter wie Homer und Shakespeare zeigten sich auffällig interessiert an extremen Belastungssituationen, in denen ihre Helden zu Tätern und zu Opfern wurden. Aber auch die zeitgenössische Literatur lässt sich davon faszinieren. Nur ist das Milieu heute eher glanzlos, der Held ein Nobody. In seinem Roman »Der menschliche Makel« zeigt Philip Roth kenntnisreich einen traumatisierten Vietnamveteranen namens Les, der mit seiner Selbsthilfegruppe in ein chinesisches Restaurant einkehrt: Hier soll er lernen, sich an die Nähe von schlitzäugigen Asiaten zu gewöhnen, ohne gewalttätig zu werden.

»Atmen, sagte Louie. Genau. Atmen, Les. Wenn du nach der Suppe nicht weitermachen kannst, gehen wir wieder. Aber die Suppe musst du schaffen. Es ist völlig in Ordnung, wenn du das zweimal gebratene Schweinefleisch nicht schaffst. Aber die Suppe musst du schaffen.« Jedesmal wenn der Kellner am Tisch Wasser nachschenkt, wird Les von einem Grauen gepackt, für das er keine Worte hat. Dennoch löffelt er tapfer die Suppe, ja er nimmt sogar das Hauptgericht in Angriff. Aber dann passiert es: Als sich der Kellner erneut der Gruppe nähert, wird Les von einem starken Zittern überfallen, er springt auf, geht dem Mann an die Gurgel. Er ist wieder im vietnamesischen Dschungel …

Das Abgründige, das Böse in Menschen zu erkennen, zu beschreiben und, wenn möglich, seine Herkunft zu erklären hat Schriftsteller interessiert, seit Dramen und Romane geschrieben werden. Schuld, Leid, Gier und die Enge der Konventionen waren die Komponenten, die menschliches Handeln zu Verbrechen entgleisen ließen. Im 19. Jahrhundert dann rückten die sozialen Verhältnisse ins Blickfeld der Dichter und Romanciers. Einer der schärfsten Kritiker des Elends in den Londoner Armenvierteln war Charles Dickens. Ihm verdanken wir erschütternde Einblicke in die damaligen Waisenhäuser, wo die Kinder wie Leibeigene gehalten wurden, sowie präzise Beschreibungen der organisierten Kinderkriminalität: die Welt der kleinen Taschendiebe, die von erwachsenen Gangstern ausgebeutet wurden.

Es begann mit der Eisenbahn

Mit der Industrialisierung kamen die Fabriken, die Eisenbahnen und die Idee des Klassenkampfes – und genau hier beginnt die Geschichte der Traumaforschung. Warum? Was hatte sich verändert? – Knapp gesagt: die Unfälle.

Wenn früher eine Reisekutsche umkippte, lag die Zahl der Opfer vergleichsweise niedrig. Als es jedoch der Dampfmaschine gelang, große Energiemengen zu bündeln und bis dahin ungeahnte Kräfte zu entwickeln, konnte ein Zusammenstoß verheerende Folgen haben. Aufgrund der radikal veränderten Lebensumstände im Zuge der Industrialisierung war bei den Armen ein neues gesellschaftliches Bewusstsein entstanden. Die alte Formel der Selbstbeschwichtigung »Das war schon immer so, dagegen kann man nichts machen« funktionierte nicht mehr, mit der Folge, dass die Massenunfälle auf den Schienen und in den Fabriken nicht mehr als Schicksal hingenommen wurden.

So entstand die Haftpflicht. Erstmals wurden in England vor Gericht Regressforderungen ausgefochten, für die medizinische Gutachten nötig waren. Die Eisenbahngesellschaften und die Unternehmer sollten den Angehörigen der Toten und den verkrüppelten Opfern Entschädigungen zahlen. Aber nicht nur ihnen: Zunehmend wurden auch zahlreiche Unfallopfer sichtbar, die, obwohl körperlich unverletzt, nicht mehr in der Lage waren zu arbeiten und damit die Familie zu ernähren.

In seinem Buch »Geschichte der Eisenbahnreise« erzählt Wolfgang Schivelbusch von einem Brief, den der Schriftsteller Charles Dickens unter dem Eindruck eines Zugunglücks verfasst hatte. Er schilderte die trümmerübersäte Unfallstelle und seine eigenen günstigen Umstände, die ihn unverletzt ließen, weshalb er in der Lage war, anderen Reisenden zu helfen. Dickens gab auch Auskunft über seine innere Befindlichkeit: »Ich pflege hier sehr viel der Ruhe. Meine Gemütsverfassung ist normalerweise, wie soll ich sagen, durchaus robust (so meine ich wenigstens), und ich war zur Zeit des Unfalls nicht im geringsten erregt. Ich erinnere mich augenblicklich, daß ich noch ein Manuskript bei mir hatte, und ich kletterte zurück in den Wagen, um es zu holen. Indem ich jedoch diese wenigen Worte der Erinnerung niederschreibe, fühle ich mich überwältigt und muß den Brief abbrechen. Ihr ergebener Charles Dickens.«

Anschließend zitiert Schivelbusch einen Amerikaner, der 1835 auf der Strecke Manchester–Liverpool ein vergleichsweise kleines Eisenbahnunglück heil überstand, jedoch später Mühe hatte, auf einer Brücke stehen zu bleiben, während sich unten ein Zug näherte: »Ich konnte seinen Anblick nicht mehr ertragen und wollte weglaufen, denn ich fürchtete, er würde die Brücke unter mir wegtragen. Unwillkürlich schauderte ich und war nicht in der Lage, ihm mit meinen Augen weiter zu folgen. Aber kein Unfall erfolgte, außer in meiner Phantasie.«

Mit dem Schrecken davongekommen, könnte man sagen. Es gab aber auch die anderen Opfer, die sich nicht mehr erholten. Seit den Sechzigerjahren des 19. Jahrhunderts ist aktenkundig, dass Unfallgeschädigte in England vor Gericht über Zittern, Schlafstörungen, Konzentrationsschwäche und überfallartige Erinnerungen der erlebten Schrecken klagten, weshalb ein normales Arbeitsleben nicht mehr möglich sei. Darum forderten sie eine Entschädigung im Rahmen der Haftpflicht.

Das Neue für die Medizin war, dass eine äußerst gemischte Gruppe, obwohl körperlich gesund, über die gleichen Beschwerden klagte. Die Zugkatastrophen trafen jeden, ob jung oder alt, arm oder reich. Die Engländer, die auf finanzielle Wiedergutmachung pochten, besaßen nur eine einzige Gemeinsamkeit: dass sie mit der Eisenbahn verunglückt waren. Für die Gutachter wurde die Situation schwierig, denn die Symptome konnten nicht mehr einem ungesunden Lebensstil zugerechnet werden – wie etwa der schlechten Ernährung der Fabrikarbeiter.

Die Medizin stand grundsätzlich vor einem Problem, galt doch eine Verletzung nur dann als real (und dies noch weitere hundert Jahre), wenn sich eine körperliche Beeinträchtigung zeigte. Trauma bedeutet im Griechischen »Wunde«, hat also mit der Seele nichts zu tun. Mit Trauma bezeichnet man eine unerwartete gewaltsame Einwirkung auf den Körper, so wie man es aus dem Begriff »Schleudertrauma« kennt, das bei Verkehrsunfällen entstehen kann.

John Eric Erichsen, der als medizinischer Gutachter bei den Eisenbahnprozessen in London auftrat, entwickelte die These, dass das Rückenmark in der Wirbelsäule durch den Aufprall erschüttert worden sei, weshalb in damaligen Zeitungsberichten der Begriff »railway spine« auftauchte. »Es muß jedermann klar sein«, schrieb Erichsen in einem Gutachten, »daß der Schock in keinem gewöhnlichen Unfall so groß sein kann wie bei Eisenbahnunfällen. Die Geschwindigkeit und die Wucht, mit der der Zug und das in ihm sitzende Opfer dahinrasen, die plötzliche Hemmung, die Hilflosigkeit der Verletzten und die ganz natürlich daraus folgende Verwirrung des Bewußtseins, der sich auch der Furchtloseste nicht entziehen kann – all das sind Umstände, welche die Heftigkeit der daraus folgenden Verletzung des Nervensystems verschärfen, und man muß diese Fälle daher als irgendwie unterschieden von den gewöhnlichen Unfällen betrachten.«

Es gab aber auch schon Gutachter, die den Schreck und den Schock verantwortlich machten und vom »railway brain« sprachen, vom »Eisenbahngehirn«. Damit befanden sie sich, wie heute die Hirnforschung zeigt, durchaus auf der richtigen Spur.

Im Jahr 1871 wurden in Deutschland die ersten Gesetze zur Haftpflicht erlassen. Auch hier kam es zum Streit der Gutachter vor Gericht. Der Neurologe Hermann Oppenheim sprach als Erster von einer traumatischen Neurose, konnte aber auch sie nicht von einer organischen Ursache trennen. 1889 veröffentlichte er seine Überzeugung: »Aus den körperlichen Veränderungen heraus entwickeln sich seelische Symptome.« Wissenschaftlich untermauert waren derartige Aussagen nicht. Menschen, die als Unfallopfer anerkannt werden wollten, wurden in den meisten Fällen als Simulanten diffamiert. Man unterstellte ihnen, sie wollten die Versicherung betrügen.

Gerichtsmediziner schlugen Alarm

Neben den Streitpunkten Eisenbahnunfälle und Haftpflicht gibt es noch einen zweiten historischen Strang, der zur Beschäftigung mit dem Psychotrauma führte. Mitte des 19. Jahrhunderts hatten Gerichtsmediziner in Frankreich, erschrocken über die große Zahl von Kindestötungen, in denen sie Sexualverbrechen sahen, entsprechende Kriminalstatistiken zusammengestellt.

Dass der sexuelle Missbrauch bei Kindern im Erwachsenenalter Anfälle verursachte – später als »Hysterie« bekannt –, war eine Hypothese, unter der auch an dem renommierten Pariser Krankenhaus, der Salpêtrière, geforscht wurde. Federführend war der Neurologe und Psychiater Jean Martin Charcot. Er gilt als Entdecker der Psychogenese, sprich: der Lehre von der Entwicklung der Seele und des Seelenlebens. Seine Forschung wurde wiederum zur Initialzündung für Sigmund Freud, der an der Salpêtrière als Volontär arbeitete. Charcot wie auch sein deutscher Kollege Oppenheim sahen die Hysterie als eine – wie man sie heute nennen würde – posttraumatische Belastungsstörung an.

Die Forschung über unverarbeitete seelische Verletzungen durch Kindesmisshandlung und sexuellen Missbrauch wurde vor allem von dem Charcot-Schüler Pierre Janet vorangetrieben. Aber als Randerscheinung der Medizin wurde sie kaum beachtet und schließlich vergessen. Man kann sagen: Janets Arbeit fiel einem Dornröschenschlaf anheim, bis sie in den Achtzigerjahren des 20. Jahrhunderts wiederentdeckt wurde.

Freud machte sich zunächst die Einschätzung von Charcot und Janet zu eigen. Später allerdings, nachdem er damit in Wien eisige Ablehnung erfahren hatte, was er auch durch einen Rückgang der Überweisungen zu spüren bekam, revidierte er seine Theorie. Nun betrachtete er den sexuellen Missbrauch nicht mehr als etwas Reales, sondern der Phantasie seiner Patientinnen entsprungen, und dies wiederum führte zu den folgenschweren Irrtümern der Psychoanalyse.

War sich der Meister selbst in dieser Frage vielleicht doch nicht hundertprozentig sicher gewesen, so ignorierten seine Jünger Freuds Zweifel vollständig. Sie erhoben die Missbrauchsphantasie zum psychologischen Gesetz.

Allerdings, gibt der Traumaforscher Ulrich Sachsse, Göttingen, zu bedenken, habe die Psychoanalyse mit dieser Position nicht allein dagestanden. In einem viel beachteten Vortrag verwies er darauf, dass es in Frankreich eine ähnliche Entwicklung gegeben habe. »Es gab viele Gegenstimmen gegen diejenigen, die sagten, daß Kindesmißbrauch weit verbreitet sei und daß man gerichtlich einschreiten müsse. Es gab viele, die meinten, das seien alles Phantastereien; insbesondere als dann auch geachtete Männer angezeigt wurden und nicht nur Leute aus Randgruppen, hieß es schnell, das seien alles Spinnereien. Die Frauen, die solche ›Phantasien‹ von sich gaben, kamen in die Psychiatrie als seelisch Verwirrte, und das Thema war damit begraben.«

Ein hartnäckiges gesellschaftliches Tabu hatte wieder die Oberhand gewonnen – bis es, etwa ab 1980, von der internationalen Frauenbewegung vehement und erfolgreich öffentlich zur Diskussion gestellt wurde. Die Beschäftigung mit dem Psychotrauma reicht also weit zurück, aber es gibt keine durchgehende Tradition. Das zeigt auch die Medizingeschichte der Kriegstraumatisierten.

Die Forschung beginnt im Ersten Weltkrieg. »Kriegszitterer« wurden sie genannt, weil sie, solange sie an der Front waren, ihr Zittern nicht abstellen konnten. Auch hier wurde wieder ähnlich argumentiert wie im Fall der Unfallopfer, auch hier wurde wieder von Simulanten gesprochen. Wer als Drückeberger galt, musste zurück an die Front, zur Strafe genau dorthin, wo sie am gefährlichsten war, wo Soldaten kaum eine Überlebenschance hatten.

Massentod in den Schützengräben

Dennoch kam es vor, dass eine ernsthafte Verletzung in Erwägung gezogen wurde. Man ging auch hier wieder von einer Erschütterung der Wirbelsäule aus, die durch den sogenannten Granatenschock ausgelöst worden sei. Heute sieht man die Ursache im Wesentlichen in der Art der Kampfhandlungen. Als militärisches Novum hatte der Erste Weltkrieg die Schützengrabengefechte eingeführt, und damit waren die Soldaten der absoluten Hilflosigkeit preisgegeben; sie hockten bereits in ihrem eigenen Grab. Ob sie überlebten oder nicht, hatte nichts mehr mit Kampf und Können zu tun, sondern mit statistischer Wahrscheinlichkeit. An manchen Gefechtstagen starben 50 000 junge Männer.

Schützengräben und massenhafter Tod waren auf allen kriegführenden Seiten anzutreffen, und so auch die Zitterer. Militärpsychiater aller beteiligten Nationen behandelten sie – oder besser: misshandelten sie – mit Kaltwassertherapien und Elektroschocks. Das veranlasste viele Kranke, dem Militärlazarett zu entfliehen, weshalb sie sich kurz darauf an der Front wiederfanden, wo das Zittern erneut einsetzte.

Was der Erste Weltkrieg in ihrem Vater anrichtete, machte die englische Schriftstellerin Doris Lessing deutlich, indem sie seinen Erzählstil analysierte. »Seine Erinnerungen an Kindheit und Jugend blieben flüssig, Neues kam hinzu, sie wuchsen, wie lebendige Erinnerungen es tun. Doch seine Erinnerungen an den Krieg waren zu Geschichten geronnen, die er wieder und wieder erzählte, mit denselben Worten und Gesten, stereotype Phrasen … Für diese dunkle Region in ihm, wo das Schicksal herrschte, wo nichts galt außer dem Schrecken, gab es nur undeutliche Ausdrucksformen, kurze, bittere Ausbrüche von Wut, Unglauben, Verrat.«

Lessings Vater glaubte, dass er großes Glück gehabt hatte, weil er im Schützengraben nur ein Bein verlor, während alle anderen Männer seiner Kompanie umgekommen waren. Interessant ist, dass nach dem Ersten Weltkrieg traumatisierte Soldaten in großer Zahl an die Versicherungen herantraten und Ansprüche stellten, und dies auch wieder in allen beteiligten Ländern. Das war zu viel. Das war nicht zu finanzieren, schon gar nicht während der Weltwirtschaftskrise. In Deutschland kam es zu einem Beschluss des Reichsversicherungsamtes, der alle Ansprüche ein für alle Mal für unberechtigt erklärte. Traumaforscher Sachsse sprach in diesem Zusammenhang von einem perfiden Argumentationsmuster, das lautete: »Sobald jemand eine Rente beantragt, hat er einen sekundären Krankheitsgewinn, der die Ursache stabilisiert und verstärkt, und das spricht dagegen, daß er bezugsberechtigt ist. Das ist ein hervorragender, geradezu klassischer Double bind, aus dem es ja kein Entrinnen gibt: In dem Moment, in dem Menschen mit solchen Symptomen einen Rentenantrag stellen, sind sie Rentenneurotiker und haben deshalb keinen Rentenanspruch.«

Heute allerdings, so Sachsse, sei der Blickwinkel der Wissenschaft ein anderer. Ihr sei an Fragen der historischen Tiefenwirkung gelegen: »Man erforscht zur Zeit, welche Effekte diese Massentraumatisierungen möglicherweise auf die Geschichte der Nachkriegszeit, auf die Zeit 1920/1930 und die Katastrophe des Zweiten Weltkrieges hatten.« Es geht also um die Auswirkungen kranker Kollektive auf das politische Handeln nach 1918. Auf die Ergebnisse darf man gespannt sein.

Im Zweiten Weltkrieg dann versuchten die Amerikaner und Briten, anders mit dem Problem Trauma umzugehen. Als vorbeugende Maßnahme wurde die Gruppentherapie eingeführt. So entstanden therapeutische Gemeinschaften für Soldaten. In Deutschland beschränkte sich die Vorsorge an der Front darauf, reichlich Alkohol und Pervitin zu verteilen, um den Angstpegel herabzusetzen.

Über die Situation in der Nachkriegszeit, als medizinische Gutachter vor deutschen Gerichten die größten Anstrengungen unternahmen, um die Ansprüche von Holocaustüberlebenden und ehemaligen KZ-Häftlingen abzuwehren, ist bereits im zweiten Kapitel berichtet worden.

Wirklich effektiv wird die Traumaforschung erst nach dem

Vietnamkrieg. Man schätzt, dass sich bei einer Million Veteranen nach ihrer Heimkehr – teilweise Monate oder auch Jahre später – schwere psychische Beeinträchtigungen zeigten. Die ehemaligen Vietnamsoldaten schlossen sich in mächtigen Interessenverbänden zusammen. Außerdem profitierten sie von der Unterstützung durch ihre Angehörigen, die nicht müde wurden, in der Öffentlichkeit zu verkünden: Unser Sohn war einmal anders, lebensfroh und tüchtig. Heute ist er nicht wiederzuerkennen; ein energieloses Bündel, ohne jede Motivation.

Es traten auch amerikanische Ehefrauen auf, die bezeugten: Früher war mein Mann der fürsorglichste Vater, den man sich vorstellen kann. Heute ist er völlig verantwortungslos, und er schlägt schnell zu.

Traumaforschung weltweit

Die erschreckende Zunahme von Depressionen und Gewalttätigkeit in einer ganzen Generation führte schließlich zu neuen Ansätzen in der Traumaforschung wie auch in der Behandlung. Weltweit wurden seitdem Opfer untersucht: Menschen aus politischen Krisengebieten, nach Flucht und Genozid, aber auch nach Erdbeben und Flugzeugabstürzen.

Aufschlussreich sind in diesem Zusammenhang die Untersuchungen, die nach der Entführung der Lufthansa-Maschine »Landshut« nach Mogadischu gemacht wurden. Für ein Viertel der Passagiere war das traumatische Ereignis nach einer Woche verarbeitet; etwa die Hälfte litt an einer akuten posttraumatischen Belastungsstörung, die ein halbes Jahr anhielt. Bei einem weiteren Viertel hatten sich schwere chronische Beschwerden eingestellt. Sie waren ihr Trauma nicht mehr losgeworden.

Um »traumatische Erfahrungen deutscher Flüchtlinge am Ende des Zweiten Weltkrieges und heutige Belastungsstörungen« ging es in einer Untersuchung, die 1999 veröffentlicht wurde. Die Hamburger Psychologinnen Frauke Teegen und Verena Meister stellten fest, dass etwa 5 Prozent der 250 Menschen, die sich an ihrem Forschungsprojekt beteiligt hatten, unter voll ausgeprägten posttraumatischen Belastungsstörungen leiden und weitere 25 Prozent unter einer teilweise ausgebildeten Störung, vor allem unter den Schreckensbildern, die sie nicht loslassen.

Wie neuere Studien nachgewiesen haben, kann ein Trauma aber auch jahrzehntelang »ruhen«. Das heißt: ein Mensch ist über diesen Zeitraum völlig beschwerdefrei und leistungsfähig, sodass ihm seine schwere Kindheit überhaupt nicht mehr in den Sinn kommt – und plötzlich tauchen unerklärliche Symptome auf wie Ängste, Depressionen, Wahrnehmungsverzerrungen. Manchmal sind die Verbindungen zur Vergangenheit klar erkennbar, zum Beispiel, als der Kosovokonflikt und die NATO-Bomben auf Belgrad und später der 11. September 2001 bei vielen Deutschen alte Ängste aufrührte.

Auf einer Tagung, die stattfand, während die Amerikaner Bomben in Afghanistan abwarfen, trat plötzlich im Plenum ein weißhaariger Mann auf, der das pure Entsetzen verkörperte. Er stand da, am ganzen Körper zitternd, und brachte, sich ständig wiederholend, seine Fassungslosigkeit über das »Flächenbombardement der Amerikaner« zum Ausdruck.

Immer wieder sprach er vom »Flächenbombardement in Afghanistan«; er konnte sich von dem Begriff gar nicht mehr lösen – obwohl afghanische Städte davon überhaupt nicht betroffen waren. Aber *seine* Stadt hatte es getroffen, als er mit 14 Jahren Flakhelfer gewesen war. Schließlich gelang es ihm, unter großen Mühen zu erzählen, dass er nach einem »Flächenbombardement der Amerikaner« einem »Schnellkommando« zugeteilt worden sei, das Massen von Leichen aus einem zerbombten Stadtteil bergen musste. Tagelang.

Seine Frau erzählte mir später, ihr Mann habe bis zum Angriff auf Afghanistan keine Probleme mit seinen Kriegserfahrungen gehabt. Es war das erste Mal, dass ich einen Menschen erlebte, der von seinem alten Trauma eingeholt wurde. Ich sehe den Mann immer noch vor mir, zierlich, weißhaarig, zitternd, in einem jugendlichen roten Benetton-Pullover – zurückgebeamt in eine Zeit, die fast sechzig Jahre zurückliegt.

Der Traumaforscher Gereon Heuft, Münster, hat in seinen Untersuchungen herausgefunden, dass Traumata aus der Kindheit häufig auch durch den Prozess des Alterns reaktiviert werden. Er weiß von älteren Patienten zu berichten, die sich – wenn die Kraft nachlässt und der Körper ihnen nicht mehr gehorcht – wieder so verstört und ausgeliefert fühlen, wie sie es als Kinder erfahren haben. »Es hat sich gezeigt«, sagt Heuft, »daß in einem Abstand von dreißig Jahren und länger das Trauma plötzlich reaktiviert werden kann.« Meistens seien diese Zusammenhänge dem Kranken selbst nicht bewusst. Umso wichtiger, meint der Wissenschaftler, dass die Erkenntnisse über Traumareaktivierung in medizinischen Kreisen beachtet werden.

In ihrem Buch »Die Narben der Gewalt« bestätigt Judith Lewis Herman das seelische Phänomen, dass der Zusammenhang zwischen traumatischen Symptomen und ihrem Auslöser verloren gehen könne – dass die Symptome sich verselbstständigen. »Traumatische Ereignisse bewirken tiefgreifende und langfristige Veränderungen in der physiologischen Erregung, bei Gefühlen, Wahrnehmung und Gedächtnis. Überdies werden diese normalerweise aufeinander abgestimmten Funktionen durch ein traumatisches Ereignis manchmal voneinander getrennt. Der Traumatisierte empfindet beispielsweise intensive Gefühle, kann sich aber nicht genau an das Ereignis erinnern; oder er erinnert sich an jedes Detail, empfindet aber nichts dabei. Er ist vielleicht ständig gereizt und wachsam, ohne zu wissen, warum.«

Gerade dann, wenn Menschen keinerlei Erinnerung an den Krieg besitzen, weil sie damals noch zu klein waren, kann es bei unklaren Diagnosen sinnvoll sein, genaue Informationen über die frühen Lebensbedingungen zu sammeln. Der Satz: »Als Kleinkind hat man es gut – man vergisst so schnell« taugt vielleicht zur Selbstbeschwichtigung, zu mehr nicht. Nur der zweite Teil stimmt, der erste nicht. Je kleiner Kinder sind, desto eher fühlen sie sich bedroht und desto schneller stellt sich Todesangst ein.

Peter A. Levine macht das in seinem Buch »Trauma-Heilung. Das Erwachen des Tigers« an einem einfachen Beispiel deutlich. »Wenn ein Mensch allein in einem kalten Raum zurückgelassen wird, so ist das für ein Baby mit ziemlicher Sicherheit katastrophal, für ein Krabbelkind beängstigend, für ein zehnjähriges Kind belastend und für einen Jugendlichen oder Erwachsenen möglicherweise nur etwas unangenehm.«

Was Kinder instinktiv wissen

Die Anfälligkeit für Traumatisierungen hat vor allem mit dem Grad des Ausgeliefertseins zu tun. Dennoch, die guten Nachrichten überwiegen. Die meisten Menschen sind in der Lage, lebensbedrohliche Erlebnisse wie Unglücke oder Überfälle nach ein paar Wochen oder Monaten zu verarbeiten. Sie tun dies, grob unterteilt, auf zwei unterschiedliche Arten: indem sie sich gegen die Erinnerungen abschotten, was am besten durch gezielte Ablenkung gelingt, oder indem sie ständig darüber reden und sich gedanklich damit beschäftigen. Kinder tun es, indem sie den Schrecken immer wieder malen oder ihn im Spiel verarbeiten, indem sie die Rolle des Angreifers übernehmen – genau in der Art, wie Margarete Jehn ihre Freundin Leni beschrieb. Die Kindheitserinnerungen gehören zu einer Sammlung von Texten, die Heinrich Böll unter dem Titel »Niemands Land« herausgab.

> Leni Zapf, mit ihren elf Jahren schon aus einem halben Dutzend Städten herausgebombt, kennt die Sprengkraft von Luftminen. Sie weiß über alle Bombentypen, alle Arten von Spreng- und Brandbomben Bescheid, und sie weiß auch, in welchen Kombinationen sie am häufigsten abgeworfen werden. Stundenlang muß ich mit ihr »Großangriff« üben. Leni heult den Vollalarm. Leni greift an. Während sie mir als feindlicher Bomberverband die Hölle heiß macht, verteidige ich mein Leben mit Wasser und Sand, Schaufel

> und Spaten, Beil und Stemmeisen, bin ich schnell und umsichtig und nie verzagt, bis Leni Entwarnung heult. Dann erst läßt sie mich aus den Augen, dann erst entspannt sich ihr Gesicht, dann erst glaubt sie, daß sie auch aus einer siebten Stadt noch heil herauskommen würde, und ich kann den Rest des Tages andere Spiele mit ihr spielen.

In Deutschland gab es einen beliebten Kinderreim, der die Warnungen vor Luftangriffen im Radio persiflierte:

> Achtung – Achtung! Ende – Ende!
> Überm Kuhstall sind Verbände.
> Überm Schweinestall sind Jäger.
> Morgen kommt der Schornsteinfeger.

Kinder wissen instinktiv, dass sie Bedrohungen am besten verkraften, wenn sie in Gemeinschaft mit anderen das Geschehen nachspielen. Meistens sind sie in der Lage, auf diese Weise ihr seelisches Gleichgewicht wiederherzustellen.

Grundsätzlich gilt: Halten nach einem Trauma die Beschwerden an, wird von einer posttraumatischen Belastungsstörung (PTBS) gesprochen. Sie gilt heute als eine von der Weltgesundheitsorganisation WHO anerkannte Krankheit. Es sind also wissenschaftliche Kriterien, die der Diagnose zugrunde liegen. Hier ein paar typische Merkmale:

- wiederkehrende belastende Erinnerungen und Träume,
- das Gefühl, als würde das traumatische Ereignis in der Jetztzeit erneut auftreten – ein Überfluten, das als »Flashback« bezeichnet wird,
- oder ein bewusstes Vermeiden von allen Gedanken, Gefühlen, Gesprächsinhalten, die mit dem Trauma in Verbindung stehen,
- ein Vermeiden von entsprechenden Orten, Menschen oder Aktivitäten,
- Erinnerungsverlust.

Dazu kommen anhaltende Symptome wie Schlafstörung, Reizbarkeit oder Wutausbrüche, Konzentrationsschwäche, übertriebene Wachsamkeit und Schreckhaftigkeit, Ängste und Panikreaktionen.

Nicht eine einzelne Befindlichkeitsstörung weist schon auf ein Trauma hin, sondern Mehrfachnennungen aus einer jeweiligen Liste. So steht es in den Katalogen mit Diagnosekriterien, die in den vergangenen zwanzig Jahren öfter modifiziert wurden. Auch wird klar unterschieden, ob es sich bei dem Erlebten um eine einmalige Bedrohung handelte oder um eine Summe belastender Ereignisse, die dann irgendwann den »seelischen Reizschutz« überfluteten, wie Sigmund Freud sich ausdrückte, oder um jahrelang anhaltende Gewalt, zum Beispiel durch Krieg, Verfolgung oder durch Misshandlung und sexuellen Missbrauch in der eigenen Familie.

Traumatherapeuten haben gelernt, bei Depressionen, Sucht oder einer Borderline-Symptomatik genauer hinzuschauen, denn hier kann eine extreme Traumatisierung zugrunde liegen. Außerdem hat sich gezeigt, dass eine lange Kette von Gewalterlebnissen möglicherweise die Persönlichkeit verändert – wie erstmals bei den Vietnamveteranen wissenschaftlich dokumentiert wurde. Folgende Merkmale sind dafür bezeichnend:

- misstrauische oder feindselige Haltung gegenüber der Umwelt,
- sozialer Rückzug,
- Gefühle der Leere und der Hoffnungslosigkeit,
- Nervosität als ein Gefühl des ständigen Bedrohtseins,
- sich in seinem Körper nicht zu Hause fühlen.

Wissen Therapeuten genug?

Die Behandlung von Traumapatienten verlangt nach Therapeuten, die sich damit auskennen. Was wie eine Banalität klingt, ist so selbstverständlich nicht, jedenfalls nicht in Deutschland, wo das Thema in Fachkreisen im Vergleich zu den USA mit zehn bis 15 Jahren Verspätung diskutiert wird. Die beiden von den Krankenkassen akzeptierten Behandlungsmethoden – die Verhaltens- und die tiefenpsychologisch fundierte Therapie – sind nicht automatisch hilfreich. Sie können auch schaden. Die Traumaexpertin Luise Reddemann, Bielefeld, die ich für eine WDR-Sendung interviewte, rät Patienten, sich nur solchen Therapeuten anzuvertrauen, die eine entsprechende Ausbildung nachweisen können.

In den traditionellen Verfahren, so Reddemann, werde zu wenig für ein Gegengewicht gesorgt. »Man darf sich nicht immer nur mit diesen schrecklichen Sachen beschäftigen. Sondern man muss gucken: Gab's auch irgendwas Erfreuliches, oder kann ich mir zumindest jetzt Freude in mein Leben holen? Wenn das nicht geschieht, dann schleicht sich immer mehr Verzweiflung ein.«

Offenbar mangelt es an Behutsamkeit und Fürsorge für die Patienten. Reddemann, die bekannteste deutsche Ausbilderin in der Traumabehandlung, beschreibt eine verblüffende Unbekümmertheit bei Therapeuten, die sich mit dem Psychotrauma nicht auskennen und dennoch glauben, das Richtige zu tun, nach der Devise: Es ist gut, wenn darüber geredet wird. Luise Reddemann meint dazu: »Das stimmt nicht. Es geht hier um Minen! Und wenn man Minen heben will, braucht man Spezialwissen, oder man beauftragt dafür einen Spezialisten.« Vor allem dann, wenn es um lange zurückliegende Kindheitsschrecken geht. Andernfalls kann es geschehen, dass Depressionen eher zu- statt abnehmen oder dass Patienten immer ängstlicher oder verwirrter werden.

»Wenn das passiert, kann man doch schon vermuten, dass es nicht gut für sie läuft«, sagt Reddemann und warnt ausdrücklich vor Therapeuten, die in solchen Situationen die Behandlungsstunden aufstocken wollen, anstatt sich die Frage zu stellen, ob ihr Handwerkszeug den Problemen überhaupt gewachsen ist. Unter Traumafachleuten herrscht der Konsens, dass Patienten und Patientinnen als kompetente, verantwortliche Partner im therapeutischen Geschehen angesprochen werden. Sie sollen sich mit den belastenden Erlebnissen erst dann beschäftigen, wenn sie dazu stabil genug sind. Sie müssen lernen, die Kontrolle über ihre Gefühle zu behalten. Das Regredieren, also das Zurückfallen in kindliche Empfindungswelten, ist nicht erwünscht.

In ihrem Buch »Imagination als heilsame Kraft« bietet Luise Reddemann eine ganze Sammlung an Stabilisierungsübungen für Traumaopfer an, die auch grundsätzlich in stressreichen Lebenssituationen hilfreich sein können. Einen einfachen Weg, die einzig richtige Traumatherapie, gibt es nicht, dafür sind die Folgen seelischer Verletzungen zu komplex. Man setzt stattdessen auf eine Vielfalt der Methoden, die teilweise mit den Instrumenten der Hirnforschung überprüft werden. In den vergangenen zwanzig Jahren ist eine fruchtbare Verbindung zwischen Humanwissenschaften und Naturwissenschaften gewachsen, die schon heute die Heilungschancen bei Psychotraumata enorm gesteigert hat.

Dank moderner bildgebender Verfahren wie der Positronenemissionstomografie – abgekürzt PET – können Neurobiologen in das Gehirn hineinschauen, ohne dafür die Schädeldecke öffnen zu müssen. Es ist also möglich geworden, zuzusehen, wie Gedanken durch den Kopf huschen. Heute weiß man: Keineswegs ist das Gehirn bei Abschluss der Entwicklungsphase fertiggestellt – wie ein Auto, das vom Produktionsband kommt und danach nur noch älter und unzuverlässiger wird. Nein, das Gehirn bleibt plastisch, entwicklungsfähig, also auch lernfähig.

Was der Mensch erlebt, seine Beziehungen, seine Erfahrungen mit Umwelt und Gesellschaft und wie er sie bewertet, für all dies finden sich im Gehirn Spuren. Der amerikanische Neurologe Antonio R. Damasio nennt es die Fähigkeit des Gehirns, etwas abzubilden oder zu repräsentieren. Die Nervenzellen repräsentieren Zustände oder Ereignisse, die anderswo im Körper stattfinden oder die der Mensch außerhalb seiner selbst wahrgenommen und in sich aufgenommen hat. Fazit: Erleben formt das Gehirn. Wenn Gedanken sich im Langzeitgedächtnis ablagern, bewirken sie messbare Vergrößerungen der Synapsen – jener Verbindungsstücke, durch die zwei Nervenzellen Informationen austauschen. So lässt sich zum Beispiel das Erlernen der Blindenschrift als Veränderungen im Gehirn nachweisen.

Das Fehlen der Worte

Die größte Leistung unseres Gehirns besteht im Verarbeiten von Informationen. Milliarden sogenannter Sinnesdaten strömen täglich auf uns ein. Da nur ein winziger Anteil bewusst registriert und gespeichert werden kann, müssen im Gehirn die Prioritäten herausgefiltert werden. Das Ordnen und Auswählen geschieht in verschiedenen, an der Wichtigkeit orientierten Stufen. PET-Untersuchungen haben gezeigt, dass die unter traumatischen Extremsituationen aufgenommene Information anders gespeichert wird als die üblichen »Alltagsinformationen«. Den Studien zufolge scheint die unter der Extrembelastung aufgenommene Information regelrecht im Verarbeitungssystem steckenzubleiben.

Patienten besitzen häufig keine Worte für das, was ihnen widerfahren ist. Ihre Erinnerung besteht aus Fragmenten. Bilder tauchen auf, Gerüche oder Geräusche, verbunden mit überwältigenden Gefühlen, was man ungenau als Halluzination bezeichnen könnte. Tatsächlich handelt es sich dabei um die für Traumatisierte typische Flashback-Symptomatik, die durch bestimmte Reize ausgelöst werden kann. Die Patienten werden von Erinnerungsfragmenten geradezu überschwemmt, sie können zwischen Vergangenheit und Gegenwart nicht mehr unterscheiden.

Untersuchungen mit bildgebenden Verfahren machten deutlich: Während eines Flashbacks ist im Wesentlichen die rechte Gehirnhälfte aktiviert; besonders gilt das für Regionen, die für das Verarbeiten emotionaler Informationen wichtig sind. Auf der linken Seite dagegen ist die Aktivität schwach, vor allem in der Umgebung des Broca-Areals, dessen Aufgabe darin besteht, Erfahrungen in Worte zu fassen. Bei schweren Traumatisierungen stehen wesentliche Funktionsbereiche der beiden Gehirnhälften nicht mehr ausreichend in Verbindung.

Es gibt also eine wissenschaftliche Bestätigung dafür, dass Patienten ihr Überflutetwerden nicht beschreiben, sondern, wie häufig beobachtet wird, nur ängstlich zitternd über sich ergehen lassen können.

Dies ist auch der Grund, warum so viele Patienten zunächst über den Kommunikationsweg Sprache nicht zu erreichen sind und warum das unbedachte »Darüberreden«, das therapeutisch gut gemeinte Ansprechen einer traumatischen Situation schädlich sein kann, weil es beim Gegenüber neue Flashbacks auszulösen vermag.

Es könnte zudem erklären, warum in der deutschen Literatur so wenig über den Luftkrieg aus der Kinderperspektive zu finden ist. Vielleicht ist der Grund für das Schweigen nicht so sehr die Scham, dass man angesichts der Holocaustopfer seine eigenen Leiden nicht sehen durfte, sondern vielmehr das Fehlen der Sprache.

»Die Traumaforschung weiß heute«, sagte Dieter Forte in einem Gespräch, das Volker Hage in seinem Buch »Zeugen der Zerstörung« veröffentlichte, »daß man vierzig, fünfzig Jahre braucht, um sich dem Schrecken zu stellen, Worte der Erinnerung zu finden, das Entsetzen zu finden, das unter dem Vergessen liegt. Es ist ja doch eine fast körperliche Vernichtung der eigenen Identität. Man ist ja nicht unbeschädigt. Man ist nur zufällig dem Tod entgangen. Das wußte man auch als Kind, daß man nur zufällig überlebt hat.«

Auch Forte hatte Jahrzehnte gebraucht, bis er in der Lage war, sich seinen Kriegserinnerungen zu stellen. In den Neunzigerjahren wurde sein Roman »Der Junge mit den blutigen Schuhen« veröffentlicht. Eine Form der psychischen Verarbeitung war das Schreiben allerdings nicht. »Man wird nicht befreit«, sagte er, »man wird es nicht los, aber es wird einem bewußt. Es sitzt dann im Kopf.«

Nicht, als Forte Notizen für seinen Roman machte, sondern

erst beim Schreiben, beim Erzählen war die detaillierte, zusammenhängende Erinnerung gekommen, und zwar in Schüben. Der Schriftsteller schildert seine Erfahrung wie einen Dammbruch: »Plötzlich ist alles wieder da, was man als Kind erlebt und in sich verkapselt hat. Es bricht auf und ist da und erfaßt einen körperlich. Da bin ich auch zusammengebrochen. Man kann am Roman genau merken, wann ich die Erinnerungsschübe abbreche.«

Erst hier begriff ich, was Forte meinte, als er zu Beginn des Gesprächs gesagt hatte: »Einen Luftangriff kann man einmal beschreiben und dann nie mehr im Leben.«

ELFTES KAPITEL

Die große Betäubung

Nach einem Bombenangriff

> Es ist heiß, es ist dunkel, es ist Tag, es ist Nacht, es ist glühend heiß, die Haut brennt, die Haare fallen aus, weiße trockene Büschel, die Lunge brennt, die Brust schmerzt beim Atmen, die Luft ist ein ausgedörrter Wüstensturm, der laut durch die Straßen heult. Man steht in Staubwolken, die Welt ist verschwunden, der Himmel schwarzviolett, hinter den Hausfassaden Feuer und Rauchwolken, die Fassaden stürzen ein, die Feuerwolken lodern hoch. Da ist keine Straße mehr, kein Straßenschild, keine Verkehrsampel, da liegen Schuttberge. Die Welt, vor Sekunden noch vorhanden, ist nur ein Erinnerungsbild.
> Menschen rennen ins Feuer, retten Dinge, die sie nicht brauchen, Menschen laufen wie in Zeitlupe, kriechen auf allen vieren im Kreis, suchen Deckung, rennen plötzlich wieder los, stoßen andere in den Dreck. Menschen gehen in einer Schlange in der Mitte der Straße, um den einstürzenden Fassaden auszuweichen, stolpern über Steine, Fensterrahmen, Kinderbetten, Kleiderschränke. Schwach sichtbare Figuren, lebende Säulen aus grauem Staub stehen erstarrt, bewegen sich nicht, sie haben das Chaos gesehen, sie leben nicht mehr wirklich, ihr Leben wird nicht mehr sein, wie es einmal war, sie werden niemals davon erzählen können, der Tod ist in ihnen.

Ein Zitat aus dem schmalen Bändchen »Schweigen oder Sprechen« von Dieter Forte. Am Schluss seines Textes »Nach dem Bombenangriff« steht ein persönliches Bekenntnis:

> Ich war sechs, sieben, acht, neun und zehn Jahre alt, als ich dies sah und erlebte und daran fast erstickte, und jede

Nacht erlebe ich es wieder, nur durch Zufall dem Tod entkommen.

Fünf Jahre nach Kriegsende unternahm die Philosophin Hannah Arendt, die den Holocaust überlebte, weil ihr frühzeitig die Emigration gelang, eine Rundreise im zerstörten Deutschland. Es entstand ein Reisebericht, aus dem seitdem häufig zitiert wurde. Die Bewohner der Städte beschrieb sie wie Gestalten ohne Innenleben, wie Schatten oder Roboter.

> Nirgends wird dieser Alptraum von Zerstörung und Schrecken weniger verspürt und nirgendwo wird weniger darüber gesprochen als in Deutschland. Überall fällt einem auf, daß es keine Reaktion auf das Geschehene gibt, aber es ist schwer zu sagen, ob es sich dabei um eine irgendwie absichtliche Weigerung zu trauern oder um den Ausdruck einer echten Gefühlsunfähigkeit handelt. Inmitten der Ruinen schreiben die Deutschen einander Ansichtskarten von den Kirchen und Marktplätzen, den öffentlichen Gebäuden und Brücken, die es gar nicht mehr gibt. Und die Gleichgültigkeit, mit der sie sich durch die Trümmer bewegen, findet ihre genaue Entsprechung darin, daß niemand um die Toten trauert; sie spiegelt sich in der Apathie wider, mit der sie auf das Schicksal der Flüchtlinge in ihrer Mitte reagieren oder vielmehr nicht reagieren. Dieser allgemeine Gefühlsmangel, auf jeden Fall aber die offensichtliche Herzlosigkeit, die manchmal mit billiger Rührseligkeit kaschiert wird, ist jedoch nur das auffälligste äußerliche Symptom einer tief verwurzelten, hartnäckigen und gelegentlich brutalen Weigerung, sich dem tatsächlich Geschehenen zu stellen und sich damit abzufinden.

Hannah Arendt drückte ihre Empörung, ihr Entsetzen über die Gleichgültigkeit der Deutschen aus. Sie sah ein Verleugnen der Zerstörung im eigenen Land, aber auch ein Verleugnen der ungeheuren Verbrechen der Nationalsozialisten. Es muss für die Philosophin äußerst schmerzhaft gewesen sein, dass die Deutschen offenbar nur sich selbst als Opfer im Blick hatten. Wenn Hannah Arendt im Gespräch mit ehemaligen akademischen Kollegen die Verbrechen von Hitler-Deutschland berührte, das so viel Tod, Gewalt und Elend über Europa gebracht hatte, wurde ihr bedeutet, dass »die Leidensbilanz ausgeglichen« sei – mit dem Ergebnis, dass sie von niemandem so etwas wie ein Schuldbekenntnis hörte. Dass sie ihre Eindrücke in bitterem, vorwurfsvollem Tonfall niederschrieb, ist nachvollziehbar.

Heute, mit über fünfzig Jahren Abstand, mit einer zwar nicht bewältigten, aber doch weitgehend ausgeleuchteten Nazivergangenheit, mit pflichtbewussten Medien, die nach wie vor die damalige Schuld Deutschlands zum Thema machen, ist die Situation völlig anders. Heute ist es möglich und, so glaube ich, auch nötig, Arendts Beobachtungen etwas anders zu interpretieren.

Ein heikler Schritt

Mir ist bewusst, dass ein solcher Schritt für eine Deutsche immer noch heikel ist. Man könnte mir vorhalten, dass ich damit das rechte politische Spektrum bediene, dem an einem deutschen Opferkult gelegen ist. Bei kaum einem anderen Thema kursieren so viele gegensätzliche Haltungen, Erfahrungen, Vorwürfe, Beschwörungen, Missverständnisse. Auch läuft man Gefahr, bei Naziopfern alte Wunden aufzureißen.

Aber Tatsache ist, dass Hannah Arendt zur Charakterisierung der Nachkriegsdeutschen ähnliche Begriffe wählte, wie sie heute in Lehrbüchern über posttraumatische Belastungsstörungen zu finden sind. Sie beschrieb ein betäubtes, ein traumatisiertes Land. Es stimmt alles, was sie angetroffen hat. Nur eines stimmt vermutlich nicht: dass die Bewohner zu diesem Zeitpunkt schon die Wahl gehabt hätten, sich anders zu verhalten, als sie es taten. Aus der Traumaforschung ist bekannt, dass Menschen erst dann eine

Chance haben, ihre seelischen Verletzungen zu überwinden, wenn sich die Verhältnisse normalisiert haben. Das aber war 1950 noch nicht der Fall. Hannah Arendt selbst hat es präzise beschrieben. Aus heutiger Sicht waren viele Menschen Getriebene – denen vergleichbar, die von Suchtexperten als hochgradig arbeitssüchtig bezeichnet würden oder als Junkies, die unter Speed stehen.

> Die alte Tugend, unabhängig von den Arbeitsbedingungen ein möglichst vortreffliches Endprodukt zu erzielen, hat einem blinden Zwang Platz gemacht, dauernd beschäftigt zu sein, einem gierigen Verlangen, den ganzen Tag pausenlos an etwas zu hantieren. Beobachtet man die Deutschen, wie sie geschäftig durch die Ruinen ihrer tausendjährigen Geschichte stolpern und für die zerstörten Wahrzeichen ein Achselzucken übrig haben, oder wie sie es einem verübeln, wenn man sie an die Schreckenstaten erinnert, welche die ganze übrige Welt nicht loslassen, dann begreift man, daß die Geschäftigkeit zu ihrer Hauptwaffe bei der Abwehr der Wirklichkeit geworden ist. Und man möchte aufschreien: Aber das ist doch alles nicht wirklich – wirklich sind die Ruinen; wirklich ist das vergangene Grauen, wirklich sind die Toten, die Ihr vergessen habt. Doch die Angesprochenen sind lebende Gespenster, die man mit den Worten, mit Argumenten, mit dem Blick menschlicher Augen und der Trauer menschlicher Herzen nicht mehr rühren kann.

»Wir waren wohl alle wie narkotisiert«, hörte ich einmal einen Mann sagen. Er meinte damit die Gemütsverfassung, mit der die Kinder Luftangriffe, Flucht und Tieffliegerbeschuss ertrugen, aber auch die vorherrschende Atmosphäre in den ersten Nachkriegsjahren. Eine große Betäubung lag über dem Land, der sich vermutlich nur wenige Menschen vollkommen entziehen konnten. Wie mag es auf die Kinder gewirkt haben, wenn Erwachsene sie umgaben, die »nicht ganz bei sich« waren?

In seinem Buch »Maikäfer flieg, dein Vater ist im Krieg« schrieb Peter Heinl im Zusammenhang mit Krieg und Vaterlosigkeit: »Das Problem besteht nicht nur darin, daß Millionen von Vätern im Krieg ums Leben kamen. Ein vergleichbar gravierendes Problem ist das der emotionalen Vaterlosigkeit. Denn selbst wenn Väter Krieg und Gefangenschaft physisch überlebt hatten, konnte die väterliche Kompetenz aufgrund der erlittenen psychischen Traumatisierungen so in Mitleidenschaft gezogen sein, daß von einer lebendigen und kindgerechten Vaterrolle nicht mehr die Rede war.«

Werbung für die »Tablettchen«

Wie viele Suchtkranke mag das betäubte Land produziert haben? Darüber ist im Zusammenhang mit den Langzeitfolgen des Krieges noch wenig nachgedacht worden. Ich weiß aus eigener Erinnerung an die frühen Sechzigerjahre und aus vielen anderen Berichten, dass der Hausarzt, der einen großen Teil seiner Kundschaft unter Pillen setzte und sie damit in kürzester Zeit süchtig machte, durchaus kein Einzelfall war. In so manchem Kaffeekränzchen wurde der »Herr Doktor« weiterempfohlen; man lobte seine diversen »Tablettchen« und klärte noch Unentschlossene darüber auf, was beruhigend und was aufputschend wirkte.

Ein unbekümmerter Umgang mit legalen Suchtmitteln in Pillenform war nicht nur in der Bundesrepublik weit verbreitet, sondern in vielen anderen Ländern ebenso. Das spricht weder für noch gegen die »Ursache Krieg«. Aber eines ist unbestritten: Suchtmittel betäuben. Sie sind genau das Gegenteil dessen, was Menschen brauchen, wenn es eigentlich an der Zeit wäre, eine schwierige Vergangenheit aufzuarbeiten und zu trauern. Erst in den Siebzigerjahren setzte sich die allgemeine Erkenntnis durch, dass die Abhängigkeit von Medikamenten genauso schlimm ist wie die vom Alkohol.

Karl Wolters*, ein Mann Ende sechzig, weiß darüber sehr viel.

Er kennt sich aus mit Alkohol und mit Tabletten. Obwohl er schon lange auf beides radikal verzichtet, hat ihn seine Sucht so stark geprägt, dass er sie als Teil seiner Identität anerkennt und deshalb heute noch regelmäßig Selbsthilfegruppen besucht.

Karl ging vorzeitig, mit 61 Jahren, in den Ruhestand, und es brachte ihm eine große Erleichterung. Er war Hörfunkredakteur bei einem öffentlich-rechtlichen Sender gewesen, quasi ein Beamter, ohne nennenswerten Ehrgeiz. Politik und Wirtschaft waren seine Themen, beides hatte er auch studiert. Vielleicht hätte er mehr aus seinem Beruf machen können, sagt er, aber die starren Strukturen einer großen Institution seien seiner Zögerlichkeit, sich neuen Aufgaben zu stellen, sehr entgegengekommen.

Er bezog ein komfortables Gehalt und lieferte handwerklich solide Arbeit ab. Ein unauffälliger Kollege, einer, den es nicht ans Mikrofon drängte. Seine Manuskripte überließ er professionellen Sprechern.

Als junger Mensch hatte auch er seine Träume gehabt. Während er noch zur Schule ging, wollte er Philosoph werden; später ein bekannter Journalist, möglichst beim Fernsehen. Da er für seinen neuen Berufswunsch ein Studium der Philosophie als nicht günstig ansah, entschied er sich für Ökonomie und Politologie.

Vor allem aber – das wurde ihm als Student immer klarer – wollte er mit aufrüttelnden Sendungen die Gesellschaft verändern. Er war 1934 geboren und gehörte damit vom Alter her nicht mehr so recht zur 68er-Bewegung. Aber da er sich mit dem Studium Zeit gelassen hatte, fand auch er sich in Teach-ins wieder oder nahm an Sitzstreiks teil. Dass er noch immer Student war, während Gleichaltrige sich auf den zweiten und dritten Karriereschritt vorbereiteten, lag daran, dass er es nicht eilig hatte, eine bürgerliche Existenz zu gründen. Die freie Mitarbeit bei einem Radiosender interessierte ihn weit mehr als das Geschehen in den Seminaren, und so verplätscherten die Jahre an der Universität, bis er schließlich merkte, dass ihn weit Jüngere überholt hatten.

Alles dies hatte mir Karl Wolters bereits am Telefon erzählt, bevor ich ihn persönlich traf. Unser Kontakt war von Anfang an problemlos, weil wir als Einstieg die gemeinsame Erfahrung Hörfunk hatten. Er erzählte lebhaft, auch sprunghaft, und er war – was man bei einem älteren Herrn eigentlich nicht vermuten sollte – von verblüffender Offenheit. Auch ihn hatte ich kennengelernt, weil er mir nach einer Radiosendung über Kriegskinder einen Brief geschrieben hatte.

Während des Interviews rauchte Wolters viele Zigaretten. Inhaltlich ging es bei unserem Gespräch kaum um den Krieg, dafür umso mehr um seine Suchterkrankung und seine Ängste, die erst dann richtig ausgebrochen waren, als er aufgehört hatte, zu trinken und Tabletten zu nehmen.

Beim Angriff die Finger in den Ohren

Sieht er seine Kriegskindheit als Ursache? Karl sagt dazu weder Ja noch Nein. Frühe Lebensumstände für seine Probleme verantwortlich zu machen ist eigentlich nicht sein Weg. Er mag sich nicht als Opfer »von irgendetwas« sehen. Dann fühlt er sich hilflos und glaubt, nicht mehr über sich bestimmen zu können. Lieber sagt er von sich: »Ich bin eben ein ängstlicher Typ. Das war schon als Kind so, im Keller. Ich hab mir während der Bombardierung immer die Finger in die Ohren gesteckt.«

Anderen Kindern, glaubt er, hätten die ständigen Luftangriffe offenbar wenig ausgemacht. Zumindest würde in den Selbsthilfegruppen, wo viele Menschen seines Alters anzutreffen seien, so gut wie nie darüber gesprochen. Wenn es denn den Zusammenhang von Kriegskindheit und Sucht gäbe, müsste das doch eigentlich häufiger in den Gruppen Thema sein, oder …

Karl wurde im Ruhrgebiet geboren. Sein Vater, der bereits am Ersten Weltkrieg teilgenommen hatte, war bei der Reichsbahn beschäftigt. Nur den Polenfeldzug machte er noch mit, dann konnte er an seine alte Arbeitsstelle zurückkehren. Günstige Umstände: Er war fast den ganzen Krieg über bei seiner Familie. Der kleine Karl wuchs am Bahndamm auf, im Bereich von zwei Eisenbahnlinien – stark befahrene Strecken, wie er sich erinnert. Seiner Schwester, die nach seinen Worten aufmerksamer gewesen sei als er selbst, seien damals die vielen überfüllten Züge aufgefallen. Nach dem Krieg wusste sie, dass es die Waggons mit den Deportierten waren, die in die Vernichtungslager im Osten gebracht wurden.

Im Jahr 1942 gingen in seiner Stadt die stärkeren Bombardierungen los. In einer Entfernung von 5 Kilometer Luftlinie befanden sich Rüstungsbetriebe. In der Nähe lag eine große Flakbatterie, schwebten viele Fesselballons – so schildert er seine damalige Umgebung. Die schlimmsten Angriffe kamen gegen Kriegsende, eineinhalb Jahre lang. In der Nacht die Engländer. Am Tag die Amerikaner. Er tat, was alle Jungen taten. Er sammelte Bombensplitter und hoffte, dass möglichst viele feindliche Flieger abgeschossen würden. Einmal stürzte nicht weit entfernt eine amerikanische Maschine ab. Er lief hin, sah die verkohlten Piloten und jubelte. »So was musste sein!«, sagt er heute dazu.

Dass er offenbar doch keine ganz normale Kindheit hatte, wurde ihm eigentlich erst bewusst, als er längst selbst Vater war und sein Sohn 13 Jahre alt. Während eines Italienurlaubs hatten Diebe die Familie auf einem Parkplatz trickreich vom Auto fortgelockt. Danach waren alle Wertsachen weg. Für seinen Sohn sei dies ein einschneidendes, schlimmes Erlebnis gewesen, erzählt Karl. Es habe ihn als Vater überrascht, wie leicht diese Grundsicherheit bei jungen Menschen erschüttert werden könne. So kam ihm der Gedanke, dass seine eigene Kindheit diesbezüglich wohl doch etwas hoch dosiert gewesen sein müsse.

Karl Wolters zieht während unseres Gesprächs Bilanz. Nach seinem Abitur 1955 sei er nach Hamburg gezogen. Rückblickend meint er, dies seien seine besten Jahre gewesen. Sein Job im Rundfunk brachte dem Studenten Anerkennung und Geld. Das war die positive Seite eines gut bezahlten Schichtdienstes. »Auf der anderen Seite stand, dass dort heftig gesoffen wurde«, erzählt Karl. »Aber darüber machte ich mir damals noch keine Gedanken.«

Er hatte auch eine Verlobte. Eine Traumfrau, wie er heute sagt.

Bildhübsch, Professorentochter. In ihrer Familie war er fast wie ein Sohn aufgenommen worden. Als er dann, obwohl vom Alter her längst überfällig, noch immer nicht an ein Examen dachte, fingen die künftigen Schwiegereltern an, sich Sorgen zu machen. Karl selbst aber bekam gar nicht recht mit, dass er seine Ziele aus den Augen verloren hatte und dass sich seine alkoholischen Exzesse häuften. »Mit dreißig«, so sieht er es rückblickend, »lief bei mir alles aus dem Ruder. Da nahm der Vater meiner Verlobten mich beiseite, und sagte: Du haust jetzt hier ab und machst Examen, und du bringst dein Leben in Ordnung.«

Karl sah ein, dass der Professor recht hatte. Und er schämte sich. Fluchtartig verließ er Hamburg. Er blieb zwei Monatsmieten schuldig. In Göttingen machte er ganz allein einen neuen Anfang an der Universität. Aber er blieb ein Trinker. Der Abschied vom Rundfunk machte ihm zu schaffen. Die guten Jahre waren eindeutig vorbei.

Schon in Hamburg hatte er manchmal unter unerklärlichen Ängsten gelitten und durchaus mit Erfolg dagegen angetrunken. Nun aber, allein in Göttingen, wurden sie stärker. Eines Nachts, es war im Jahr 1967, als er gerade die Kneipe verlassen hatte, erfasste ihn eine so heftige Panikattacke, dass er glaubte: »Jetzt stirbst du! Das waren plötzlich wahnsinnige Zustände.« Die Angst hatte ihn endgültig gepackt und ließ ihn nicht mehr los. »Ich dachte an Herzinfarkt, bin sofort ins Krankenhaus. Aber dort konnten sie nichts feststellen.«

Was tun? Er war Anfang dreißig, hatte eine Verlobte in Hamburg, die er am Wochenende besuchte, und wollte endlich etwas aus seinem Leben machen. Aber er handelte nicht danach. Karl ging zum Neurologen, schluckte tagsüber Valium, Librium und Adumbran. Und nachts schüttete er den Alkohol in sich hinein. Dennoch schaffte er sein Examen – die erste gute Nachricht in diesen Jahren, als er soff und zusätzlich medikamentenabhängig geworden war. Schließlich ging auch seine Verlobung in die Brüche.

Tabletten gegen die Todesangst

Dann dachte er: Du musst schauen, dass du dein Leben in geordnete Bahnen kriegst, dann kann dir nichts mehr passieren. Der äußere Rahmen musste stimmen. Hochschulabschluss, Festanstellung, Familiengründung. Genauso geschah es. Er ging zurück ins Ruhrgebiet, wurde Redakteur beim Hörfunk, fand eine Frau, wurde Vater eines Sohnes. Über Jahre versuchte er, Alkohol und Tabletten so einzusetzen, dass er sich irgendwie über Wasser hielt. Er *musste* trinken, um morgens das Zittern zu überwinden und den Tag überhaupt beginnen zu können. Sein Körper verlangte danach. Und er brauchte die Tabletten gegen die Todesangst. Ärztliche Anweisungen interessierten ihn nicht. Er hatte seine eigenen Vorstellungen davon, welche Dosierung zu welchem Zeitpunkt für ihn gerade die richtige war. Auf diese Weise hielt er durch, ging zur Arbeit, ernährte die Familie. Aber ständig drohte der Absturz. Das Auffallen. Der Skandal. Wie so viele Suchtkranke führte er ein anstrengendes Doppelleben. Die Filmrisse, die sein Gedächtnis perforierten, die Lügen, die Ausflüchte, die Peinlichkeiten, die Bitten um Verzeihung.

Eines Tages, nach einem Großabsturz, berichtet Karl, habe seine Frau das Kind genommen und sei zu ihren Eltern zurückgekehrt. Nach drei Jahren war die Ehe mehr oder weniger beendet. Auch sein Chef im Sender pochte darauf, dass er endlich etwas gegen seine Sucht unternehmen müsse: Klinik, Kur, Therapie, was auch immer …

Das Wunder geschah. Karl Wolters wurde trocken. Das war 1976. Aber noch immer schluckte er reichlich Pillen. Es dauerte vier Jahre, bis er auch hier kapitulierte und einen Medikamententenentzug machte.

Alles hätte nun endlich gut werden können. Die ersten Anzeichen waren da. Er heiratete erneut (und diese Ehe hält bis heute). Er wurde zum zweitenmal Vater, und er galt in seiner Redaktion endlich, nach langer Zeit, wieder als zuverlässiger Kollege.

Aber Karl wurde seine Panik nicht los. »Im Gegenteil«, sagt er.

»Als ich keine Suchtmittel mehr nahm, wurden die Attacken immer schlimmer. Die Todesangst! Meine Ärzte sprachen von vegetativer Dystonie, von einer Herz-Angst-Neurose. Alles Worte, aber keine Hilfe. Und dann die Therapien. Hören Sie mir auf mit Therapeuten! Nichts und niemand hat wirklich geholfen.« Außer, fügt er hinzu, dass er in den Gruppen immer wieder über seine Zustände sprechen konnte und dort auf Menschen traf, die ähnliche Beschwerden hatten. In den Gruppen schüttelten die Leute nicht verständnislos den Kopf, wenn er von seiner »Angst vor der Angst« redete, die im Laufe der Jahre zu einer tatsächlichen Herzleistungsssschwäche und zu Atemnot geführt hat.

Er sollte nicht rauchen, jaja, er weiß es, aber er sei nun mal süchtig, er brauche das Nikotin.

Karl empfindet seine Panik als eine »riesige Behinderung«, die im Übrigen sonderbar ausgeprägt ist. Zum Beispiel hat er Angst, in die Innenstadt zum Einkaufen zu gehen. Zu Fuß traut er sich das selten zu: die Angst vor der Angst, es könnte ihm etwas zustoßen. Was? Nichts Konkretes, gibt er zu. Einfach nur Panik und inzwischen auch die Atemnot. Im Auto fühlt er sich merkwürdigerweise sicher, auch auf dem Fahrrad. Zugfahren dagegen kann problematisch sein.

Eigentlich wollte er als Ruheständler wieder studieren, diesmal sein Lieblingsgebiet, die Philosophie. Es gab sogar Pläne, den Magister zu machen. Aber die hat er längst wieder gestrichen. Er hätte dafür mit der Bahn in eine benachbarte Stadt fahren müssen. Doch die Probefahrten hatten gezeigt: Geht nicht – er kommt schweißgebadet an. Erst dachte er, das Problem ließe sich lösen, indem er Unterwäsche zum Wechseln mitnimmt. Aber es ist nicht das Schwitzen, das ihm zusetzt, sondern das Gefühl, dass sein Leben bedroht ist.

Darüber hinaus kennt er die panische Angst vorm Fliegen, weshalb ferne Auslandsurlaube für ihn nicht infrage kommen. Im Flugzeug fühlt er sich ausgeliefert, wie im Zug. Wie gern würde er einmal nach Griechenland reisen, »zur Wiege meiner geistigen Interessen«. Er traut sich nicht. Die Angst ist stärker.

Mit einer Behinderung leben

Bei seinem letzten Therapieversuch schließlich erhielt er die Anregung, sich mit seiner Kindheit zu beschäftigen. Vielleicht, hieß es, fände er in seinen Kriegserfahrungen eine Erklärung für seine Störungen. Heute glaubt Karl, dass dies die falsche Empfehlung gewesen sei, weshalb er auf Therapeuten absolut nicht mehr gut zu sprechen ist. »Ich hatte dann angefangen, Aufzeichnungen zu machen«, erzählt er. »Aber je mehr ich mich mit dem Krieg beschäftigte, desto mehr wuchs die Angst, verrückt zu werden. Ich dachte, wenn ich weitermache, dann springe ich vom Balkon!«

Seine Konsequenz: Eine gezielte Traumatherapie lehnt er ab. Er will kein Risiko mehr eingehen. Er habe nun halbwegs gelernt, sagt er, mit den Ängsten, der Atemnot und all den Einschränkungen zu leben. Besser nicht mehr am Status quo rühren. Lieber mit einer vertrauten Behinderung leben.

ZWÖLFTES KAPITEL

»Als alter Mann werde ich glücklich sein«

Zwei Kindheiten: Hanno und Kaspar

Dass Eltern ihren Kindern nicht nur Vermögen oder Schulden vererben, sondern auch psychische Lasten, gehört zu den immer wiederkehrenden Motiven in Familienromanen, bei den »Buddenbrooks« zum Beispiel. Als Thomas Buddenbrook den Niedergang seiner traditionsreichen Firma nicht mehr aufhalten kann, wird er depressiv, und gleichzeitig verlangt er von seinem kleinen Sohn das Unmögliche: Aus dem kränkelnden, feinfühligen und musisch hochbegabten Hanno soll einmal ein vitaler, erfolgreicher Geschäftsmann werden. Eines Tages begleitet er den Vater bei Pflichtbesuchen, und das Kind erkennt, mit welch ungeheurem Aufwand hier eine Fassade aufrechterhalten wird.

> Er sah nicht nur die sichere Liebenswürdigkeit, die sein Vater auf Alle wirken ließ, er sah auch – sah es mit einem seltsamen quälenden Scharfblick, wie furchtbar schwer sie zu *machen* war, wie sein Vater nach jeder Visite wortkarger und bleicher, mit geschlossenen Augen, deren Lider sich gerötet hatten, in der Wagenecke lehnte, und mit Entsetzen im Herzen erlebte er es, daß auf der Schwelle des nächsten Hauses eine Maske über ebendieses Gesicht glitt, immer aufs Neue eine plötzliche Elasticität in die Bewegungen ebendieses ermüdeten Körpers kam.

Hanno spürt also sehr genau den Preis, den sein Vater zahlt, und die permanente Erschöpfung des Erwachsenen geht auf das Kind über. Stumm weigert es sich, sein Erbe anzutreten, und weiß doch, dass es aus der Familientradition kein Entrinnen gibt. Hannos Körper hält dem Druck nicht stand. Der Junge stirbt an Typhus, weil – wie Thomas Mann es ausdrückte – »die Stimme des Lebens« nicht laut genug in ihm rief.

Die Geschichte von Kaspar Kampen* ist dagegen eine völlig andere. Sie ausgerechnet mit Hanno Buddenbrook einzuführen, obwohl in der Kindheit der beiden absolut keine Parallelen zu entdecken sind, mag paradox erscheinen. Und doch wird es Sinn machen, wenn wir am Ende dieses Kapitels noch einmal darauf zurückkommen. Im Unterschied zu Hanno wurde Kaspar in einem liebevollen Nest in Empfang genommen, im Jahr 1970. Er war ein respektiertes Kind, das bewunderte »Prinzchen«, bestens versorgt, wie es bei Einzelkindern seiner Herkunft und Altersgruppe üblich war. Kaspar fand seine Eltern in Ordnung. Großstadtbürger – er Wissenschaftler, sie Lektorin –, tolerant, an Politik und zeitgenössischer Kunst interessiert und beide geprägt von den pädagogischen Reformbewegungen der Siebziger, in die ihr Sohn hineingeboren wurde.

Heute ist Kaspar 32 Jahre alt und von Beruf Operntenor. Auf der Bühne muss er sich oft in tragische Rollen hineinsingen, privat lacht er gern. Da amüsiert ihn besonders die Erinnerung an eine spezielle Macke seiner Mutter. Das sei für ihn eine typische Kindheitserfahrung gewesen, sagt er – und der einzige Mangel, an den er sich überhaupt erinnern könne: »Es gab nie, aber wirklich nie, frisches Brot. Meine Mutter hatte das frische Brot immer schon gekauft, aber es musste erst das alte weggegessen werden, sodass, wenn wir dann das neue gegessen haben, das dann auch schon wieder nicht ganz frisch war …«

Gelegentlich hatten seine Eltern ihm vom Krieg erzählt, vom Hunger und von den Bombenangriffen im Ruhrgebiet, weshalb sein Vater fast jede Nacht im Keller verbringen musste, bis dessen Mutter den damals Achtjährigen im weit entfernten Böhmen in Sicherheit brachte. Kaspars Mutter erlebte als Sechsjährige die Flucht aus Schlesien. »Sie erzählte mir, dass sie ihre Puppe zurücklassen musste«, erinnert sich der Sohn. »Das ist mir, als ich klein war, natürlich besonders nahegegangen.«

Ein Sohn, der die Bühne liebt

Er selbst habe eine glückliche Kindheit gehabt, versichert er, ohne nennenswerte Probleme, auch als Heranwachsender nicht. Von seinen Eltern erbte Kaspar die Liebe zum Theater. Er wollte zunächst Schauspieler werden. Wolfgang und Gisela Kampen* unterstützten seinen Berufswunsch. Dass ihr Sohn Begabung und eine schöne Stimme besaß, war ihnen schon früh aufgefallen. Als Jugendlicher liebte er kleine Gesangsauftritte, auch vor den Freunden des Hauses. Die waren restlos begeistert und fragten die stolzen Eltern, woher Kaspar das wohl habe, aber darauf gab es keine Antwort.

Mutter und Vater verhielten sich völlig anders als ihr Sohn. Am liebsten war es ihnen, wenn sie nicht weiter auffielen. Selbst ihre Geburtstage schienen ihnen ein bisschen peinlich zu sein. Bloß nicht im Mittelpunkt stehen. Bloß nicht öffentlich auftreten. Es ließ sich aber nicht immer vermeiden. Zweimal im Jahr musste Gisela Kampen in der Konferenz der Verlagsvertreter neue Bücher präsentieren. Jedesmal wurde ihr vorher übel vor Aufregung.

Gelegentlich kam es vor, dass Vater Wolfgang einen Fachvortrag halten musste. Dann litt er schon drei Tage vor dem entscheidenden Ereignis unter Versagensängsten, die er nur mit größter Mühe kontrollieren konnte. Lange Jahre seines Berufslebens war das so gewesen. Auch konnte er die Anerkennung seiner Kollegen nicht wirklich in sich aufnehmen. Sein Selbstwert war zu schwach. Applaus und Lob ernährten ihn nicht. Er misstraute seinen eigenen Leistungen und damit auch den Bewertungen anderer.

Kaspar dagegen, der schließlich an einer Musikhochschule Gesang studierte, liebte die Bühne und den Beifall. Schon als Student übernahm er unbezahlte Rollen an kleinen Privattheatern. Da er zudem über komisches Talent verfügte, verdiente er seinen Lebensunterhalt mit kurzen Auftritten in Fernsehproduktionen. Es gelang ihm einfach alles, er traute sich alles zu. Mit 23 Jahren heiratete er.

Mit 26 Jahren geriet er in eine schwere Krise. Er kannte sich selbst nicht mehr wieder – grenzenlos erschöpft und leer fühlte er sich. Depressionen, Angst und Verzweiflung wurden seine ständigen Begleiter. Und er konnte nicht mehr singen.

»Da ist plötzlich meine ganze Art zusammengebrochen.« Nüchtern und selbstverständlich spricht Kaspar von seiner großen Lebenserschütterung. »Als ich damals nicht mehr zurande kam, ergab das einfach keinen Sinn. Für mich persönlich war es so erschreckend, weil es so absolut aus dem Nichts kam: Ich hatte ja dieses Selbstbild, es sei alles prima gelaufen, ich schaffe alles. Das war dann plötzlich nicht mehr so. Ich hatte früher eigentlich immer alles geregelt in meiner Umgebung, und ich war immer der Sonnyboy, der Macher, auch in meiner Ehe. Meine Frau war finanziell von mir abhängig, und irgendwann war das zu viel Stress. Da brach alles zusammen.«

Für Kaspars Eltern lag der Grund klar auf der Hand: Seine Ehefrau sei schuld, meinten sie. Ständig habe sich ihr Sohn für sie abstrampeln müssen, bis er sich völlig verausgabt habe und überhaupt nicht mehr er selbst gewesen sei. Und auch dann habe sie nicht aufgehört, sondern immer noch mehr von ihm gefordert …

Die Schuldzuweisung seiner Eltern brachten den jungen Mann nicht weiter. Natürlich hatte seine anhaltende Verzweiflung auch mit seiner inzwischen gescheiterten Ehe zu tun, aber darunter lag noch etwas ganz anderes, etwas Fremdes, das ihn bedrohte.

Immer tiefer versank er in Hoffnungslosigkeit – bis er eines Tages so weit war, sich einer Psychotherapeutin anzuvertrauen. Gemeinsam leuchteten sie Kaspars Kindheit aus, doch da war nichts, absolut nichts, was seinen Zusammenbruch plausibel machte.

Im Nachhinein, nun, da alles überstanden ist und Kaspar besser singt als je zuvor, muss er manchmal über die ganze Geschichte lachen. »Eigentlich ist es ja so bescheuert, so absurd. Man hat ja im Grunde gar nichts Schlimmes erlebt. Nichts objektiv Schlimmes. Meine Zeit mit Didi Hallervorden, Mike Krüger und Otto Waalkes, was habe ich schon Schlimmes erlebt, außer 1978, als die deutsche Fußballmannschaft in Argentinien gegen Österreich ausgeschieden ist …«

Die Kriegsschrecken der Eltern geerbt

Wie die meisten Menschen hatte sich Kaspar vorher nie mit dem Themenkomplex Trauma beschäftigt. Schon gar nicht wäre ihm in den Sinn gekommen, dass er die Kriegsschrecken seiner Eltern geerbt haben könnte. Das war doch wohl nicht möglich, dass er an den Spätfolgen von Ereignissen litt, die fünfzig Jahre zuvor – lange vor seiner Geburt – stattgefunden hatten? Doch, das sei sehr wohl möglich, sagte die Therapeutin. Sie gab ihm einige Fachartikel über die zweite Generation der Holocaustüberlebenden zu lesen. Da fing er an zu begreifen.

»Als die Therapeutin und ich uns mit der Kindheit meiner Eltern beschäftigten«, erzählt Kaspar, »ergaben sich relativ schnell die Parallelen. Meine Eltern haben durch den Krieg einfach nicht erfahren, dass die Welt ein sicherer Ort ist, wo man sich wohlfühlt und geborgen. Und genau das Gefühl habe ich dann auch bei mir festgestellt, obwohl es, wie gesagt, keinen äußeren Anlass dafür gab.«

Danach dauerte es noch eine ganze Weile, bis er verstand, dass es sich bei seiner Depression nicht um den Zusammenbruch einer geschwächten Psyche gehandelt hatte, sondern dass sein Anpassungssystem nicht mehr funktionierte – genauer: seine unbewussten Strategien, mit denen er seit seiner Kindheit negative und verstörende Gefühle von sich ferngehalten hatte. Das Stichwort »Anpassung« enthielt den Schlüssel zu seiner schweren Störung. Der Sohn, der angeblich so ganz anders als seine Eltern war, erkannte nun sehr ähnliche psychische Strukturen, die aus einem permanenten Gefühl des Bedrohtseins herrührten, das er nun erstmals wahrzunehmen vermochte.

Kaspar ist heute davon überzeugt: Er hat gegenüber seinen Eltern nicht »das glückliche Kind gespielt«. Er *war* wirklich glücklich. Es müsse wohl so gewesen sein, sagt er, dass er die angstbesetzten Empfindungen von sich abgespalten habe, genauso wie seine Eltern die realen Schrecken ihrer Kriegserlebnisse abgespalten hätten. Rückblickend weiß er, dass sein Anpassungssystem bis auf wenige Ausnahmen perfekt funktionierte. Nur ganz gelegentlich wurde er als Kind von heftigen Ängsten überfallen, die sich als Heimweh äußerten. Als Siebenjähriger sollte er mit einer befreundeten Familie eine Woche in Holland verbringen. Aber er bekam dort Panikattacken, er hielt es nicht mehr aus, sodass Wolfgang Kampen seinen Sohn wieder abholen und nach Hause bringen musste. »Mein Vater hatte als Kind lange Trennungen durch die Kinderlandverschickung erlebt, das war natürlich eine hohe Anpassungsleistung von ihm gewesen, da nicht durchzudrehen. Er konnte also über meine Kinderängste nur lachen. Guck dich doch mal um, hat er gesagt, hier ist Frieden, hier ist ein schöner Campingplatz, hier sind deine Freunde, und du bist überhaupt nicht allein.«

Als Kaspar erwachsen wurde, wuchs in ihm das Gefühl, dass er ständig wachsam sein müsse, dennoch war es ihm nicht bewusst. Wie er während der Psychotherapie erkannte, wurden die Gefühle des Bedrohtseins mit sonderbaren, reflexartigen Strategien in Schach gehalten. Noch einmal das Stichwort »Anpassung«: Wollten seine Eltern nicht auffallen, weshalb sie sich eben unauffällig verhielten und sich jeder Situation anpassten, wurde Kaspar die fixe Idee nicht los, dass seine Künstlerexistenz bei anderen Menschen auf Kritik stieß. In seinem Kopf beschäftigte er sich ständig damit, was andere Leute wohl von ihm denken mochten, eigentlich unwichtige Leute, die Nachbarn zum Beispiel, und er entwickelte in Gedanken lange, stumme Monologe, in denen er nicht müde wurde, seinen Lebensstil zu rechtfertigen.

Es gab noch andere Parallelen zu seinen Eltern. »Ein Freund von meinem Vater hat sich einmal über die Angststruktur meines Vaters gewundert: dass er eine große Angst hat vor relativ harmlosen Dingen, aber wenn es richtig hart kommt, dann überhaupt nicht.« Der junge Mann bekennt lachend: »Und genauso war das bei mir, dass ich sehr viel Angst gehabt habe, was die Nachbarn denken, aber als mir dann auf der Autobahn mit 130 der Reifen geplatzt ist und ich fast draufgegangen wäre, da war ich auch hinterher sehr, sehr ruhig.«

Als er mit seinen Eltern über die Hintergründe seiner Depression sprach, konnte sein Vater es überhaupt nicht nachvollziehen. Er wurde wütend. War es je einem Kind besser ergangen als seinem prächtigen, begabten Sohn, dem die Welt stets so viel Liebe und Bewunderung entgegengebracht hatte?

»Aber dann«, erinnert er sich dankbar, »ist mein Vater in sich gegangen und hat im Nachhinein für sich als Wahrheit festgestellt, dass es so sein muss.«

Vater und Sohn – wie zwei Veteranen

Das Verhältnis hat sich also nach einem kurzen Beziehungsgewitter wieder entspannt. Heute können sie über Gemeinsamkeiten schmunzeln, die ihnen früher überhaupt nicht aufgefallen wären. Im August 2002 folgte Wolfgang Kampen einer Einladung ins Land der Selbstmordattentate – nach Israel. Seine Angst vor einem Bombenanschlag war gering. Natürlich gab es ringsum große Bedenken gegen dieses Unternehmen, aber nicht bei Kaspar. Sohn und Vater beruhigten sich damit, dass die Gefahr in Israel schließlich nicht größer sei, als in Deutschland in einen Autounfall verwickelt zu werden. Vater und Sohn führten ein Gespräch wie unter Veteranen – zwei gute Kumpel, die ihre Lektion summa cum laude gelernt hatten: wie man mit permanenter Bedrohung umgeht; wie man das Gift des Terrors einfach an sich abtropfen lässt. Ein bisschen Angst hatte Wolfgang Kampen dennoch vor seiner Israelreise, aber nur, weil er einen Vortrag halten musste.

Kampen ist ein nachdenklicher Mensch. In Fachkreisen gilt er als hochkompetent, während er im Auftreten und in seinen Ansprüchen bescheiden geblieben ist. Dazu passt, dass er sich meistens für berufliche Projekte engagierte, die wenig Geld brachten. Bis heute ist er alles andere als ein Großverdiener. Auch Kampen hat, wie sein Sohn, eine Lebenskrise überwunden. Früher maß er seiner Kriegskindheit so wenig Bedeutung bei, dass in drei Sätzen alles gesagt zu sein schien: Dass er noch Glück gehabt habe. Dass man ihn nach Böhmen in Sicherheit gebracht habe. Ende gut, alles gut.

Damals hätten die schönen Erinnerungen im Vordergrund gestanden, erzählt er. »Selbst der Mangel hat ja in einer solchen Kindheit seine positiven Seiten: Das Glück beispielsweise, an einem Stück Friedenstoilettenseife zu riechen, das ist etwas Unbeschreibliches. Man wäre nie auf die Idee gekommen, dass man sich tatsächlich damit waschen könnte. Ich denke auch, dass sich darin ausdrückt, dass der Frieden etwas Wunderbares war und wie sehr man sich danach sehnte ...«

Heute ist ihm klar, wie viel er als Kind verdrängt hat, weil er die Schrecken nicht ertragen konnte. Kampen gehört zu den wenigen Deutschen seiner Generation, die ein klares Bild davon haben, wie der Zweite Weltkrieg sein weiteres Leben prägte. Er spricht von den »inneren Ruinenlandschaften, die in Deutschland hinterlassen wurden« und zitiert damit Wolfgang Staudte, den großen Regisseur der Nachkriegszeit. Mit seinen Spielfilmen, die er in den Trümmern drehte, wollte er die Botschaft vermitteln: Wir werden die zerstörten deutschen *Städte* wieder aufbauen, aber es wird sehr viel schwerer oder vielfach kaum möglich sein, die innerlich zerstörten *Menschen* zu heilen.

Eine schizoide Episode

1943: Eine Stadt im Ruhrgebiet. Jede Nacht Bombenalarm. Jede Nacht weckt eine junge Mutter – nennen wir sie Hildegard Kampen – ihren Sohn Wolfgang. Dann nimmt sie ihren Säugling auf den Arm und den Koffer in die andere Hand und geht in den Luftschutzkeller ... Völlig normale Kriegsverhältnisse. Und so bewegte sich auch die Entscheidung, die Hildegard Kampen eines Tages traf, durchaus noch im Rahmen des Üblichen. »Damit wenigstens einer der Familie überlebt«, so begründet sie ihren Entschluss, wird der achtjährige Wolfgang in einen Zug der Kinderlandverschickung gesetzt, ganz allein, niemand aus seiner Klasse fährt mit. In einem böhmischen Ort wird er von einer fürsorglichen Witwe aufgenommen. Wolfgang ist ein liebenswerter kleiner Kerl. Tapfer nimmt er die neuen Lebensumstände hin und schreibt nach Hause: »Ich habe es gut getroffen.« Und das stimmt auch, denn seine Ersatzmutter kocht ihm seine Lieblingsgerichte, und er liest sich durch die komplette Karl-May-Ausgabe. – Nach Kriegsende kehrt das Kind in seine Heimat zurück.

1980: Wolfgang Kampen ist Mitte vierzig und erlebt eine Phase beruflicher Anspannung; er hat schon mehrere Nächte nicht mehr schlafen können. Seine Bewusstseinskontrolle bricht zusammen. Es kommt zu einer Nervenkrise, zu einer, wie es später heißt, »schizoiden Episode«, die durch den Besuch einer schwer depressiven Frau in seiner Wohnung ausgelöst wird. »Plötzlich sah ich deren Augen wie Kohlen glühen, als ob der Teufel da stünde«, erzählt Kampen später. »Das heißt, ich hatte so eine Art Halluzination, und damit brach dann die Krise endgültig aus.«

Für einige Wochen ist er Patient in einer psychiatrischen Klinik. Danach lenkt eine Psychotherapeutin Kampens Blick sehr gezielt auf seine Kriegskindheit. Hier finden sich schließlich die Verbindungslinien zu zwei ganz anderen depressiven Frauen, in Böhmen.

1944: Der Krieg hat den kleinen Wolfgang in seiner böhmischen Idylle eingeholt. Er hört einen Schrei – einen Aufschrei, der alles Entsetzen dieser Welt zu enthalten scheint. Er rennt in die Küche, wo er seine Ersatzmutter findet, zusammengebrochen, in der Hand ein Wehrmachtschreiben. Ihr Mann starb im Ersten Weltkrieg, ihr ältester Sohn fiel 1940 in Frankreich – und jetzt ist auch der zweite Sohn tot!

Wolfgang Kampen hat es nie vergessen können. »Es wird die fürchterlichste Situation meines Lebens überhaupt gewesen sein«, sagt er. »Dieser Schmerz einer Mutter, die ihren Sohn verliert. Unter ein stärkeres Unglück kann sie nicht gesetzt werden: eine Frau – von der ich als kleiner Junge ja vollkommen abhängig bin – verliert ihr letztes Kind!«

Das Ende der Zärtlichkeit

1945: Der Krieg geht zu Ende. Im Haus der Witwe wird eine Flüchtlingsfrau mit ihren beiden Kindern einquartiert. Wochenlang sind sie Wolfgangs liebste Spielkameraden. Eines Tages erfährt er, die Mutter habe ihre Kinder und sich selbst erschossen. Der Junge ist nicht in der Lage zu begreifen, was ihm da mitgeteilt wird. Einige Stunden später stolpert er im Keller über die Leichen seiner Freunde …

Nach Kriegsende sieht der kleine Wolfgang endlich seine Mutter wieder. Sie ist ihm fremd geworden. Kampen erzählt: »Es gab dann zwischen mir und ihr eigentlich keine Zärtlichkeit mehr. Ich wehrte es ab, denn ich glaube, diese Trennung, diese zwei Jahre waren einfach nicht mehr zu überbrücken. Und man kann ja als Kind über solche Dinge nicht reden.«

Seine Heimreise, zurück ins Ruhrgebiet, in überfüllten Zügen damals im Sommer 45, dauerte eine Woche, und einmal war es im Waggon so voll und so eng, dass er über eine lange Strecke den Boden nicht erreichte, weil er zwischen den Mitreisenden eingeklemmt war.

Dass er grundsätzlich den Boden unter den Füßen verloren hatte, wurde ihm erst dreißig Jahre später bewusst, im Zusammenhang mit seiner Lebenskrise. »Im Nachhinein stellte ich dann fest, dass der Ausbruch all dieser Dinge eine Befreiung war«, erzählt er. »Ich lebe heute überhaupt nicht mehr unter der Angst, dass sich das wiederholen könnte. Aber bis zu diesem Zeitpunkt – und ich war immerhin über vierzig – habe ich das ja mit mir herumgeschleppt die ganze Zeit. Diese Spannungen, diese Angst.«

Die Verarbeitung seines Traumas verhalf Kampen zur dauerhaften Genesung. Auch begriff er, warum seine Arbeit für ihn so anstrengend gewesen war, warum jede Außerplanmäßigkeit ihn so stark unter Druck gesetzt hatte: Darunter lag ein ständiges Gefühl des Bedrohtseins, was ihm in keiner Weise bewusst gewesen war.

1996: Kampen hört seinen depressiven Sohn Kaspar sagen: »In mir ist ein Gefühl, als ginge die Welt unter.« Der Vater erschrickt zutiefst. Er denkt: Was sagt er da? Woher kennt der Junge das? Es ist doch *meine* Geschichte. Das ist doch *mein* Gefühl.

Wieder sind viele Jahre vergangen. Wolfgang Kampen ist seiner Kindheit noch näher gekommen, und das könnte sich sogar steigern, sollte er eines Tages Enkel haben. Inzwischen kann er mit einem gewissen Staunen über das Kind berichten, das er einmal war. Es hatte nicht nur verdrängt, um zu überleben, sondern es besaß offenbar auch so etwas wie eine hellsichtige Weisheit, die ihm die Gewissheit eingab: Als alter Mann werde ich glücklich sein. Es war wie ein Mantra: »Als alter Mann werde ich glücklich sein.«

Was für ein Satz ...

»Das war mein Optimismus damals«, erklärt Kampen. »Ich wusste, ich würde überleben. Aber gleichzeitig waren die erlebten Schrecken so groß, dass ich es mit meinem Kinderverstand nicht für möglich hielt, in irgendeiner absehbaren Zeit damit fertigzuwerden.«

Der kleine Wolfgang sollte recht behalten: Kampen, nun ein älterer Mann, führt ein weitgehend zufriedenes Leben.

Heilung ist möglich

Die Geschichte von Wolfgang und Kaspar Kampen zeigt, dass die Zerstörungskraft des viele Jahrzehnte zurückliegenden Krieges jederzeit wieder zuschlagen kann, heute noch, und in den nachfolgenden Generationen. Ihre Geschichte hat aber auch etwas

Tröstliches. Im Unterschied zu Hanno Buddenbrook waren hier zwei Kinder in der Lage, bedrohliche Einflüsse, die ihnen womöglich den Lebensmut geraubt hätten, von sich fernzuhalten. Viele Jahre später allerdings wurde ihnen ihr Verdrängen zum Hemmnis, was schließlich ihre psychische Gesundheit bedrohte. Eine Heilung war aber möglich, nachdem die seelischen Hintergründe aufgedeckt und verarbeitet werden konnten.

DREIZEHNTES KAPITEL

Trostlose Familien

Ein Abschiedslied ohne Trauer

Zum Muttertag 2002 stand in einem Beitrag der »taz« das Heftigste und zugleich Melancholischste, was man sich von einer Beziehung zwischen Mutter und Sohn vorstellen kann. Der Titel hieß »Distanz, lebenslänglich«. Zu Beginn wurde an John Lennons Song »Mother« von 1970 erinnert, ein Abschiedslied ohne Trauer. *Mutter, du hattest mich, aber ich hatte dich nie. Ich wollte dich, aber du wolltest mich nie. Deshalb muss ich dir sagen: Goodbye, goodbye.*

»Es singt hier jemand von Verlusten«, schreibt der Autor Dirk Knipphals, »aber zugleich auch jemand, der gewillt ist, nicht zu trauern. Der individuelle Abschied mag schwer sein, aber was will man schon von Müttern, die keine Beziehung zu einem hatten?«

Lennon war ein Junge aus Liverpool. Was hat er mit heutigen deutschen Familienbeziehungen zu tun? – Offenbar drückt sein Song Gefühle aus, die derzeit bei vierzigjährigen Männern häufiger anzutreffen sind: Söhne, die anfangen zu begreifen, wie wenig Nähe zu jener Frau besteht, die ihnen das Leben geschenkt hat.

Der »taz«-Redakteur sieht darin nicht etwa Einzelschicksale, sondern eine »momentan typische Konstellation«. Lennons Song sei ihm in den Sinn gekommen, schreibt er, als er die Erzählung »Muttersterben« von Michael Lentz gelesen habe. Mit Lentz, 1964 geboren, fühlt sich Knipphals generationsverwandt und durch ähnliche Familienerfahrungen verbunden.

Die Erzählung handelt vom Tod der krebskranken Mutter und von ihrem Sohn, der während seines Abschieds noch einmal zusammenfasst, dass er weder im gemeinsamen Leben noch während ihres Sterbens eine innere Verbindung zu ihr gefunden hat. Die Mutter blieb eine Fremde. Lentz bedient sich bei seiner Selbstreflexion einer sperrigen Sprache, die nach eigenwilligen

Regeln auf Großschreibung verzichtet: »Und du bist nie mit Mutter ins kino gegangen und nie mit Mutter ins theater gegangen, stellte ich fest. Überhaupt bist du mit ihr immer nirgendwo hingegangen.«

Kein tiefer gehendes Wissen des Sohnes über die Frau, die seine Mutter war, keine Erinnerung an Gespräche, die zwei Menschen einander näherbrachten. »Es hat schöne gespräche gegeben in unserem leben. Aber wovon handelten die schon. Es sind wichtige dinge, vom wetter und vom essen zu reden. Mutter sprach gern vom wetter und vom essen.« Immer dann, wenn Nähe hätte entstehen können, kam irgendetwas dazwischen, das die vertraute Fremdheit wiederherstellte. Distanz, lebenslänglich.

»Gefühlstaubheit bis zuletzt«, so nennt es Knipphals. Während die 68er den Kampf und die Auseinandersetzung mit den Eltern gesucht hätten, argumentiert er, sei bei den in den Sechzigerjahren Geborenen der aktuelle Generationenkonflikt ein ganz anderer: Hier gehe es darum, sich endlich der Distanz bewusst zu werden, die schon immer zwischen den beiden Generationsstufen geherrscht habe und die man nur nicht habe wahrhaben wollen.

Eltern und Kinder sind sich fremd geblieben

Laut »taz« hat man sich zwar von den Eltern gelöst, aber es ist keine neue erwachsene Beziehung entstanden. Offenbar ist es nun die Zeit der Kinder, sich einzugestehen, dass man einander fremd geblieben ist. »Die Eltern dieser Jahrgänge wurden in der zweiten Hälfte der dreißiger Jahre geboren«, heißt es weiter. »Die letzte Müttergeneration, der Selbstaufopferung noch ein nicht hinterfragbares Ideal war, für die eine heile Familie das höchste Gut darstellte, sie ist auf dem Rückzug. Und für ihre von Hedonismus und Ichsuche geprägten Kinder bietet sich vielleicht die letzte Gelegenheit, sich mit ihr auseinanderzusetzen, und sei es Abschied nehmend.«

In diesem Zusammenhang erinnert Knipphals an Hannelore Kohl, die 2001 Selbstmord beging. Ihr Schicksal löste in Deutschland eine unerwartet große Welle der Anteilnahme und der Erschütterung aus. Sie wäre nicht begreifbar, hätte sie nur das lange Leiden an einer seltenen Allergie im Blick gehabt, das die Kanzlergattin zur Gefangenen ihres eigenen Hauses machte. Ihre Biografin Patricia Clough glaubt, dass der zurückhaltende Lebensstil für einen großen Teil der gleichaltrigen Müttergeneration, die auf eigene Berufstätigkeit verzichtete, typisch war: »Viele von ihnen hatten, wie Hannelore Kohl, während des Krieges und danach schwere Schicksalsschläge und Härten zu erleiden, die meisten haben stets für andere und durch andere gelebt und ihr Leben den Ehemännern und Kindern gewidmet.«

Michael Lentz stellt in seiner Erzählung lakonisch fest: »Mutter war nicht von dieser Gesellschaft. Ich glaube, sie war aus dem Krieg.«

Ich weiß nicht, was die »taz«-Leser von derart unfreundlichen Muttertagsgedanken gehalten haben. Sahen sie darin eine Zumutung oder eine üble Verallgemeinerung? Empfahlen sie dem Autor in Leserbriefen, er möge seine gestörten Elternbeziehungen zum Therapeuten tragen? Oder geschah es, dass eine größere Gruppe ins Grübeln geriet, weil sie sich in dem Artikel wiedererkannte?

Was ich in der »taz« las, bestätigte meine Eindrücke, die ich in Gesprächen mit den *Kindern* von Kriegskindern gewonnen hatte. Dabei war mir vor allem eine Frage wichtig: Wie können sich zwei Generationen verstehen, deren Kindheiten sich jeweils auf zwei völlig gegensätzlichen Planeten abgespielt haben?

Dort, wo der Krieg Spuren hinterlassen hatte, konnte ich mir eine entspannte Familienkonstellation nicht so recht vorstellen. Was ich allerdings nicht erwartet hatte, war der kampflose Rückzug der Kinder. Das Achselzucken. Die resignierten Sätze. »Meine Eltern reden so gut wie nie über den Krieg, und auch sonst haben ihre Gespräche keine Tiefe.«

Ich gehe nicht davon aus, dass Aussagen wie »Man kommt an

meine Eltern nicht ran« für die heute 35- bis 45-Jährigen typisch sind. Ich weiß aber, dass sie in dieser Generation gehäuft vorkommen. Ich weiß es auch aus Gesprächen mit Psychotherapeuten. Sie sagen: Es sind überwiegend die Sechzigerjahrgänge, die in die Therapie kommen; gerade bei ihnen ist der Kontakt zu den Eltern auffällig dünn; häufig gibt es so etwas wie eine kulturelle Fremdheit zwischen den Generationen.

Die Kölner Familientherapeutin Irene Wielpütz kennt aus ihrer Praxis beide Gruppen, also die Dreißiger- und die Sechzigerjahrgänge. Die meisten Angehörigen der Kriegskindergeneration, sagt sie, lehnten es ab, sich mit den frühen Schrecken zu beschäftigen. »Es ist ja interessant«, stellt sie fest, »dass sie nicht mit der Absicht kommen: Ich habe eine schreckliche Kindheit gehabt und ich möchte das aufarbeiten. Sondern sie kommen mit Befürchtungen: Ich werde jetzt pensioniert, und ich weiß nicht, ob ich damit zurechtkomme.«

In ihrer therapeutischen Arbeit hat Wielpütz ein typisches Familienmuster festgestellt. »Es gibt eine riesige Diskrepanz zwischen dem Leben der Eltern und dem ihrer Kinder«, sagt sie. »Und ich glaube, dass viele neidisch sind. Wenn sie es zugeben könnten, wäre es unglaublich gut, denn dann könnte man ins Gespräch kommen.« Aber die meisten Älteren zögen sich zurück, wenn sie darauf angesprochen würden; sie machten einfach dicht – zumal es sich, fügt die Therapeutin hinzu, um eine Generation handele, die ohnehin sehr verschlossen sei, wenn es um Gefühle gehe.

Das große Desinteresse

Von den Jüngeren hört Wielpütz eine immer wiederkehrende Klage. »Sie sagen: Meine Eltern verstehen eigentlich gar nicht, was ich mache.« Die Kinder empfinden es häufig so, dass Vater und Mutter sich nicht wirklich für sie interessieren.

»Die wissen bis heute nicht, was ich beruflich mache«, sagte eine promovierte Finanzexpertin, die in einem großen Automobilkonzern Karriere gemacht hatte. »Meine Eltern sagen: Unsere Tochter verkauft Autos.«

Von einem Lehrer hörte ich, es sei ihm unbegreiflich, dass seine Mutter bis heute nicht gespeichert habe, an welchem Schultyp er unterrichte. »Sie hat immerhin mittlere Reife, sie müsste also die Unterschiede kennen«, stellt ihr Sohn kopfschüttelnd fest. »Wäre ich Physiker an einem Institut oder Informatiker, könnte ich ja verstehen, dass ihr meine Berufswelt fremd bleibt. Aber so?!«

Kein Wunder, sagt die Familientherapeutin Wielpütz, dass Kinder gelegentlich auf die Idee kämen, ihre Eltern seien nie erwachsen geworden. »Nicht im Sinne von kindlich«, differenziert sie, »sondern sie erleben ihre Eltern oft als dumm, was diese sicher nicht sind. Die Kinder sehen und fühlen das Eingeschränkte bei ihnen. Und man muss sagen: Die Eltern verhalten sich oft auch so. In solchen Familien ist die Verständigung schwer, sehr schwer.«

Das Desinteresse seiner Eltern bedeutet auch für den 35-jährigen Konrad Matzke* einen ständigen Stachel. Doch mit ihnen selbst spricht er darüber nicht. Er hat es versucht. Es brachte nichts. Konrad ist ein Spätstarter. Jahrelang war er drogenabhängig, er hatte voll großartiger Pläne gesteckt, von denen er keinen einzigen umsetzte. Keine Ausbildung, kein Beruf, keine Familiengründung, nichts. Eine typische Suchtkarriere liegt hinter ihm. Inzwischen ist er clean. Er nimmt schon einige Jahre keine Drogen mehr und ist aus seinem Heimatort fortgezogen.

In Leipzig, 500 Kilometer von seinem Elternhaus entfernt, machte er einen neuen Anfang. Dort besucht er erfolgreich eine Schule für Fotografie. Natürlich ist es ihm wichtig, mit seinen Eltern über seine Arbeit zu reden. Er dachte anfangs, er mache es ihnen leicht, wenn er ihnen seine neuen Fotoreportagen zeigte. Er dachte, das kennen sie doch aus den Illustrierten, da sind sie bestimmt neugierig. – Waren sie aber nicht. Ein flüchtiges Hinschauen. Kein Kommentar. Keine Fragen. Auch nicht am zweiten Tag, worauf Konrad, wenn er abends nach seiner Anreise frustriert im Bett lag, immer wieder vergeblich hoffte. Nie hörte er von seinem Vater den Satz: »Ich hatte jetzt endlich Ruhe, mir deine Arbeit genau anzusehen ...« Stattdessen Gespräche über Alltägliches, über Banalitäten.

Dennoch kam es vor, dass Konrad seinen Eltern Bilder schenkte. Die sah er dann bei seinem nächsten Besuch – sorgfältig auf Sperrholz aufgezogen – an der Wand hängen, und zwar in einem dunklen Flur, an dessen Ende sich heute noch Konrads Jugendzimmer befindet. Er ist das einzige Kind. Umso mehr hat es ihn geschmerzt, an seine Eltern nicht heranzukommen. Er weiß, dass sie es gern hätten, er würde sie öfter als nur dreimal im Jahr besuchen, aber sie sind klug genug, ihn nicht zu drängen. Ob sie merken, dass er sich häufig nicht wohlfühlt bei ihnen? Achselzucken. Der Sohn weiß es nicht, wie überhaupt sein Wissen über seine Eltern gering ist, vor allem über die Zeit, als sie jung waren.

Als er mit den Drogen aufgehört hatte, war es ihm wichtig geworden, die Beziehung zu ihnen zu verbessern, weshalb er ihnen gelegentlich Fragen über ihre Kindheit und Jugend stellte. Aber er habe keine Antwort erhalten, sagt er. Dann gab es die Situation, als der Vater seine Neugier nicht länger ertragen mochte und zu Konrad sagte: »Als deine Mutter und ich uns kennenlernten und klar war, dass wir zusammenbleiben, da haben wir uns in ein Zimmer eingeschlossen und uns in einer langen Nacht gegenseitig alle unsere Kriegserlebnisse erzählt. Und danach haben wir uns geschworen, dass nichts von dem Gesagten je dieses Zimmer verlässt. Nie!«

Damit weiß Konrad zumindest, dass ihnen als Kinder bei Kriegsende in Ostpreußen etwas Traumatisches passiert ist und dass nicht *er* schuld ist an der belanglosen Beziehung. Er sagt, es sei ihm inzwischen gelungen, sie so zu akzeptieren, wie sie sind, auch ihre »Gefühllosigkeit«, und er versuche, ihren Schmerz und ihre Angst zu verstehen. Auch sei er dabei, zu lernen, ihre verschlüsselten Liebesbeweise zu begreifen: »Zum Beispiel, wenn die Mutter begeistert für mich kocht und sie mich fragen, ob ich Geld brauche.« Auch sei es schon vorgekommen, dass er seinem Vater, ohne groß nachzudenken, wie einem guten Freund den Arm auf die Schulter gelegt und dieser die Geste erwidert habe. Konrad glaubt zu wissen, dass sein Vater sich nach mehr Nähe sehnt.

Winzige Schritte, aber wichtige. »Man hat doch als Einzelkind sowieso schon so wenig Familie«, sagt er. »Man hat doch nur diese Eltern – und es waren doch, als ich klein war, auch liebe Eltern ...« Der Sohn hat die Hoffnung, eines Tages mit ihnen über alles reden zu können. Aber gleichzeitig, gibt er zu, sei seine größte Angst die, dass es erst ganz am Ende geschehe: dass es sich dabei um das letzte Gespräch vor ihrem Tod handeln könnte.

»Kollektive Geheimnisse«

Wie schon am Anfang dieses Buches dargestellt, weiß die Forschung noch viel zu wenig über die Langzeitfolgen des Zweiten Weltkriegs in der deutschen Kindergeneration. Aber erst recht fehlt es an gezielten wissenschaftlichen Untersuchungen über die Auswirkungen von Kriegstraumata in den Familien, in den nachfolgenden Generationen. »Das sind kollektive Geheimnisse«, stellt die Ärztin und Traumatherapeutin Luise Reddemann mit Nachruck fest. »Und ich bin mehr und mehr davon überzeugt, dies betrifft hierzulande fast jeden. Man müsste eigentlich bei jedem Menschen, der Schwierigkeiten hat, nachfragen: Wie war das bei Ihnen zu Hause? Und was war mit Ihren Eltern im Krieg? Und was war mit Ihren Großeltern? Wo waren sie? Was haben sie gemacht?«

In ihrer Zeit als Leiterin der Klinik für Psychosomatik und Psychotherapie in Bielefeld fand sie zu der Überzeugung: Nicht nur Menschen der Kriegsgeneration können unter den Folgen ihres frühen Traumas leiden. Es gibt eben auch eine Verschiebung in die zweite und dritte Generation. Die Symptome sind die gleichen. Deshalb, so Luise Reddemann, sei auch bei jüngeren Patienten gezieltes Nachfragen so wichtig.

Hoffentlich macht das Beispiel Schule. Sollten sich die Forscher eines Tages des Themas der zweiten Generation annehmen, es würde sie vermutlich wundern, wie unspektakulär viele Geschichten erscheinen. Es sind Geschichten wie die von Hanna Kuhn*. Sie ist 44 Jahre alt, verheiratet und von Beruf Gymnasiallehrerin. Eine zierliche, mädchenhafte Frau mit blondem Pferdeschwanz, lebhaft, belesen, mit einer präzisen Wahrnehmung ausgestattet. Zufällig kenne ich zwei ihrer Schülerinnen. Sie haben mir über ihren Deutschunterricht erzählt: »Der ist interessanter als jeder Fernsehfilm.« Besonders schätzen sie an Frau Kuhn, dass bei ihr der Zugang zur Literatur »total lebendig« ist, weshalb die Mädchen herausfanden: »Selbst bei den alten Dichtern kann man eine Menge über sich und seine Umwelt lernen.«

Hanna Kuhn lächelt froh, als ich ihr das Lob weiterreiche. Dann erklärt sie mir, ihre Liebe zur Literatur sei bei ihr schon früh ausgeprägt gewesen und habe ihr die Kraft gegeben, innerlich von den Familiennormen abzurücken. Ihr Blick zurück ist wehmütig, ohne Beschuldigung, aber auch ohne jede Beschönigung. Was sie über ihre Herkunftsfamilie zu sagen hat, klingt einfach nur trostlos. »Man hatte nie das Gefühl, dass man sonderlich geliebt wurde, sondern man war eigentlich der Störenfried. Ich kann es nicht anders sagen: Wir drei Kinder waren als Störenfriede abgestempelt, ab einem bestimmten Alter.«

Ihr Vater, Handwerker von Beruf und 1932 geboren, habe sie in den ersten Jahren sehr liebevoll begleitet, erzählt sie. Sie hätten gemeinsam Spaziergänge gemacht, eifrig habe sie seinen wunderbaren Märchen gelauscht. Sie war die Prinzessin, wer sonst? Aber dann, als Hanna fünf oder sechs Jahre alt war, schlug das Gemeinsame, ja das Verschwörerische in sein Gegenteil um, in Misstrauen und Missbilligung. Der Vater sah nur noch Anlässe, seine Tochter zu kritisieren. Für Hanna Kuhn ist es kein Zufall, dass er ihr seine Zuneigung entzog, als sie die ersten selbstständigen Schritte machte – eine wichtige Entwicklungsstufe, ein Alter, in dem es normal ist, dass Papa nicht mehr nur grenzenlos bewundert wird. Aber Hannas Vater ertrug das offenbar nicht. Er ging auf Distanz. An ihren Entwicklungsschritten zeigte er sich nicht mehr interessiert. Das ist bis heute so geblieben.

»Ein weiteres Problem war«, berichtet sie, »dass meine Eltern in der Regel nicht sonderlich solidarisch mit ihren drei Kindern waren. Wir sollten brav sein – bloß nicht auffallen.«

Auf diese Weise wachsen Kinder heran, die sich ständig kontrolliert, aber nicht geschützt fühlen. Haben sie Schwierigkeiten mit anderen Kindern, mit den Lehrern oder in der Nachbarschaft, dann gibt es für sie keinen elterlichen Beistand. Dann sind sie immer selbst schuld. Dann hören sie: »Das hast du dir selbst eingebrockt, also sieh zu, wie du da wieder rauskommst ...«

Eltern, die vor allem Neuen zurückschrecken

Eigentlich fanden Hannas Eltern es unnötig, ihre Tochter aufs Gymnasium zu schicken, aber die Grundschullehrerin setzte sich massiv für die Zehnjährige ein, und da gaben Mutter und Vater widerwillig ihre Zustimmung. Als dann die Noten nachließen, weil für Hanna die Umstellung auf den neuen Schultyp schwierig war, standen die Eltern mit verschränkten Armen vor ihr, rührten keinen Finger, sagten keinen Ton. Kein Tadel, aber auch keine Hilfe.

»Ich meine, ich hatte keine grausamen Eltern, so darf man sich das nicht vorstellen«, sagt sie heute dazu. »Aber die Grundstimmung war eben: Warum wollte unsere Tochter auch unbedingt da hingehen? Warum dieser Umstand? Wir haben es ja von Anfang an gewusst ...«

Hannas Eltern waren Menschen, die vor allem Neuen zurückschreckten. Darum stellten sie keine Fragen. Das ist bis heute so. Es verstörte sie, als sie bei ihren Kindern das Bedürfnis entdeckten, neue Erfahrungen zu machen, fremde Verhaltensweisen auszuprobieren, ja wenn der Nachwuchs überhaupt etwas an der Welt da draußen attraktiv fand.

Hanna blieb die brave Tochter. Sie hatte eine »unheimlich ruhige und nicht mal langweilige Jugend«, weil sie gern las und sich hinter den Büchern eine Ersatzwelt aufbauen konnte. Aber es war stets Erfahrung aus zweiter Hand. »Im Grunde genommen bin ich so aufgewachsen – das ist mir heute erst klar geworden –, wie auch meine Eltern lebten. Sie lebten nämlich nur aus zweiter Hand. Meine Mutter las sehr viel, suchtartig, vor allem gehobene Unterhaltungsliteratur. Sie redete niemals von sich aus über das, was sie gerade las, und konnte schon kurz nach der Lektüre Inhalte kaum noch wiedergeben. Gemeinsam guckten die Eltern noch viel fern. Sie reisten wenig, und wenn, dann nur in Urlaubsgebiete, wo Deutsch gesprochen wurde.«

Hanna und ihr Mann dagegen machen gern Auslandsreisen, aber sie sagt, sie vermeide es, den Eltern davon zu berichten. Schon gar nicht dürfe sie so dumm sein, zu Hause zu erzählen, dass sie in Spanien beklaut worden seien. »Da wäre man doch nur selbst schuld: Warum fährt sie auch dorthin, was hat sie dort zu suchen …«

Ganz anders die Resonanz in der Familie von Hannas Ehemann. »Ich hab das immer unglaublich beneidet, wie das Klima bei seinen Eltern war«, erzählt sie. »Da wurde mitgedacht. Es wurde nachgefragt. Dieses wirkliche lebendige Interesse, das gab es bei uns nicht. Bei mir saßen dann beide Eltern stumm, guckten so ein bisschen verkniffen über die Fotos und stellten nicht eine sinnvolle Frage, weil sie das auch nicht konnten, denn es lag außerhalb ihres Erfahrungshorizonts.«

Hanna macht ihnen deshalb heute keine Vorwürfe mehr. Sie glaubt, dass die Eltern als Kinder schwer traumatisiert wurden und deshalb nur reduziert am Leben teilnehmen können. Vater und Mutter kommen beide aus Flüchtlingsfamilien, aber die Tochter weiß darüber sehr wenig. »Es gibt keine direkte Kommunikation mit meinen Eltern«, sagt Hanna. Ihre Mutter, 1936 geboren, eine Hausfrau, die sich nie ein eigenes Berufsleben zugetraut habe, sei die Versorgerin der Familie und als solche immer »unheimlich umtriebig«. Wenn die Tochter mal zu Besuch komme, dann drücke die Mutter ihre Liebe durch kleine Gaben aus.

Es handelt sich um einen Menschen, der stets auf Rückzug bedacht zu sein scheint – eine Frau, die sich selbst mit ihrer besten Freundin siezt. Vor allem möchte sie nicht auf persönliche Dinge angesprochen werden. »Wenn man das tut, wird sie unkonzentriert, dann wird sie auch motorisch sehr unruhig, die Hände beginnen zu arbeiten, zu kneten, als würde sie handarbeiten. Und sie lenkt dann ab«, beschreibt ihre Tochter die Situation, wenn ihre Mutter sich bedroht fühlt. »Also sie fängt dann an, ganz unkonzentriert von etwas anderem zu sprechen. Und das ist halt der Schutz für sie selber und die Waffe gegen solche Fragen.«

Zwei Flüchtlingskinder

Die wenigen Details, die Hanna von der Flucht erfuhr, endeten stets mit dem Zusatz der Mutter, sie sei damals für viele Dinge noch zu klein gewesen und das sei vielleicht auch gut so.

Wie die Tochter durch Berichte von Verwandten weiß, hatte auch ihr Vater während der Flucht Furchtbares erlebt. Später habe sich seine Familie auch in der DDR permanent bedroht gefühlt, weil sie dem politischen Regime zutiefst misstraute. Aber darüber hat sie vom Vater selbst noch nie etwas gehört. Von ihm kennen die drei Kinder nur seine Anekdoten, die ihnen allen schon früh auf die Nerven gingen: wie er sich stets selbst im pfiffigen Widerstand gegen die Mächtigen – in seinem Fall immer die Lehrer – darstellte. Tatsächlich war er ein schwacher Mensch.

»Wir wussten, dass er sich nicht wehren kann«, sagt seine Tochter. »Und dann ist es für Kinder sehr schwierig – ich möchte es mal vorsichtig ausdrücken –, vertrauensvoll groß zu werden. Unser Familienleben spielte sich so ab: stark verriegelt, das Kontrollbedürfnis meines Vaters ging sehr weit; ich lesend in einem Sessel sitzend über Jahre.«

Zwar besaß sie als Kind ein Fahrrad, aber sie durfte es nicht benutzen. Der Schulweg sei zu gefährlich, fanden die Eltern. Hanna war schon über zwanzig Jahre alt, als sie sich endlich traute, ihr Rad auch im Stadtverkehr zu benutzen. »Als ich mich das erste Mal auf dem Rad in die Innenstadt gewagt hatte, waren meine Hände schweißnass, und ich fürchtete jeden Moment zu verunglücken.«

Hanna kannte keine schönen Feste, keine Geselligkeit, noch nicht einmal Familiengeburtstage, an die sie sich heute gern erinnert. Es wurden dort keine aufregenden, verblüffenden oder umwerfend komische Geschichten erzählt, in der Art, wie sie in lebendigen Familien von einer Generation zur nächsten weitergereicht werden. Dass es derartige Traditionen real gibt – und nicht nur in Romanen –, erfuhr Hanna erst, als sie zu den Familienfesten ihres Mannes eingeladen wurde. In dessen Verwandtschaft wird auch offen über die Kriegsschrecken geredet. »Man merkt einfach, dass auch dieser Teil ihrer Vergangenheit in ihnen lebendig geblieben ist«, beschreibt sie das Gesprächsklima. Vermutlich hätten die Eltern ihres Mannes den Krieg besser verkraftet, weil sie im Unterschied zu Hannas Eltern damals bereits erwachsen gewesen seien.

Im Übrigen geht die Tochter davon aus, dass Mutter und Vater das Leben, das sie führen, völlig anders schildern würden. »Das ist etwas, das sie nicht reflektieren können«, weiß sie. Früher hatte sie gehofft, dass, wenn ihr Vater in Rente gehe, etwas in ihm aufbreche und er milder und zugänglicher würde. »Aber das war, glaube ich, ganz unpsychologisch von mir gedacht. Seit er Rentner ist, hat sich seine Pedanterie nur noch verstärkt. Das wuchert jetzt immens ...«

Und dennoch: Würde der Vater ihr heute anbieten, mit ihm in seine alte Heimat zu fahren, sie würde sofort zusagen. Aber das könne schon deshalb nicht passieren, bedauert seine Tochter, weil sie dann womöglich eine gemeinsame Nähe hätten, die der Vater nicht aushalten würde.

Sie befürchtet: »Wenn ich mir vorstelle, ich würde mit ihm am

Grab meines Opas stehen, der in den letzten Kriegstagen gefallen ist, und es würden sich dort zwischen uns irgendwelche Gespräche anbahnen, die ihm nahegehen, das könnte mein Vater nicht ertragen.«

Hanna Kuhn glaubt nicht mehr daran, dass sich das Verhältnis zu ihren Eltern irgendwann noch einmal verbessern wird. Die gegenseitige Fremdheit wird wohl Teil ihrer Beziehung bleiben. Sie hat eingesehen, dass ihr Erscheinen bei den Eltern in der Regel nicht mehr als ein Pflichtbesuch sein kann. Lebte ihre Mutter allein, dann gäbe es vielleicht eine Chance, sie ein kleines Stück aus ihrem beschränkten Alltag herauszulocken, glaubt Hanna und sieht für einen kurzen Moment glücklich aus. Aber so kontrolliere ihr Vater alles, selbst Mutters Telefongespräche. Seine Frau darf sich, bildlich gesprochen, keinen Millimeter von ihm entfernen.

Wenn Hanna an ihre Familiengeschichte denkt, sind ihre vorherrschenden Gefühle Resignation und Trauer – und ein großes Bedauern, weil sie kinderlos geblieben ist. Auch hier sieht sie einen Zusammenhang zu dem, was ihre traumatisierten Eltern ihr nicht haben geben können. »Ich habe eben Kindheit, auch Kinderhaben nie als erstrebenswert erfahren«, sagt sie leise.

Ein Steinmetz wirft die Brocken hin

Wenn Menschen mit über vierzig noch keine eigene Familie gegründet haben, erleben sie sich als Außenseiter. Michael Hartwig* merkt das mit jedem Jahr mehr, das verstreicht. Zurzeit macht der gelernte Steinmetz eine Ausbildung im öffentlichen Dienst, von der er sich weniger Stress im Berufsalltag verspricht als bei seinem letzten Arbeitsverhältnis.

Wie Konrad Matzke hat auch er eine Suchterkrankung hinter sich, obwohl beide das vorsichtiger formulieren würden, weil sie den Rückfall fürchten und alles tun, um gar nicht erst in seine Nähe zu kommen. Michael, 1961 geboren, trinkt bereits seit

18 Jahren keinen Alkohol mehr, aber auf der absolut sicheren Seite fühlt er sich nicht. Und dies sei auch gut so, meint er, das erhalte seine Vorsicht dem Stoff gegenüber. Er hält sich für gefährdet, seit ihm seine Suchtverlagerung bewusst wurde; als er schließlich trocken war, sei er arbeitssüchtig geworden. Außerdem hätten seine Lebensängste weiter bestanden.

Im Jahr 2000 erlebte er eine Krise, von der er sich bis heute noch nicht wirklich erholt hat. Einiges war damals zusammengekommen. Erst war eine langjährige Beziehung zu Ende gegangen, kurz darauf hatte er seine Arbeit gekündigt. »Es war ein ausbeuterisches Verhältnis«, sagt er. »Ich wurde mit jedem Arbeitstag wütender. Am Ende war ich geladen wie eine Granate.« Und als er merkte, dass es ihn wieder mit Macht zurück zur Flasche drängte, zog er die Notbremse und warf die Brocken hin, durchaus im Sinne des Wortes, denn er war ja Steinmetz.

Anschließend reiste er längere Zeit durch Asien. Nach seiner Heimkehr allerdings empfand er nur noch Verzweiflung, Sinnlosigkeit, Existenzängste, Bedrohungsgefühle. Ein Aufenthalt in einer psychosomatischen Klinik half nicht weiter, denn: »Da reißen sie einem blind die Seele auf und lassen einen damit allein.« Danach ging es ihm noch schlechter.

Das Sonderbare war nur, dass er seinen inneren Zustand mit historischen Bildern verknüpfte. Immer wieder tauchte eine Art Schwarz-Weiß-Film in ihm auf: Berlin im Mai 1945, Elend, Schutt, Krater und Asche. Er sieht sich durch die Trümmer irren, entwurzelt, ein Überlebender ohne jede Zukunft. DAS ENDE. DAS DUNKEL. DIE LEERE. DAS NICHTS. Schließlich vertraute sich Michael seinem früheren Therapeuten an, und der sagte dazu: »Sie sind Ihrem Vater im Moment sehr nah.«

Der Sohn kannte dessen Kriegsgeschichten, ziemlich genau sogar. Der Vater war als 15-Jähriger zur Flak gekommen und mit 18 noch eingezogen worden. Bei der letzten Schlacht in Berlin hatte er mitgemacht, beim Häuserkampf, und er hatte seinem Sohn erzählt: »Wenn du dich nach deinen Leuten umgedreht hast, war schon wieder einer tot!« Auch hatte Michael, als er noch

Kind war, seinen Vater nachts häufiger schreien hören: »Erschieß mich nicht!«

Er stammte aus Pommern. Ein Bruder von ihm war bei der SS gewesen, aber darüber wurde in der Familie geschwiegen. Michaels Großvater war gefallen. – Sein Vater starb 1995.

Die Bilder, die im Jahr 2000 in Michael hochstiegen, bezogen sich nicht auf die Todesangst seines Vaters, sondern auf dessen totale Hoffnungslosigkeit, im Mai 45, nach Kriegsende. »So etwas zeigen sie nicht im Kino«, weiß er. »In den Kriegsfilmen geht es immer nur um die Kämpfe. Ob man überlebt oder nicht.«

Sein Vater, erinnert er sich, sei sehr stolz auf seine Überlebenskunst gewesen. Nach dem Krieg habe er bei der amerikanischen Armee gearbeitet, dann bei Bauern, später ungelernt auf dem Bau. Ein Leben, das nur aus Arbeit bestand, von einer Baustelle zur nächsten. Irgendwann machte er eine Ausbildung zum Kranführer. Auch ein eigenes Haus hat er noch gebaut. Aber dann, mit 49 Jahren, war seine Gesundheit ruiniert, er ging in Rente.

Es klingt so, als habe Michael sein süchtiges Verhältnis zur Arbeit von seinen Eltern »geerbt«, denn er schildert sie als Menschen, in deren Leben außer Arbeit kaum etwas Platz hatte. Möglicherweise hatten sie damit ihre Existenzängste überdeckt, die dann bei ihm wiederaufgetaucht waren. Den Vater seiner Kindheit nennt der Sohn cholerisch und unberechenbar. »Er konnte sehr gewalttätig sein, auch uns Kindern gegenüber. Ich hatte immer Angst vor ihm.« Er sei damals ein Schulversager gewesen – mit Selbstmordgedanken, fügt er noch hinzu. Zwar habe ihn die Mutter ein bisschen getröstet, aber sie arbeitete als Putzfrau und war deshalb meistens unterwegs.

Ab Mitte der Siebzigerjahre saß sein Vater dann als Frührentner zu Hause. Zum ersten Mal im Leben hatte er Zeit für Michael. Da fing der Mann an zu erzählen. Seine ganzen Kriegserlebnisse schüttete er über den pubertierenden Jungen aus. »Er tat es, indem er das Ganze verherrlichte, er hat sich selbst und andere heroisiert«, erinnert sich sein Sohn. »Er war ein Vielredner. Zuhören war nicht seine Stärke. Wenn er einmal anfing zu reden, konnte er nicht mehr aufhören.«

Zur selben Zeit, mit 13 Jahren, fing Michael an, regelmäßig zu trinken.

»Wir sind eine heile Familie!«

Als ich an diesem Buch arbeitete, fielen mir immer wieder die Schneiders* ein. In meiner früheren Nachbarschaft wohnten sie zwei Stockwerke unter mir, ältere Leute, die fast täglich von ihren Kindern besucht wurden. Sie waren zwischen dreißig und vierzig Jahre alt.

Vor allem die zwei ältesten Kinder schauten nicht mal eben vorbei, sondern tranken mit ihnen Kaffee und erzählten vom Tage. Sie taten es noch, während sie sich im Flur verabschiedeten. Was für ein ungewöhnlicher Zusammenhalt, dachte ich. Als ich einmal Frau Schneider darauf ansprach, sagte sie strahlend: »Gott sei Dank sind wir eine heile Familie!«

Sie war eine kleine, runde Frau mit grauen Löckchen und schnellen Bewegungen. Unsere kurzen Kontakte erwiesen sich in der Summe als ergiebig, sodass ich nach und nach mehr über die Schneider-Sippe erfuhr. Deren Gespräche drehten sich in erster Linie darum, wie der Alltag zu regeln war. Hilfsbereitschaft war der größte gemeinsame Wert. Niemand wurde im Stich gelassen, wenn sein Auto versagte, wenn er arbeitslos wurde oder der Ehepartner ihn verlassen hatte.

Der Vater war Verwaltungsbeamter im vorzeitigen Ruhestand, herzkrank, Infarktpatient. Er fiel mir zum ersten Mal im Aufzug auf, weil er ihn benutzte, obwohl er nur in den ersten Stock musste. Als ich dann sah, wie langsam er sich auf seine Wohnungstür zubewegte, war klar, dass er schwer krank sein musste. Schlechte Nachrichten, erfuhr ich später, seien möglichst von ihm fernzuhalten. Auch Mutter Schneider, eine Hausfrau, war in den Augen ihrer Kinder wenig belastbar. Wann immer man in ihrer

Gegenwart ein schwieriges Thema ansprach, schossen ihr die Tränen in die Augen. Ich habe es selbst gelegentlich erlebt, zum Beispiel als ich ihr erzählte, dass der Blumenladen an der Ecke schließen würde.

Man durfte ihr offenbar nichts Negatives zumuten. Auch keine »Problemfilme« im Fernsehen. Am besten entspannte sie sich durch leichte Musik, Kreuzworträtsel und die Sammelromane von »Reader's Digest«. Sie war eine liebe, herzliche Person. Niemand wollte ihr wehtun. Also wurde geschwiegen.

Ich vermute, die Tragik der Schneiders war, dass die Mutter alle in Schach hielt. Sie war es, die bestimmte, welche Themen erlaubt waren und welche nicht. Ganz sicher war es nicht erlaubt, offen darüber zu sprechen, obwohl alle Kinder es wussten – dass die Tochter nur deshalb ständig knapp bei Kasse war, weil sie einem Liebhaber immer wieder mit beachtlichen Summen unter die Arme griff. Für die Eltern war »ihre Doris« jemand, der nun mal nicht mit Geld umgehen konnte, weshalb bereitwillig ihr Bankkonto ausgeglichen wurde.

Außerdem riskierte niemand, laut zu sagen, was der Vater vielleicht ahnte, was aber die drei Geschwister definitiv wussten: dass der jüngste Sohn regelmäßig Drogen nahm. Einmal nachts, als ich ihn in der Eckkneipe traf, hatte mir Klaus auch die Begründung genannt: »Die Atmosphäre am Familientisch kann ich eigentlich nur breit ertragen.« Darum war er der Einzige, der sich den Ritualen gelegentlich entzog. Auf Drogensucht wäre man bei ihm nicht ohne Weiteres gekommen. Ein unauffälliger, bieder gekleideter Mann von Mitte dreißig, Versicherungsvertreter, verheiratet, ohne Kinder.

Die anderen Geschwister waren ebenfalls kinderlos, allerdings schon wieder geschieden. Sie schienen grundsätzlich Pech zu haben in ihren Beziehungen. Die jeweiligen Ehepartner waren mit großer Herzlichkeit in die Familie aufgenommen worden. Zuwendung und Hilfsbereitschaft hatten sie auf geradezu überwältigende Weise erfahren. Aber als die Ehen in die Brüche gingen, wurden die Schwiegertochter und der Schwiegersohn regelrecht verstoßen. Sie allein waren schuld, dass die Beziehung nicht gehalten hatte. Auch fielen alle anderen Menschen in Ungnade, die in dieser Frage nicht hundertprozentig die Schneider-Linie vertraten.

Wie Klaus, der Jüngste, mir bei unseren Kneipengesprächen enthüllte, lag bei den Schneiders das Versagen stets außerhalb ihrer Familie. Und so ergab sich reichlich Gesprächsstoff beim Essen, wenn man sich gemeinsam darüber aufregte, wie unverschämt sich der oder die verhalten habe, wie ungerecht der Chef des Sohnes sei, wie die Tochter von ihrer Abteilungsleiterin gedeckelt werde, wie überhaupt die Welt schlecht sei und warum eine rot-grüne Regierung Deutschland in die Katastrophe führe. Da entpuppten sich freundliche, rechtschaffene Menschen als feindselige, rachsüchtige Charaktere. Eine Familie wie eine Burg, in der aus allen Schießscharten geschossen wurde.

Einmal hatte ich dem ältesten Sohn geholfen, seinen Wagen zur Werkstatt abzuschleppen. Man sagte uns dort, das Auto würde sofort repariert, wir könnten darauf warten. Peter machte auf mich einen schüchternen Eindruck. Als ich ihn nach seinem Beruf fragte, wich er aus und murmelte etwas von Import-Export. Von Klaus hatte ich erfahren, ihre Eltern hätten nie so recht verstanden, warum aus ihrer Kinderschar nicht wenigstens ein Akademiker hervorgegangen war. Immerhin hatten Mutter und Vater Abitur, aber die drei Kinder schafften gerade mal die mittlere Reife.

»Mutter bekommt sofort feuchte Augen, wenn es um unsere Schulschwierigkeiten von früher geht«, hatte Klaus gesagt. Einmal erlebte er, dass seine Mutter von einem Bekannten gefragt wurde, ob sie eine Erklärung für das Schulversagen ihrer Kinder habe, und sie hatte geantwortet: »Sie waren wohl Spätzünder ...« Gleich alle drei? Wie war das möglich?

Frau Schneider stammte aus dem Sudetenland. Als sie fünf Jahre alt war, wurde ihre Familie vertrieben. Ihr Mann, drei Jahre älter, ein schlesisches Flüchtlingskind, überlebte die Zerstörung Dresdens. Wie man sich leicht vorstellen kann, gehörte die Kriegskindheit der Eltern zu den Tabuthemen in der Familie. Die

Söhne und die Tochter wären nie auf die Idee gekommen, dass sie durch die Vergangenheit ihrer Eltern belastet sein könnten. Als ich Klaus einmal einen kleinen Hinweis geben wollte, wechselte er sofort das Thema. Offenbar spielte jeder der Schneiders »Blindekuh« – mit schlimmen Folgen.

Keines der drei erwachsenen Kinder kam zu einem eigenen, selbstständigen Leben. Der jüngste Sohn nahm Drogen, die Tochter betrog ihre Eltern, der Älteste verlor zweimal im Jahr seine Arbeitsstelle, die Mutter drohte ständig mit Tränen, und der Vater würde bald sterben. Und alle hielten sich an der Devise fest: »Gott sei Dank sind wir eine heile Familie!«

Verluste werden nicht betrauert

Über die Auswirkungen von Krieg, Flucht und Vertreibung hat der Psychologe Wolfgang Neumann, Bielefeld, interessante Entdeckungen gemacht. In seiner wissenschaftlichen Untersuchung, die er »Spurensuche« nannte, ging es ihm darum, unbewusste Einstellungen sichtbar zu machen, die an die Nachgeborenen weitergegeben wurden. Es sind subtil wirksame Folgen der Naziverbrechen, der Nazikultur und des Krieges. Er stellte eindeutige Prägungen in der zweiten und dritten Generation fest – auch dann, wenn die Herkunft und die alte Heimat in einer Flüchtlingsfamilie keine Rolle mehr spielen. »Anstatt zu trauern«, beschreibt Neumann eine typische Situation, »war es den Eltern häufig nur möglich, zu beschuldigen, und damit sind sie in der Opferhaltung geblieben. Das kennt man ja vielleicht selbst auch: Wenn man sich als Opfer fühlt, kommt man schwer an andere Gefühle ran, zum Beispiel an Trauer.«

Bis dahin klingt alles noch vertraut. Nicht trauern können war das große Problem im Nachkriegsdeutschland gewesen. Weniger bekannt scheint der zweite Aspekt zu sein, den Neumann ausleuchtete. Er stellte fest: Heute sind die Verluste andere, der Arbeitsplatz, die Ehefrau. Die Art und Weise aber, wie mit Verlusten umgegangen wird, ist in Flüchtlingsfamilien häufig weitergegeben worden. Und dies sind dann die Folgen: »Dann ist die Ehefrau, die sich hat scheiden lassen, die Böse, und sie bleibt auch die Böse, sozusagen für immer und ewig. Wenn aber Menschen in dieser Haltung verharren, dann können sie schwere Verluste nicht verarbeiten.«

Dann bleiben sie stecken. Dann gibt es keine Entwicklung und keinen wirklichen Neubeginn.

VIERZEHNTES KAPITEL

Ein Plädoyer für Vernunft und Trauer

Wie der Kriegsschrecken gedenken?

Vernunft und Trauer lassen sich nicht verordnen. Aber man kann dafür werben. Eine Bereitschaft für Vernunft und Trauer wäre nötig, um sich folgenden Fragen zu nähern: Was können wir heute angesichts der noch unverarbeiteten Kriegsschrecken tun? Wie könnte eine öffentliche Gedenkkultur aussehen, die der Katastrophe, aber auch dem heutigen Abstand zur Katastrophe gerecht wird?

Wir haben es hier mit einem gesellschaftlichen Thema zu tun, das äußerst unbeliebt ist. Wer unvermittelt fragt: Wie könnte man angemessen der Kriegsschrecken in Deutschland gedenken?, stößt schnell auf die Gegenfrage: Haben wir nichts Besseres zu tun? Oder es kommt die Belehrung, man möge bitte beachten, dass die Deutschen wieder auf dem besten Weg seien, sich als Opfer zu stilisieren. Schon wieder wachse – wie in den Fünfzigerjahren – die Gefahr, dass deutsches Leid mit dem der Holocaustüberlebenden und anderer Naziopfer aufgerechnet werde. Also lieber nicht daran rühren.

Im Gegenteil. Wir müssen daran rühren, nun, da sich zeigt, dass Luftkrieg und Vertreibung die deutsche Bevölkerung untergründig weit mehr beschäftigten, als dies angenommen wurde. Erstens müssen wir uns darum kümmern, damit nicht länger traumatische Erfahrungen an die nachfolgenden Generationen weitergegeben werden. Zweitens müssen wir es tun, um einen neuen Opferkult zu verhindern. Und drittens sind wir dazu verpflichtet, um den Frieden in Europa zu erhalten.

Der Ausbruch der Gewalt im Balkan in den Neunzigerjahren hat gezeigt, dass das Langzeitgedächtnis für unverarbeitete kollektive Schrecken nachtragend und unberechenbar ist. Fünfzig, sogar hundert Jahre können verstrichen sein, und man glaubt, die Zeit habe alle Wunden geheilt – aber dann eskaliert irgendein

Konflikt, und eine ungeheure Zerstörungskraft bricht auf. Unverarbeitete kollektive Traumata können sich in Ressentiments niederschlagen wie auch in blutigen Auseinandersetzungen. Ähnlich wie bei Blindgängern und Giftmülldeponien bestünde verantwortliches Handeln darin, die Gefahr zu entschärfen, bevor sie zum Ausbruch kommt.

Demokratien, sagt man, seien die besten Garanten für ein friedliches Nebeneinander der Nationen, und dies einmal mehr, wenn sie sich zusammengeschlossen haben, wie es in der Europäischen Gemeinschaft geschah. Aber Demokratien müssen stabil sein. Wie stabil die deutsche Demokratie ist, wissen wir nicht, denn sie musste sich gottlob noch nicht bewähren. Aber wir wissen, dass sie jung ist, eine Nachkriegserrungenschaft – und in den neuen Bundesländern noch keine 15 Jahre alt. Schon deshalb brauchen wir ein Bewusstsein für *alle* gesellschaftlichen Stressfaktoren, damit wir wenigstens solche mildern, auf die wir als Bevölkerung Einfluss haben. Die hohe Arbeitslosigkeit abzubauen oder die leeren öffentlichen Kassen wieder zu füllen gehört zu den Aufgaben der Politik – da kann der Einzelne wenig tun. Anders bei dem Thema, das uns nun während des ganzen Buches beschäftigt hat. Jeder kann in seiner Umgebung dazu beitragen, dass Angehörige der Kriegsgeneration als solche wahrgenommen und ernst genommen werden. Damit wäre schon viel erreicht. Für Solidarität ist es nicht zu spät.

Menschen gelingt es am besten, ihr Leid zu verarbeiten, wenn sie die Unterstützung der Gemeinschaft spüren. Wer dagegen in seiner Opferrolle verharrt, bereitet auch seine Kinder und Kindeskinder darauf vor. Auf diese Weise werden sie anfällig für Manipulationen und eine leichte Beute für politische Rattenfänger. Große Opfergruppen, die ständig jammern, ob versteckt oder offen, schwächen die Demokratie. Ganz anders jene Opfer, die den Mut haben zur Klage und zur Trauer – was etwas ganz anderes ist als Jammern. Ihnen gelingt es am ehesten, ihre persönlichen Krisen zu bewältigen. Und nicht nur das: Nach dem Prinzip der ansteckenden Gesundheit entwickeln sie danach die Fähigkeit, andere Menschen in Krisen zu motivieren, sodass auch diese endlich aktiv werden und sich ihren Problemen stellen.

Nicht jammern – trauern!

Jammern produziert neue Opfer. Trauer ist der Weg zu einer neuen inneren Stärke. Eine Bereitschaft zur Trauer wäre also der allerbeste Schutz gegen einen neuen Opferkult. Sie könnte dazu beitragen, dass wir Deutschen uns nicht länger in Verstrickungen, Schuldzuweisungen, diffusen Ängsten, Selbstbeschwichtigungen und überholten Denkmustern verlieren.

Eine Bereitschaft zur Vernunft würde zudem helfen, die Fakten zu akzeptieren und damit wahrzunehmen, dass die Deutschen in einer traumatisierten Kultur leben.

Zu den Fakten: Dass Nazideutschland Europa mit einem grausamen Krieg überzog und viele Millionen Menschen ermordete – wer, außer einigen alten und neuen Rechtsradikalen, würde das bestreiten? Aber der Konsens über Fakten stößt hierzulande schnell an seine Grenzen – wie es zum Beispiel die schon lange schwelende Auseinandersetzung um das geplante Zentrum gegen Vertreibungen in Berlin zeigt.

»Niemandem, erst recht nicht der extremen Rechten, sollte es gestattet sein«, schrieb Antony Beevor, »das Thema des deutschen Leids anno 1945 abzukoppeln davon, was ihm in den vier Jahren davor vorausging und was das Bedürfnis nach Rache an den Deutschen überhaupt erst geweckt hat.« Ich vermute: eine Mehrheit der Deutschen würde Beevor zustimmen, eine Minderheit nicht.

Kommen wir zu dem zweiten Punkt, über den es keine Einigkeit in der Bevölkerung geben wird, auch nicht im Ausland – die sogenannte Vergangenheitsbewältigung. In seinem Buch »Wie anders sind die Deutschen?« stellte der Franzose Alfred Grosser fest: »Von außen wird die Gemeinschaft der Deutschen mit Mißtrauen betrachtet: ist sie sich wirklich ausreichend der im Namen von Deutschland verursachten Leiden bewußt?«

Aber gewiss doch, meinte Beevor. »Kein Land hat freilich mehr getan, den Schrecknissen seiner Vergangenheit ins Auge zu schauen als Deutschland. Bis in die jüngste Historikergeneration hinein wird beispielsweise die Quellenlage zu Greueltaten der SS oder der Wehrmacht genauestens erforscht.« Gelegentlich habe so viel Engagement der Geschichtsschreibung nicht nur gut getan, fügte er hinzu. Manche Themen hätten zuweilen eine zu einfache Schwarz-Weiß-Färbung erhalten, wo doch Geschichte nie so ordentlich aufgehe. »Im Ausland hört man oft den Vorwurf, die Deutschen drehten sich zu sehr um sich selbst, wie selbstverloren, auch dann, wenn sie mit der Naziära abrechnen.«

Ich vermute auch hier: Eine Mehrheit der Deutschen würde dem zuletzt genannten Vorwurf aus dem Ausland zustimmen, eine Minderheit wiederum nicht.

Und nun der dritte Punkt. Die Deutschen als Opfer. Fakt ist, dass die Bevölkerung unsäglich unter dem Krieg gelitten hat. Das wird auch nicht bestritten. Unklar ist, wie die Deutschen heute damit umgehen sollen. »Ist es nicht ihr Recht, die Erinnerung an ganz spezifische Leiden des deutschen Volkes zu bewahren?«, fragte Grosser. Darum geht es. Das Problem ist nur: Fühlen wir uns als Volk tatsächlich dazu berechtigt, oder gehört es nicht vielmehr zum Erbe der Vergangenheit, dass wir uns nie mehr freimachen können von den ausländischen Bewertungen? Warten wir nicht unbewusst darauf, dass uns das Ausland endlich die Erlaubnis gibt, guten Gewissens unserer eigenen Opfer zu gedenken und den Traumatisierten Hilfe anzubieten?

»Natürlich ist es nur recht und billig, dass das schreckliche Leiden der deutschen Zivilisten im Zweiten Weltkrieg endlich die ihm gebührende Berücksichtigung findet«, schrieb Antony Beevor. Aber eine Gegenposition zu ihm ist leicht zu finden. In der »Süddeutschen Zeitung« warnte Moshe Zimmermann vor »moralischer Aufrechnung und Relativierung«, nun, da »Bomben, Flucht und Vertreibung Elemente des öffentlichen Diskurses« seien. Bei den Menschen, die sich als Opfer zu erkennen gaben, hatte der Experte für deutsche Geschichte, der in Jerusalem lebt, »Vorwürfe und Zorn« entdeckt, weshalb er die Frage stellte: »Gegen wen soll sich der Unmut der Leser von Grass, Friedrich oder der vielen Gedenktafeln und auch der Besucher des geplanten Vertriebenenzentrums richten?«

Wie lässt sich eigentlich unterscheiden, welche ausländischen Bedenken wir ernst nehmen müssen und welche nicht? Ich glaube, eine Unterscheidung ist dann erst möglich, wenn wir selbst eine Haltung zu einer angemessenen Gedenkkultur gefunden haben und nicht länger glauben, bei einem solchen Thema reiche es aus, irgendwelche Meinungen abzusondern.

Ich denke in diesem Zusammenhang an die berühmte Rede des damaligen Bundespräsidenten Richard von Weizsäcker am 8. Mai 1985. Er sah sich dazu veranlasst, weil die Themen Naziverbrechen, Schuld und Vergangenheitsbewältigung nicht etwa durch eine gesunde demokratische Gedankenvielfalt weiterentwickelt wurden, sondern in einer unheilvollen Meinungsverwirrung zu ersticken drohten. Nach Weizsäckers Rede war die politische Umgangskultur, was die Nazivergangenheit betraf, eine andere. In Debatten wurde weit seltener als vorher auf Schuld oder der Verleugnung von Schuld herumgeritten. Nun gab es leisere Töne, weniger Vorwürfe und Unterstellungen. Die Bereitschaft, dem anderen zuzuhören, wuchs. Statt der Frage nach deutscher Schuld stand die Verantwortung im Vordergrund, sprich, die Aufgaben und die Verpflichtungen, die Deutschland aufgrund des Erbes seiner Vergangenheit nun zu übernehmen hatte.

Die Auswirkungen einer großen Rede

Dem Bundespräsidenten war es ganz offensichtlich gelungen, *alle* Deutschen anzusprechen. Sie fühlten sich in ihrem unterschiedlichen Betroffensein wahrgenommen, auch als Opfer. Darum waren die positiven Auswirkungen seiner Ansprache später in allen gesellschaftlichen Bereichen zu spüren. Als ich die Rede kürzlich noch einmal las, kam mir der Gedanke: Hier hat sich jemand berufen gefühlt, als Deutscher den Deutschen zu helfen, aus einem Labyrinth der Emotionen wieder herauszufinden. Er tat es mit der Stimme der Vernunft, mit dem Wissen um völlig unterschiedliche Lebenserfahrungen, mit einem klaren Mitgefühl und mit deutlicher Abgrenzung gegenüber unredlichen Entschuldungstendenzen. Gleichzeitig bestätigte Weizsäckers Erfolg den pädagogischen Lehrsatz, dass man Menschen nur dann erreicht, wenn man sie wirklich wahrnimmt und nicht ihre Bedürfnisse durch moralische Appelle kleinzureden versucht. Der Bundespräsident beherzigte die Einsicht, dass man keine Verhaltensänderung bei seinem Gegenüber bewirkt, solange man ausschließlich auf das schlechte Gewissen zielt.

Die Zeit war reif für Weizsäckers lange Rede. Ich meine, die Zeit heute, fast zwanzig Jahre später, ist reif für eine weitere Rede. Thema: »Über das angemessene Gedenken der Kriegsschrecken in Deutschland«. Ich wünsche mir, dass eine väterliche oder mütterliche Autorität dem Gezänk und der Ideenlosigkeit ihre Stimme der Vernunft entgegensetzt. Die Fakten, die allgemein bekannt sind und nicht mehr infrage gestellt werden, reichen dafür allemal aus.

Es bedarf eines gesellschaftlichen Diskurses, aber der versickert immer wieder. Vielleicht wäre es günstiger gewesen, das Thema Luftkrieg wäre durch einen anderen Anlass in die Öffentlichkeit gelangt als durch Jörg Friedrichs Bestseller »Der Brand«. Aber wenn etwas kaum Beschreibbares wie das Grauen der Bombenangriffe so lange im Untergrund rumort hat, dann ist sein Auftauchen nicht mehr steuerbar, weder von den Betroffenen noch von den Rationalisierern, nicht von den Historikern und erst recht nicht von den Massenmedien. Sie können Themen nur ignorieren oder aufheizen, aber sie nicht in vernünftige Bahnen lenken.

Ich konnte die Kritik an Jörg Friedrich nicht so recht begreifen. Vielleicht wird sich mit genügendem Abstand zeigen, dass »Der Brand« für die Kriegskindergeneration eine ähnliche Bedeutung hatte wie Alice Schwarzers »Der kleine Unterschied und die großen Folgen« für die neue Frauenbewegung. Auch damals, 1975, war es für die Kritiker leichter, in diesem Buch eine haltlose Aneinanderreihung von Behauptungen zu sehen, als sich zu fragen, warum die Leserinnen es so fasziniert verschlangen, vor allem aber, wieso es fremde Frauen dazu brachte, einander plötzlich ihre imtimsten Dinge zu erzählen.

Mag ja sein, dass Friedrichs Präsentation, wie seine Gegner sagen, »wissenschaftlich unredlich« und seine Sprache allzu emotionalisierend ist. Aber schließlich: Friedrich war selbst ein Kriegskind, vielleicht wusste er besser als die Nachgeborenen, was seine Altersgenossen zum Thema Bombenkrieg brauchten. Vielleicht spürte er ihr Bedürfnis, endlich miteinander ins Gespräch zu kommen, und lieferte dafür die Initialzündung.

Nach dem Erscheinen von »Der kleine Unterschied und die großen Folgen« ging es überhaupt erst richtig los mit der Frauenliteratur in Deutschland, auch mit der Frauenforschung. In einigen Jahren werden wir wissen, was für eine Veröffentlichungswelle »Der Brand« ausgelöst haben wird.

Von den heftigen Gefühlen zurück zu den Fakten, zu den heute gesicherten Erkenntnissen der Traumaforschung. Es gibt Kriterien, mit deren Hilfe sich der Behandlungserfolg in etwa voraussagen lässt. Man weiß, unter welchen Bedingungen sich Patienten wieder gut erholen und welche Umstände eine Genesung verhindern. Günstig ist es vor allem, wenn ein Opfer den Trost der Gemeinschaft erfährt. Das kann eine Familie sein, aber auch die ganze Verwandtschaft, oder noch besser, wie in bestimmten afrikanischen Traditionen, das ganze Dorf. Wichtig ist, dass einem Menschen vor einem Kreis von Zeugen gesagt wird: Ja, dir ist Unrecht widerfahren. Ja, es gibt allen Grund, dass du zurzeit mit deinem Leben nicht gut zurechtkommst. Es ist normal, dass du jetzt verwirrt oder unendllich traurig bist. Es ist gut, zu weinen und sich anderen Menschen anzuvertrauen.

In unserer Kultur finden Gemeinschaftsrituale, in denen

öffentlich Unrecht bezeugt wird, nur im Gerichtssaal statt. Dort steht aber nicht das Opfer im Mittelpunkt, sondern der Täter. Und da Richter nicht die Aufgabe haben, Trost zu spenden, sondern die Wahrheit herauszufinden, weshalb Opfer häufig wenig einfühlsam befragt werden, besteht die Gefahr, dass Gerichtsverhandlungen einem traumatisierten Menschen eher schaden.

Was bleibt? Eigentlich nur die Trauerfeier. Tränen sind erlaubt. Die Gemeinschaft tröstet. Vorausgesetzt, es handelt sich um ein stimmiges und nicht um ein leeres Ritual. Für ein früheres Buch habe ich mehrere Elternpaare, die ihr Kind verloren hatten, danach gefragt. Ihre Antworten machten die Unterschiede zwischen einer noch zusätzlich belastenden und einer hilfreichen Trauerfeier sehr deutlich.

Die Befreiung durch eine Trauerfeier

Dass Trauer keine Krankheit ist, sondern zu heilen vermag, erfuhr Hildegard Schwarz* auf völlig unerwartete Weise. An einem Märztag im Jahr 1995 nahm sie abends an einem Trauergottesdienst teil. Als sie ihre Reise in ihre Heimatstadt plante, ahnte sie nicht, was sie dort erwartete. Sie wollte nur, wie jedes Jahr zur selben Zeit, auf den Friedhof gehen. Im März 1945 war die Kleinstadt bei einem Luftangriff – der einzige seit Kriegsbeginn – fast vollständig zerstört worden. Dieser Katastrophe wurde nun, fünfzig Jahre später, in einer groß angelegten Trauerfeier gedacht. In der Kirche war Hildegard Schwarz ohne Begleitung, und sie wollte auch allein sein.

»Ich kann mich erinnern, dass ich fassungslos und hemmungslos im Gottesdienst weinte, und ich war wohl auch die Einzige«, erzählt sie mir acht Jahre später. »Und ich habe auch in Erinnerung, dass die, die ich von früher kannte, mich auch erkannt haben. Doch ich wollte nicht mit ihnen sprechen. Warum, das weiß ich nicht genau.« Es könne damit zusammenhängen, überlegt sie weiter, dass ihre Familie nach dem Krieg durch die Sucht des Vaters sozial geächtet war, was sie 1995 noch nicht verarbeitet hatte. »So souverän war ich eben damals noch nicht.«

Bis zu dieser Trauerfeier in der Stadt ihrer Kindheit besaß Hildegard Schwarz keinerlei emotionalen Zugang zu dem, was ihr als Zehnjährige widerfahren war. Nie klagte oder weinte sie, weil sie ihre Mutter und ihre drei Geschwister bei einem Bombenangriff verloren hatte. Tatsächlich sprach sie so gut wie nie darüber, und wenn doch, dann so nüchtern, als läse sie aus einer Zeitung vor. Keine Trauer. Stattdessen ein Rationalisieren, so wie sie es als Jugendliche als Überlebensstrategie eingeübt hatte.

Anfang der Neunzigerjahre geschah es, dass sie im Fernsehen einen Beitrag über den Luftkrieg in Deutschland sah und gleichzeitig fassungslos über ihre Tränen war. Als sie am Telefon ihrer Tochter sagte, sie könne sich ihr Weinen absolut nicht erklären, denn dies gehe sie doch alles nicht persönlich an, verschlug es der Tochter die Sprache. Wie war es möglich, dass ihre Mutter sich selbst nicht als ein Opfer des Bombenkriegs empfinden konnte?

Im März 1945 hatte Hildegards Mutter, von den Fliegern überrascht, mit ihren vier Kindern an der Außenmauer eines Hauses Deckung gesucht. Genau auf dieses Haus war dann eine Bombe gefallen. Die kleine Hilde hatte den Piloten gesehen, er flog sehr tief. »Das heißt, er hatte es ganz gezielt auf dieses Haus und die Menschen abgesehen«, stellt Hildegard Schwarz fest. Die ganze Familie wurde verschüttet. »Ich konnte mich nicht bewegen. Ich lag direkt auf meinem älteren Bruder.« Der Junge fragte: »Wo ist Mutti, wo sind die anderen?« Und Hilde sagte: »Die sind tot. Die sind im Himmel.« Dann beteten beide das Vaterunser. Danach starb der Bruder unter ihr, und Hilde verlor das Bewusstsein.

Als sie zwei Tage später aus den Trümmern geborgen wurde, brannte die Stadt immer noch. Die Zehnjährige war unverletzt, aber ihre Beine trugen sie nicht mehr. Im Leiterwagen wurde sie zur Beerdigung gebracht. Es dauerte Wochen, bis sie wieder laufen konnte.

Ihr Vater verkraftete den Verlust seiner Familie nicht. Er verfiel der Sucht. Als Arzt war es ihm ein Leichtes, an Rauschmittel zu kommen. Er sackte sozial immer tiefer ab, wurde zum Gespött der Kleinstädter. Hildegard schämte sich und machte ihm heftige Vorwürfe. Nach seinem frühen Tod zog die Tochter fort. Sie studierte, heiratete, bekam drei Kinder, baute eine eigene Familie auf. Aber eine gute Ehe führten sie und ihr Mann nicht. Weder fanden sie eine erträgliche Form des Zusammenlebens, noch konnten sie sich trennen. Hildegard Schwarz besaß nicht die Kraft, Entscheidendes zu verändern – bis zu dem Zeitpunkt, als sie in der Kirchenbank saß und endlich weinen konnte. Erst bei dieser Trauerfeier wurde ihr klar: »Du hast das *Recht* zu klagen! Du bist gar kein schwieriger Mensch. Das, was du *erlebt* hast, war schwer!«

Nach dem Gottesdienst schloss sie sich einem Fackelzug an, der durch die ganze Stadt führte. »Da waren Stationen, wo Gebete gesprochen wurden«, erzählt sie. »Und dann sind wir am Friedhof vorbeigegangen, der liegt am Berg. Und am Fuß, zur Straße hin, steht eine Kapelle. Hier hatten sie eine Tafel mit den Namen zum Gedächtnis der Opfer angebracht. Es tat mir gut, dass ich die Namen meiner Mutter und meiner Geschwister lesen konnte.«

Ein Ritual entfaltet seine Wirkung

In den folgenden Wochen und Monaten entfaltete das Ritual seine Wirkung. Rückblickend erkannte Hildegard Schwarz: Es war einer der wichtigen Wendepunkte in ihrem Leben. Eine Befreiung. Dieses Kapitel ihrer Kindheit sei nun abgeschlossen, sagt sie, in dem Sinne: Es ist keine Last mehr. Ihr Wesen habe sich inzwischen sehr verändert. Oder besser: Sie habe endlich die seelischen Räume wieder aufgemacht, wo sie eigentlich zu Hause sei. »Dabei ist mir bewusst geworden«, sagt sie, »dass ich als Kind ein heiteres, unbeschwertes quirliges Ding war und dann durch das alles erst schwierig geworden bin, also extrem auf mich selber zurückgezogen, ständig in dieser Not und dieser Sorge: So wie du bist, mag dich niemand, das versteht ja niemand. So eingeigelt, wie du bist. Also das war sehr, sehr lange so in meinem Leben.«

Das habe auch ihre Ehe geprägt, gibt sie zu, und natürlich auch ihren Mann belastet, aber ohne dass ihr dies bewusst gewesen sei. Sie sagt: »Er hat mich mal eine Dostojewski-Figur genannt. Das bin ich aber nicht.«

Obwohl es vielleicht schwerfällt zu glauben: Hildegard Schwarz hat keinerlei Ressentiments gegenüber dem englischen Bomberpiloten. Vielleicht deshalb, weil sie ihre Lebensbilanz insgesamt positiv zu sehen vermag. Sie verfügt über Bildung und eine robuste Gesundheit, ist finanziell gut versorgt, versteht sich bestens mit ihren Kindern und den Enkeln.

Seit Jahrzehnten engagiert sich die Katholikin im christlich-jüdischen Dialog. Stets war sie der Meinung: Die Folgen von Auschwitz sind für die Überlebenden weit schwerer zu ertragen gewesen als das, was ihr als Kind zugestoßen ist.

Ihre Geschichte hat mir gezeigt, dass bei Trauerfeiern die Proportionen stimmen müssen. Es reicht zur Information, zu mehr nicht, wenn der Zerstörung einer ganzen Stadt in einem Vortrag gedacht wird. Es bringt auch keine Entlastung, wenn im Rahmen eines Gottesdienstes den Toten ein Requiem von 15 Minuten gewidmet wird. Dies geschah in einer Kölner Kirche aus Anlass der schweren Luftangriffe Ende Juni 1943, der sogenannten »Peter-und-Paul-Nacht«. Obwohl damals in ebendieser Gemeinde die Hälfte der Mitglieder ums Leben gekommen war, führte der Geistliche das Requiem nur mit dürren Worten ein. In seiner Predigt leuchtete er die Unterschiede zwischen Katholiken und Protestanten aus. Es ist deprimierend, wenn Kirchenmänner ihren ureigensten Ritualen nichts zutrauen.

Hildegard Schwarz hat Gedenkfeierlichkeiten beschrieben, an denen eine ganze Stadt Anteil nahm. Was könnte angemessener sein, da doch die ganze Stadt zerstört worden war?

Die Störung eines Gottesdienstes

Große öffentliche Trauerveranstaltungen aus Anlass des Bombenkriegs sind aber, wie man weiß, eine heikle Sache. Nicht ausgeschlossen, dass vor der Kirchentür Nazis einem deutschen Opferkult huldigen oder dass antifaschistische Gruppen die Rechtsextremen draußen und die Teilnehmer drinnen gleichermaßen an den Pranger stellen. Gedenkgottesdienste können auch entgleisen. Ein gutes Beispiel dazu fand ich in einem Essay des Hamburger Theologen Fulbert Steffensky.

> 1993 fanden in Hamburg Gedenkfeiern für die Opfer der sogenannten Aktion Gomorrha statt, der Bombenangriffe 50 Jahre zuvor. Es gab einen Gedenkgottesdienst im Michel mit geladenen Gästen aus Coventry und aus Petersburg, mit dem Bürgermeister und der Bischöfin; vor allem aber mit alten Leuten, die diese Angriffe miterlebt hatten oder Angehörige in jenen Nächten verloren hatten. Während des Gottesdienstes kam es zu einer Störung. Eine Gruppe von jüngeren Leuten drang ein, besetzte die Mikrophone. Sie konnten nach Streit und Gerangel eine Erklärung verlesen: Um diese Toten gäbe es nichts zu trauern, sagten sie. Die Trauer um die Toten der Bombennächte verdränge die eigentliche Trauer, nämlich um die Toten der KZs. Die Konsequenz aus der deutschen Geschichte könne nur lauten: Nie wieder Deutschland.

Die jungen Leute, die den Gedenkgottesdienst störten, waren übrigens Theologiestudenten. Stimmen wie ihre hörte ich nicht, als ich mich auf der Suche nach Gesprächspartnern zum Thema »Öffentliches Gedenken« befand. Aber auffällig war doch, dass kaum jemand, den ich ansprach, tatsächlich die Menschen im Blick hatte, die womöglich heute noch an den Kriegsfolgen leiden. Mitgefühl war selten. Die politischen Bedenken überwogen.

Auf Anhieb konnte ich es nicht begreifen, denn ich saß ja nicht irgendwelchen dumpfen Menschen gegenüber, sondern verantwortungsvollen Trägern unserer Gesellschaft. Heute glaube ich zu wissen, was dahintersteckt. In der Wissenschaft spricht man in diesem Zusammenhang von mangelnder Opferempathie, also der Schwierigkeit, sich in das Leid eines anderen einzufühlen. Um mich verständlich zu machen, ist an dieser Stelle ein kleiner Exkurs in die sogenannte Täter-Opfer-Forschung nötig.

Es gibt hier die erschreckende Erkenntnis, dass vor allem viele jugendliche Schläger nicht in der Lage sind, zu empfinden, dass sie ihrem Opfer tatsächlich geschadet haben. Selbst wenn es so war, dass sie zu mehreren brutal über einen Wehrlosen herfielen, glaubten sie später, ihr Opfer habe nur ein paar Schrammen abbekommen – auch dann, wenn Polizeifotos sie mit einem übel zugerichteten Gesicht konfrontierten.

Sie *empfinden* sich nicht als Gewalttäter, sondern als junge Männer, die gern raufen. Es wird schlichtweg geleugnet, dass sie ein Verbrechen begingen. Stattdessen spielen sie die Tat herunter: So schlimm kann es nicht gewesen sein, so was kann doch im Eifer des Gefechts vorkommen …

Es hat sich nun herausgestellt, dass bei vielen dieser Menschen, die in Romanen als »gefühlskalt« bezeichnet werden, ein schweres Kindheitstrauma zugrunde liegen kann. In den meisten Fällen waren auch sie Opfer von Gewalt, zum Beispiel von Missbrauch in der Familie. Als Außenstehender kommt man an dieser Stelle schnell auf den Gedanken, dass das nichts als ein Trick des Täters sei, um sich selbst als Opfer zu stilisieren, damit er Mitleid erweckt und mit Nachsicht behandelt wird. Allerdings hat die psychotherapeutische Arbeit mit psychisch kranken Straftätern gezeigt, dass sie sich in der Regel mit Händen und Füßen gegen die Vorstellung wehren, als Kind ein hilfloses Opfer gewesen zu sein. Auf keinen Fall wollen sie sich den alten Gefühlen des Ausgeliefertseins aussetzen. Die hatten sie lange Jahre gut weggepackt, verdrängt, vergessen. Und da sie als Traumatisierte ihr eigenes Leid nicht wahrnahmen, waren sie auch völlig gefühllos gegenüber anderen Menschen, denen sie nun ihrerseits Gewalt antaten.

In der Therapie ist nun der zentrale Punkt der, dass die Täter sich ihres Traumas bewusst werden und dabei ihren seelischen Schmerzen wiederbegegnen, dass sie also die in ihnen steckende tiefe Verzweiflung und Ohnmacht erfahren. Nicht wenige sträuben sich bis zuletzt gegen die Therapie; sie empfinden sie als eine Art Folter. War die Behandlung aber erfolgreich, sind sie danach in der Lage, auch Mitgefühl für ihre Opfer zu entwickeln.

»Eine traumatische Kultur«

Als ich nach Frankfurt fuhr, um dort Micha Brumlik zu interviewen, hatte ich mit vielem gerechnet, aber nicht, dass ich bei unserem Gespräch noch einmal den Erkenntnissen der Täter-Opfer-Forschung begegnen würde. Ich hatte ihn besucht, weil er in einer Veröffentlichung Deutschland »eine traumatische Kultur« genannt hatte, und das fand ich bei einem Holocaustforscher jüdischer Herkunft ungewöhnlich.

Gleichzeitig war seine Aussage unmissverständlich. Sie hieß: Das Grauen, das die Vernichtungslager auch später noch in den Seelen der überlebenden Opfer verbreiteten, war weit schwerer zu ertragen als das Nachwirken von Kriegsgewalt, Bomben, Flucht und Hunger.

»Gleichwohl ist es wichtig, dass die Deutschen auch ihre eigenen Verletzungen wahrnehmen«, sagte Brumlik, »denn solange dies unterbleibt, können sie nicht wirklich Empathie, sprich einfühlendes Verständnis für andere Opfer entwickeln.« Dabei hatte er vor allem jene Jahrgänge im Blick, die nun dem Ruhestand zustreben oder sich bereits darin eingerichtet haben.

Das verblüffte mich, war ich doch gerade in der Generation der Kriegskinder auf eine ungewöhnlich starke, manchmal fast übermäßige Bereitschaft gestoßen, sich mit den Naziverbrechen und dem Leid der Holocaustüberlebenden zu befassen. Und ihnen ausgerechnet sollte es an Mitgefühl mangeln?

Ja, das sei möglich, sagte Brumlik, wobei er allerdings hinzufügte: »Ich glaube, es hat diese Generation, sofern sie politisch bewusst war, ihre ganze psychische Kraft gekostet, diesen moralischen Blick gegen die zum Teil verbrecherische Elterngeneration aufzubieten, und diese Kraft konnte wahrscheinlich nur dadurch mobilisiert werden, dass das eigene Leiden verdrängt worden ist.«

Wenn aber die Haltung »Nie wieder Auschwitz« ausschließlich einer moralischen Position entspringt, dann folgt daraus, wie Brumlik sich ausdrückte, eine moralische Verpflichtung gegenüber den Opfern, jedoch kein Einfühlen in ihr Leid. Und diese Pflicht mag gerade vielen Älteren in Deutschland über die Jahrzehnte zu einer Last geworden sein, die sie nun gern loswürden. In diesem Zusammenhang erinnerte Brumlik an Martin Walser, der sich ja tatsächlich in seinen jungen Jahren in einer Fülle von Stücken und Essays mit der Massenvernichtung und Auschwitz auseinandergesetzt habe, aber offensichtlich so, dass das innerlich völlig an ihm vorbeigegangen sei. »Das ist nicht das gewesen, wofür sein Herz geblutet hat«, sagte Brumlik mit Nachdruck. »Das hat er aus einer moralischen Verpflichtung heraus übernommen, und je älter er wird, umso deutlicher wird zugleich, wie er an dieser moralischen Verantwortung leidet, und zwar so sehr, dass dann zum Schluss in unterschiedlicher Form tatsächlich antisemitische und judenfeindliche Äußerungen sich in seinem Werk häufen.«

Bei den jüngeren Deutschen wiederum wächst die Wunschvorstellung, die eigene Familie möge auf der Seite der Gerechten gestanden haben. Als ich über das Gespräch mit Brumlik nachdachte, fiel mir die wundersame Vermehrung der Widerstandskämpfer in Deutschland ein. Nach einer repräsentativen Umfrage des Emnid-Instituts, die zusammen mit Interviews in dem Buch »Opa war kein Nazi« veröffentlicht wurde, gibt es in Deutschland eine große Diskrepanz zwischen dem Familiengedächtnis und der Erinnerungskultur. Während im offiziellen

Gedenken unablässig der Holocaust und die Verbrechen der Deutschen betont würden, schrieb dazu der Mitautor des Buches Harald Welzer in der »Süddeutschen Zeitung«, kultiviere das Alltagsgedächtnis ein Bild, in dem die Nazis die anderen, nie aber Mitglieder der eigenen Familien seien. Besonders die Enkelgeneration deute die in der Familie gehörten Geschichten um: zu Erzählungen vom alltäglichen Widerstand, vom couragierten Verhalten in gefährlicher Zeit. Die Vernichtung der jüdischen Bevölkerung spiele im Familiengedächtnis nur eine marginale Rolle.

Und dies sind die Zahlen, die zeigen, wie wohlwollend eigene Familienangehörige bezüglich ihrer Rolle und Haltung in der Nazizeit eingestuft werden. Bei der Umfrage kam folgende Vorstellung heraus: Ein Viertel der damals erwachsenen Bevölkerung hat Verfolgten geholfen, 13 Prozent waren im Widerstand aktiv. Ganze 3 Prozent sind Antisemiten gewesen.

Die Umfrageergebnisse müssen uns wachsam halten. Der Trend des Schönredens und auch des Heroisierens ist allzu deutlich. Er könnte, sollte Deutschland eines Tages von weit schlimmeren Krisen geschüttelt werden, als heute vorstellbar sind, in gefährlicher Weise zunehmen und Menschen in großen Mengen in die Arme von neuen Nazis treiben.

Womöglich brauchen wir, damit der Weg zu einer realistischen Einschätzung eigener Familienangehöriger frei wird, nicht ein Mehr des öffentlichen Gedenkens der Naziopfer, sondern stattdessen Raum für eine Gedenkkultur der eigenen Opfer.

Dazu gehören aber nicht nur diejenigen, die im Zweiten Weltkrieg Angehörige verloren. Am wichtigsten scheint mir heute zu sein, sich bewusst zu machen, dass es sich bei vielen ehemaligen Kriegskindern um Überlebende handelt, die unsere Solidarität brauchen.

Wenn Überleben eine gemeinsame Identität stiftet

Eine weitere Erkenntnis aus der Traumaforschung besagt, dass üblicherweise kollektive Katastrophen leichter verkraftet werden als individuelle. Der Grund liegt darin, dass das gemeinsame Überleben eine verbindende Identität stiftet. Das geschieht aber nur dann, wenn es eine gesellschaftliche Anerkennung des Leids gibt. Auf diese Weise entsteht auch eine gegenseitige Solidarität.

Dies aber war bei den Angehörigen der Kriegskindergeneration nicht der Fall. Da ihre Leiden nicht öffentlich wahrgenommen wurden, kamen sie auch als Erwachsene nicht dazu, so etwas wie Solidarität oder gar eine gemeinsame Identität zu entwickeln. Häufig geschah das Gegenteil: Wenn Menschen laut sagten, dass sie der Krieg weiter verfolge, wurden sie als labil abgestempelt und auf diese Weise schnell zum Verstummen gebracht.

Natürlich gab es die Ausnahmen, Menschen, die von ihren Eltern immer wieder hörten: »Ihr hattet es schwer in der Kindheit, sehr schwer.« Aber wenn ein Thema grundsätzlich in einer Gesellschaft verschwiegen wird, wissen die Ausnahmen nicht, wie gut sie es im Vergleich zu anderen hatten. Sie halten dann aufdeckende Beiträge in den Medien für maßlos übertrieben. Sie können einfach nicht nachvollziehen, wie hart das Leben zu Menschen sein kann, die traumatisiert sind – aber davon keine Ahnung haben!

Auch hier gibt es eine Parallele zur Frauenbewegung. Natürlich hatte es auch in den Siebzigerjahren schon Frauen gegeben, die sich nie unterdrückt gefühlt hatten, die ihre Sexualität genossen, weshalb sie die ganze Aufregung nicht verstanden. Soziale Ungerechtigkeit? Gibt es überall. Mangelnde Berufschancen? Selbst schuld. Sexueller Missbrauch? Wohl doch eher alles Einbildung. Gewalt gegen Frauen? Wo denn?

Erst wenn die beste Freundin mit einem gebrochenen Kiefer im Krankenhausbett landete, gerieten die vom Schicksal begünstigten Frauen ins Grübeln. Dann erst wurden sie aufmerksam auf

Missstände, von denen sie selbst nie betroffen waren. So kam es, dass damals der Zusammenhalt unter den Frauen wuchs.

Viel war auch von Solidarität die Rede, als ich in Karlsruhe Helmut Simon, Bundesverfassungsrichter im Ruhestand, interviewte und er seine eigene Generation der Kriegsteilnehmer mit der der Kriegskinder verglich. »Meine Generation – ich bin Jahrgang 1922 – hatte schwere Leiderfahrungen hinter sich«, sagte er, »aber sie war eine anerkannte, in der Öffentlichkeit geschätzte Gruppe, die auch – soweit sie überlebt hatte – ein starkes Selbstwertgefühl entwickelt hatte. Es gab auch so etwas wie ein solidarisches Wir-Gefühl.«

Trotz aller politischen Gegensätze, stellte Simon fest, habe das gemeinsame Erleben, das gemeinsame *Über*leben, eine große Rolle gespielt. »Das schloss zusammen, sodass man sich auch gegenseitig half. Also, es war ein begrenztes Wir-Gefühl. Aber es war da, und man fühlte sich nicht allein. Fast jeder hatte Unglaubliches erlebt und musste damit fertigwerden.« Dass jemand an seinen Traumatisierungen litt, wurde selbstverständlich akzeptiert, fügte er noch hinzu. Bei den Kriegskindern sei vieles anders. Laut Simon wirken sie unauffälliger, und sie sind mit einem geringeren Selbstwertgefühl ausgestattet als seine eigene Generation.

Kein Wunder. Sie befinden sich in einer üblen Klemme. In ihrer Kindheit hatte es geheißen: Stell dich nicht so an. So was haben doch alle erlebt! Schau nach vorn. Daran haben sie sich brav gehalten. Und nun, da sie alt werden, hören sie in ihrer Umgebung: Was soll es denn bringen, nach so vielen Jahren? Was versprichst du dir davon, wenn du mit über sechzig noch in deiner Kindheit herumstocherst …

Auch Simon hatte sich gefragt, ob es für die Jüngeren nicht besser sei, die Dinge auf sich beruhen zu lassen. Aber der Austausch mit seiner Frau, Jahrgang 1940, hat seine Sichtweise verändert.

»Was haben wir mit unserer Wut gemacht?«

Heide Simon-Ostmann, von Beruf Pastoralpsychologin, ist auch aus persönlicher Erfahrung bewusst, dass noch vieles Unerledigte darauf wartet, endlich verarbeitet zu werden: »Zum Beispiel: Was haben wir denn mit unserer Wut gemacht? Was haben wir denn mit unserer Enttäuschung gemacht? Was haben wir mit unserem Ehrgeiz, unserer Lebensfreude, also, was haben wir mit all diesen Regungen gemacht? Die haben wir alle irgendwo säuberlich verpackt in den Schrank gelegt oder haben sie sogar als Leiche im Keller liegen.«

Wichtig sei also, sagt sie, dass Angehörige ihrer Generation von ihrer unmittelbaren Umgebung nicht gebremst, sondern ermutigt würden. Aber das allein, findet sie, reiche nicht aus. »Wir brauchen auch die öffentliche Ermutigung! Wir sind als Generation – weil wir es uns nicht selber geben können – auf eine Genehmigung von außen angewiesen: Ihr dürft und ihr sollt das Schlimme aufarbeiten! Es gibt Gründe, warum das Aufarbeiten nötig ist: dass du als Kind gehungert hast, dass dich die Tiefflieger übers Feld gehetzt haben, dass du durch brennende Städte gelaufen bist …«

Nur – wer könnte diese Erlaubnis geben? Wir sind wieder bei dem Ausgangsthema dieses Kapitels, bei der Frage nach dem Sinn öffentlichen Gedenkens und kollektiver Trauer. Könnte es dazu einen Konsens geben, zum Beispiel im Deutschen Bundestag? Unwahrscheinlich. Als der CSU-Politiker Peter Gauweiler dort Ende 2002 einen Gedenktag für die deutschen Bombenopfer im Zweiten Weltkrieg anregte, stieß er auf breites Desinteresse.

Es war also noch nicht einmal die Bereitschaft zu erkennen, sich darüber Gedanken zu machen. Die Bundesregierung – selbst eine Truppe von Kriegskindern, wenn man bedenkt, dass über die Hälfte der Kabinettsmitglieder diesen Jahrgängen angehören – sah jedenfalls keinen Handlungsbedarf. Der Schluss ihrer äußerst knapp ausgefallenen Anwort ließ daran keinen Zweifel: »Im Widmungstext der Zentralen Gedenkstätte der Bundesrepublik Deutschland in der Neuen Wache zu Berlin heißt es dazu: ›Wir gedenken der Unschuldigen, die durch Krieg und Folgen des Krieges in der Heimat, die in Gefangenschaft und bei der Vertreibung ums Leben gekommen sind.‹«

Aber noch einmal: Es geht nicht um Kranzniederlegungen für die Toten. Es geht vor allem darum, die Überlebenden zu stützen. Die Kriegskinder haben sich in den Ritualen des Volkstrauertags nicht wiedergefunden – warum sollte dies bei einem »Bombenopfergedenktag« oder in der Neuen Wache zu Berlin besser gelingen?

Die Bundesregierung und der Politiker Gauweiler haben noch nicht verstanden, warum es notwendig ist, den öffentlichen Diskurs über das angemessene Gedenken der Kriegsschrecken endlich zu führen und ihn vor allem zu gestalten.

Mit dem Schicksal Frieden schließen

Ein neuer Opferkult? Bloß nicht. Stattdessen Solidarität mit den Überlebenden. Ihren Trauerprozess unterstützen. Heide Ostmann-Simon bringt es auf den Punkt: »Es ist jetzt an der Zeit, das Geschehene zu verarbeiten und zu trauern. Und zwar deshalb, damit Menschen ihre psychische Energie, die sie in die Verdrängung gesteckt haben, wieder freibekommen. Warum? Damit sie diese Energie in die wichtige Aufgabe investieren können, *gut* alt zu werden!«

Trauern bedeutet, das versäumte Leben und die Verluste wahrzunehmen. Trauern hilft, die leidvollen Erfahrungen zu verarbeiten und als Teil der eigenen Identität anzunehmen. Trauern heißt: mit seinem Schicksal Frieden schließen.

FÜNFZEHNTES KAPITEL

Vom Schweigen, Sprechen und Verstehen

Im Gespräch mit Kriegskindern

Seit 2004 kommen Menschen zu meinen Lesungen, weil sie Kriegskinder sind. Jedes Mal bestätigt sich: Das Neue an der Thematik »Kriegskinder« sind nicht die Schrecken des Krieges. Es ist seit Langem bekannt, dass Kinder ganz besonders unter kollektiver Gewalt leiden. Neu ist, dass es sich hier um eine große Gruppe von Menschen handelt, die in der Kindheit verheerende Erfahrungen machten, aber über Jahrzehnte in der Mehrzahl gar nicht das Gefühl hatten, etwas besonders Schlimmes erlebt zu haben. Denn es fehlte ihnen der emotionale Zugang zu diesen Erfahrungen und damit auch der Zugang zu ihren wichtigsten Prägungen.

Bei meinen Lesungen haben sich im Laufe der Zeit die Schwerpunkte des Austauschs mit den Besuchern verschoben. Im ersten Jahr erlebte ich häufig folgende Situation: Nachdem ich einige dramatische Fälle von Menschen mit unverarbeiteten Kriegstraumata vorgestellt hatte, waren die Ersten, die sich aus dem Publikum zu Wort meldeten, in der Regel zwischen 1928 und 1933 Geborene. Sie sagten, man könne mir im Wesentlichen nur recht geben, die Zeiten seien schrecklich gewesen, aber im Grunde habe man dies alles »sehr ordentlich« gemeistert. Das heißt: Sie identifizierten sich in keiner Weise mit denen, deren Schicksal gerade zur Sprache gekommen war, und sie schilderten zur Bestätigung ihrer Aussage eigene dramatische Erlebnisse, immer mit dem Zusatz, man habe sie gut bewältigt.

Wenn Besucher keinerlei Empathie für jene Kriegskinder erkennen ließen, die im Alter unter den Spätfolgen litten, konnte es geschehen, dass in den hinteren Reihen drei Menschen aufstanden und die Veranstaltung verließen. Später wurde mir klar, wer sie waren und warum sie gerade diese Art der Wortmeldungen nicht ertrugen. Es handelte sich um »jüngere Geschwister«.

Offenbar hörten sie einen Subtext, der lautete: Wer heute noch an Kriegserlebnissen leidet, ist selbst schuld oder grundsätzlich labil veranlagt.

Jüngere und ältere Geschwister

Ich kannte die Altersgruppe der um 1930 Geborenen aus meinen Interviews. In der Regel waren sie sich ihrer Kriegserlebnisse bewusst, und sie konnten gut einschätzen, ob sie und ihre Familien schwer oder leicht betroffen waren. Sie zeigten viel Verständnis für die Überlastung ihrer Eltern, aber kaum je für die ihrer jüngeren Geschwister, schon gar nicht, wenn es sich um Nachzügler handelte. Auffällig oft fiel ihr Urteil recht erbarmungslos aus. Die Jüngeren, hieß es dann, seien »labil« oder »unvernünftig«. Meine Nachfrage, ob hier seelische Verletzungen aus der Kriegszeit zugrunde liegen könnten, wischten die Älteren schnell vom Tisch. Das konnte nicht sein, »denn schließlich haben wir ja alle dasselbe durchgemacht«. Es fehlte die Wahrnehmung dafür, dass es für die Kleineren weit schwerer war, mit einer Kette von furchtbaren Erlebnissen fertigzuwerden, weil die überforderten Erwachsenen nicht die Sicherheit und Nestwärme geben konnten, die Kleinkinder für den Aufbau ihrer psychischen Stabilität brauchen. Gerade sie, die in den letzten Kriegsjahren auf die Welt Gekommenen, hatten dazu in ihren Familien kaum etwas anderes gehört als den Satz: »Ihr habt es doch gut gehabt, ihr habt doch davon nichts mitbekommen.«

Vaterlos, kinderlos

Vor zwei Jahren erreichte mich der Brief einer Leserin aus Griechenland. Sie schrieb, eine Touristin habe ihr mein Buch dagelassen, das sie daraufhin wieder und wieder gelesen habe. Und nun verfüge sie zum ersten Mal über Worte für das, was ihr in der

Kindheit widerfuhr. Das wolle sie mir schreiben. Hier ist ihr Bericht.

> Drei gesunde glückliche Kinder waren wir – geboren 1934, 1938 und ich die Jüngste 1939 – in Oberschlesien, bevor wir uns im so kalten Januar 1945 auf die Flucht begaben. Der Vater, kurz zuvor noch eben »eingezogen«, wir haben ihn nicht wiedergesehen – ich kenne ihn nicht. Es ging eine Weile ganz gut, man funktionierte, natürlich gehorchte man der noch so jungen hilfsbedürftigen Mutter, Witwe und ohne Bezüge. In der Schule hatten wir immer die besten Noten, waren immer sauber und ordentlich, bis dann spätestens um die Pubertät herum entweder alles zusammenbrach oder sich extreme Auswirkungen zeigten, um die sich niemand gekümmert hat, kümmern konnte. Mein Bruder war Stotterer, meine Schwester biss sich die Fingernägel ab, bis fast nichts mehr vom Nagel zu sehen war, ich war Bettnässer, voller Angstträume, Schlafstörungen und Depressionen.
> Aber man funktioniert weiter, das musste man, das gehörte sich so, um nur ja der Mutter keine Sorgen zu machen. Dann liefen die ganzen Fragen um unsere Berufswahlen schief – und für mich begannen – über einen Zeitraum von 23 Jahren – insgesamt fünf Psychiatrieaufenthalte mit schweren Depressionen. Die lange Ausbildung (stets als Jahrgangsbeste) blieb unabgeschlossen, und berufslos habe ich dann unter der Diagnose vegetative Dystonie mit Librium und Adumbran meine jüngeren Jahre verbracht. Ich hielt mich mit unterschiedlichen Jobs über Wasser – immer mit der Sehnsucht nach dem Alter, in dem ich glaubte, besser leben zu können.
> So war es dann auch, dank einer winzigen Frührente, seit ich 49 Jahre alt bin, und dem kleinen Erbe aus dem Lastenausgleich konnte ich mir hier in Griechenland ein letztes, geliebtes Zuhause schaffen. Ich lebe – wohl mit Depressionen – aber doch wie in einem Paradies, das ich

immer noch wie ein großes Wunder täglich dankbar erfahre, auch wenn ich sehr allein bin, denn der Rest der Familie ist auseinandergebrochen (auch das eine Kriegsfolge). Beide Geschwister sind geschieden – ich hab's ja gar nicht erst probiert. Nun verbleiben noch ein paar wenige Jahre mit großem Garten, mit Hühnern und einem Esel, mit Töpferstübchen zwischen den Blumen, mit dem Meer und einer grandiosen Landschaft.
Barbara W., heute 71 Jahre alt, vaterlos, kinderlos

Die Familienbeziehungen von Barbara W. waren durch die Spätfolgen von Krieg und NS-Zeit beeinträchtigt. Häufig hörte ich auch Besucherinnen meiner Veranstaltungen sagen, der Kontakt unter den alt gewordenen Geschwistern sei dünn oder äußerst problematisch. Viele Schwestern oder Brüder lehnten das Thema Krieg kategorisch ab, ja sie würden ärgerlich, wenn in ihrer Gegenwart darüber gesprochen werde. Also, hieß es weiter, reiße man sich auf Familientreffen zusammen, aber die unterschwelligen Konflikte schafften keine gute Atmosphäre.

Reise zum Mittelpunkt der Angst

Doch ich erfuhr auch von Ausnahmen. Eine Frau mit Vertreibungsschicksal erzählte, seit die zwei ältesten Geschwister tot seien, würden sich die vier jüngeren Schwestern einmal im Jahr zu einer mehrtägigen Reise treffen, jeweils an einem anderen Ort. Dabei handele es sich um wichtige Stationen unmittelbar nach ihrer Flucht und während der ersten Nachkriegsjahre in Westdeutschland. »An diesen Orten«, berichtete die Frau, »erzählt jede von uns Schwestern, wie sie die Zeit dort empfunden hatte. Und heraus kommen völlig unterschiedliche Wahrnehmungen und Erinnerungen. Solche Reisen schaffen eine ganz besondere Verbindung zwischen uns Schwestern.« Diesen Frauen geht es nicht darum, wessen Erinnerung »die richtige« ist, sondern um die

Erkenntnis: Jede der Schwestern verbindet ihre eigene Geschichte mit diesem Ort. Was für die eine »die einsamsten Jahre« gewesen sein mögen, kann eine andere durchaus als glückliche Zeit empfunden haben, weil sie hier die Freundin fürs Leben fand.

Neben solchen – privaten – Bemühungen um eine Auseinandersetzung mit der Kriegsvergangenheit hat sich auch der öffentliche Diskurs weiterentwickelt. Dabei ist nicht nur das Leid der Kriegskinder in den vergangenen Jahren zum Thema geworden, sondern auch das der vergewaltigten Frauen. Wie vehement die Nachwirkung einer 65 Jahre zurückliegenden Vergewaltigung sein kann, ist bei den wenigen Frauen deutlich geworden, die so mutig waren, sich im Alter dazu öffentlich zu äußern. Nicht selten waren die Opfer noch Kinder.

Während meiner Recherchen über deutsche Kriegskinder war ich mehrfach darauf aufmerksam geworden. Über zwei Fälle hatte ich in meinem Kriegskinderbuch geschrieben. Später stellte sich heraus: Es waren noch zwei weitere Frauen, deren Geschichte ich veröffentlicht hatte, als Mädchen vergewaltigt worden. Zu dem Zeitpunkt, als ich sie interviewte, konnten sie darüber nicht reden. Eine der Frauen, damals elf Jahre alt, erklärte mir dazu: »Ich hatte mich zusammen mit den Frauen im Keller versteckt. Die Soldaten haben uns dort natürlich gefunden und sich jede gegriffen. Da wurde nicht unterschieden. Es war völlig dunkel im Keller.«

Und es gab eine weitere Frau, deren Worte ich nie vergessen werde. Bei einer Lesung meldete sie sich aus der ersten Reihe zu Wort. Zu meiner Überraschung stand sie sogar auf. Ich sehe sie noch vor mir: klein, schmal, hängende Arme, Ponyfrisur. Ich erinnere mich, was ich als Erstes bei ihrem Anblick dachte: Sonderbar, sie sieht aus wie eine Sechsjährige. Und tatsächlich bestätigte sie mich in gewisser Weise, denn sie begann mit folgenden Worten: »Ich war mit sechs Jahren auf der Flucht. Wir waren eine ganz kleine Gruppe: meine Mutter, die Großmutter und zwei Tanten.« Eines Tages sei die Erschöpfung so groß gewesen, fuhr sie fort, dass ein Bauer ihnen angeboten habe, ein paar Tage auf seinem Hof zu bleiben und sich auszuruhen. Am folgenden Tag sei dann plötzlich große Unruhe entstanden. Der Grund: Mehrere Russen näherten sich dem Hof. Und da sei den Frauen eine Idee gekommen. Ihr, der Kleinen, dem einzigen Kind, sei aufgetragen worden, es solle allein zum Tor gehen und die Soldaten dort erwarten. Die Flüchtlingsfrauen hätten sich eingeredet: »Die Russen sind doch so kinderlieb, da wird uns schon nichts geschehen.« Aber die Soldaten hätten gerufen: »Wo Kind ist, ist Frau!« Dann seien sie über ihre Mutter, die Großmutter und die Tanten hergefallen. Die Zeitzeugin schloss mit dem Satz: »Ihre Schreie höre ich heute noch.«

Auffällig waren zwei Erinnerungsmotive, die bei fast allen Veranstaltungen während der ersten zwei Jahre zur Sprache kamen (danach jedoch kaum noch): Im ersten Fall handelte es sich um Traumata durch Tiefflieger. Es waren immer die gleichen Sätze: »Ich konnte den Piloten sehen! Wie ist das möglich, dass Männer auf Kinder schießen?« Fragen dieser Art lassen Menschen ein Leben lang nicht los. Die erlebten Ängste sitzen tief, sehr tief.

Bei dem zweiten Erinnerungsmotiv ging es darum, dass Angehörige der Dreißigerjahrgänge Zeugen von nationalsozialistischer Gewalt gewesen waren. Als Kinder hatten sie gesehen, wie Zwangsarbeiter gedemütigt wurden, wie jüdische Nachbarn auf einen Lastwagen steigen mussten, wie Trupps von Kriegsgefangenen und KZ-Häftlingen vorbeizogen – und wie erbarmungslos sie behandelt wurden, wie verhungert sie aussahen. Die meisten Eltern sagten nur: »Guck da nicht hin.« Gerade den damals kleineren Kindern, deren Gerechtigkeitsgefühl noch nicht von den Unter- und Herrenmenschenkategorien verbogen war, haben sich die Szenen von Entrechtung und brutaler Misshandlung tief ins Gedächtnis eingebrannt.

Was mir aber erst heute auffällt: Nicht nur die Eltern haben lange Zeit geschwiegen oder behauptet, sie hätten »von nichts gewusst«, sondern auch die Altersgruppe der älteren Geschwister, die im Unterschied zu den in den letzten Kriegsjahren Geborenen durchaus Erinnerungen an die NS-Zeit hatten. Ihnen, die als Kinder nicht hinschauen und erst recht nicht über die Verbrechen reden sollten, ihnen, die dafür nie eine Sprache gefunden hatten, war auch noch Jahrzehnte später der Mund versiegelt. Dass sie erst heute als alte Menschen darüber reden können, bewegt mich sehr, und es scheint mir ein Hinweis darauf zu sein, dass bei ihnen Scham und Schuldgefühle noch stärker ausgeprägt waren als bei den Jüngeren; das erklärt, warum viele ihr Misstrauen gegenüber der deutschen Mentalität nie überwanden. Ich fing an zu begreifen, weshalb die Angst, es könne zu einem Rückfall in die Barbarei kommen, viele Menschen zeitlebens begleitete.

Ich erinnere mich, wie sehr es mich in den ersten Jahren meiner Recherchen für dieses Buch irritierte, wenn die Interviewpartner völlig emotionslos von ihren Kriegsschrecken berichteten, in einer Stimmlage, als läsen sie aus einem Telefonbuch vor. Sie klangen wie betäubt. Wer so redet, dem kann man nicht lange zuhören.

Erst jetzt, im Alter, fangen viele Menschen an zu begreifen, wie stark sie von ihren frühen Verlusten und Bedrohungen geprägt wurden. Der Prozess der Rekonstruktion der eigenen Kriegskindheit wird in seinem Ergebnis überwiegend als entlastend, wenn nicht gar als befreiend erlebt. In meinem Bekanntenkreis fällt mir immer wieder auf, wie stark sich während dieser »Befreiungsarbeit« Sprache und Stimmlage verändern. Beides wird lebendiger. Das schlägt sich auch in den Fernsehbeiträgen zum Thema nieder. Wenn Zeitzeugen Zugang zu ihren Gefühlen haben, berühren uns ihre Aussagen tief. Nach langem Schweigen haben viele Kriegskinder endlich ihre Sprache gefunden – und sie werden gehört.

»Ich konnte meine Kinder nicht lieben«

Wie der Münchner Arzt und Traumaforscher Michael Ermann beobachtet hat, sind viele Angehörige der Kriegskinder-Jahrgänge in ihrer Identität verunsichert. Nicht selten haben sie das

Gefühl, ihren Platz in dieser Welt noch nicht gefunden zu haben. Die beschädigte Identität ist eine Folge davon, dass die wichtigsten Prägungen so lange nicht zur Kenntnis genommen wurden. Michael Ermann erklärt: »Ohne Erinnerungsarbeit gibt es kein Gefühl der Kontinuität des eigenen Lebens – ohne diese gibt es keine positive Identität.« Darum also geht es vielen Kriegskindern, wenn sie sich im Alter ihren frühen Erinnerungen zuwenden: Sie wollen das brüchige Lebensgefühl in eine positive Identität verwandeln. Sie spüren, dass sie diesen Weg gehen müssen, um in ihrem letzten Lebensabschnitt inneren Frieden zu finden.

Heute wissen wir: Waren Mutter und Vater in ihrem Lebensgefühl und in ihrer Identität verunsichert, konnten sie ihren Kindern wenig Orientierung geben. Auch viele Kinder der Kriegskinder, die »Kriegsenkel«, beklagen, wie sehr sie sich durch das Schweigen und durch Familiengeheimnisse belastet fühlen – Geheimnisse, die ihrer Ansicht nach bis heute Spannungen zwischen den Generationen verursachen. Häufig wird gesagt: »Ich kann meine Eltern emotional nicht erreichen – das hat irgendwie mit dem Krieg zu tun.« Ich habe den Eindruck, die Hälfte der Leserinnen und Leser der »Vergessenen Generation« sind Kinder der Kriegskinder, die mehr über ihre Eltern wissen wollen. Sie bedanken sich bei mir, weil ihnen die Lektüre zu mehr Verständnis für Mutter oder Vater verholfen habe. In jeder zweiten E-Mail steht, man hoffe, die Beziehungen zwischen den Generationen würden sich künftig bessern.

Gelegentlich kommen Erfolgsmeldungen. Es gibt durchaus Familien, in denen die Vergangenheit der Eltern und Großeltern kein Tabu mehr ist und offen besprochen wird. Aber ein solcher Austausch ist weit seltener, als die unübersehbare Medienpräsenz des Themas vermuten lässt. In einer Vielzahl von Mails wurde ich gebeten, mich der stillen Dramen der Kinder der Kriegskinder anzunehmen. An Gesprächspartnern herrschte kein Mangel.

Kriegsenkel

2009 erschien mein Buch »Kriegsenkel – Die Erben der vergessenen Generation«. Auch einige Kriegskinder scheinen es gelesen oder doch zumindest durch ihre Kinder davon gehört zu haben. Ein Dutzend älterer Menschen äußerte mir gegenüber offen Empörung. Tenor: Da habe man es so schwer gehabt im Leben, und nun solle man noch schuld sein an den Problemen seiner erwachsenen Kinder, die ja nichts Schlimmes erlebt hätten. Sie wehrten die Thematik ab, denn: Ihren Kindern geschadet zu haben und dennoch von Schuld frei zu sein, diese Kombination konnten sie einfach nicht für möglich halten. Auf der anderen Seite stellt inzwischen bei jeder Kriegskinder-Lesung eine Mutter die Frage: »Was mögen wir an unsere Kinder weitergegeben haben?« Vor allem macht man sich Gedanken darüber, ob man seinen Kindern ausreichend Vertrauen ins Leben vermitteln konnte.

Eine Frau bat am Ende einer Lesung darum, mich unter vier Augen zu sprechen. Erst schwieg sie, dann begann sie zu zittern, und ihr entfuhr der Satz: »Ich konnte meine Kinder nicht lieben!« Dies sei ihr aber erst bewusst geworden, seit sie wisse, dass sie ein Kriegskind sei. Als Traumatisierte habe sie keine Gefühlstiefe besessen, sie sei wohl »wie betäubt« gewesen. Nun aber, in psychotherapeutischer Behandlung, spüre sie, wie sie emotional erwache. Die Beziehung zu ihren Kindern habe sich seitdem deutlich gebessert. »Auch meine Kinder bestätigen es«, fügte sie hinzu, und auf ihrem Gesicht erschien ein kleines, hoffnungsvolles Lächeln.

Die Kriegskinder und die mediale Öffentlichkeit

Erst seit wenigen Jahren ist »Kriegskinder« eine Generationsbezeichnung. Zuvor sagten diese Jahrgänge von sich: »Wir sind die Nachkriegsgeneration.« Auch Helmut Kohl sah sich so – er wurde 1930 geboren. Drei Viertel seiner Kabinettsmitglieder gehörten diesen Jahrgängen an – also etwa von 1930 bis 1945. Sie sprachen vom Krieg, aber beiläufig. Sie sagten: Das war für uns normal, das haben wir doch alle erlebt. So empfinden es Kinder. Das heißt: Sie verharrten auch noch als Erwachsene in dieser Kinderhaltung und waren davon überzeugt, prägend seien für sie die Fünfzigerjahre gewesen. Erst jetzt, im Alter, sagen sie: Wir sind die letzte Kriegsgeneration.

Es ist an dieser Stelle wichtig, sich klarzumachen, wie unterschiedlich in den Nachkriegsjahrzehnten mit den Themen Krieg und NS-Vergangenheit umgegangen wurde und welche Perspektive wann dominierte. Seit den Siebzigerjahren, vor allem seit die amerikanische Fernsehserie »Holocaust« gesendet worden war, galt das Thema »Die Deutschen als Opfer« als kulturell nicht mehr erwünscht. In den Medien, an den Schulen, in der Forschung ging es fast ausschließlich um die Fakten und Hintergründe von Hitler-Deutschland, um die Opfer der NS-Verbrechen. Vor diesem Paradigmenwechsel hatten die Deutschen sehr wohl darüber geklagt, wie sehr sie im Krieg, in der Gefangenschaft und während der Nachkriegsarmut gelitten hätten. Die Not und die totalen Verluste der Heimatvertriebenen waren im Westen des geteilten Deutschlands ein unüberhörbares öffentliches Thema (im Osten sorgte die SED dafür, dass alles totgeschwiegen wurde).

Fest steht: Der Umgang mit der unheilvollen deutschen Geschichte vollzog sich in auffälligen Kehrtwendungen. Als »Die vergessene Generation« 2004 erschien, war zunächst nicht klar, wie die Thematik gesellschaftspolitisch aufgenommen würde. Ich war auf Gegenwind vorbereitet und stellte mir vor, wenigstens die Hälfte der Rezensenten werde mir vorwerfen, ich hätte die Deutschen als Opfer stilisiert. Und genau so stand es dann auch in einer der ersten Kritiken (»Stuttgarter Zeitung«). Hauptvorwurf: Die Autorin argumentiere »vulgärpsychologisch«. Dem Buch fehle es an Tiefe und Substanz. Und schließlich der Satz: »Der Klett-Cotta-Verlag muss sich die Frage gefallen lassen, warum er nun auch auf der Wir-sind-doch-alle Opfer-Welle mitreitet.« Es sollte der einzige Verriss dieser Art bleiben. Offenbar hatte schon damals ein Umdenken begonnen. Die Leiden in der deutschen Bevölkerung zu ignorieren galt nicht mehr als zeitgemäß.

Der Deutschland-Reflex

Die öffentliche Debatte über die deutsche Schuld und die Sorge, in Deutschland sei die Demokratie aufgrund seiner unheilvollen Geschichte gefährdeter als anderswo, sind seit 2005 deutlich schwächer geworden – in dem Maße, wie Fernsehsendungen über die leidvollen Erfahrungen durch Krieg und Vertreibung zunahmen. Ob es früher ein Zuviel an Medienbeiträgen über Nationalsozialismus und Holocaust gegeben hatte? Immer wieder haben sich Ausländer dazu geäußert, unter anderem Cees Nooteboom in seinem Roman »Allerseelen« von 1998. Geschildert wird darin ein Einzelgänger, ein Niederländer, der den Unfalltod seiner Frau und seines Sohnes nicht verkraftet hat und dessen dunkle Grundstimmung sich mit der »Melancholie« der deutschen Hauptstadt Berlin verbindet: »Er war nun schon lange genug hier, um zu wissen, dass im Gegensatz zu im Ausland oft gehörten Behauptungen die ewigen Selbsterforschungen, in welcher Form auch immer, nie aufhörten, dafür brauchte man nur während einer beliebig ausgewählten Woche das Wort Jude in allen Medien zu zählen, eine mal unterschwellige, mal offen zutage tretende Obsession, die nach wie vor in dem mitschwang, was sich schon lange zu einer gut funktionierenden liberalen, modernen Demokratie entwickelt hatte.«

Doch dann geschah etwas Überraschendes: Die Fußballweltmeisterschaft 2006 verwandelte Deutschland in einen sommerlichen Garten, in dem die deutschen Fahnen blühten. Das Verhältnis zum wesentlichen Symbol der Nation hatte sich entkrampft. Dies wurde nicht nur von der deutschen Öffentlichkeit überwiegend begrüßt, sondern auch in den ausländischen Medien. Ein Meer von schwarz-rot-goldenen Fahnen hat den Deutschland-Reflex von vielen Millionen Staatsbürgern sichtlich geschwächt – jenes Unbehagen, das sich unwillkürlich beim Auftauchen nationaler Gefühle und nationaler Symbole einstellte. Im Fußballsommer war davon nichts mehr zu spüren – und niemand zeigte sich überraschter als die Deutschen selbst.

Von Reflexen weiß man: Sie sind tief verwurzelt. Mit Willenskraft lassen sie sich nicht verhindern. Allenfalls kann man mit Vernunft gegensteuern, damit einem heftigen Impuls keine Handlung folgt. Der Deutschland-Reflex war für viele junge Menschen schwer zu ertragen – nicht weil sie Nationalisten gewesen wären, sondern weil sie spürten: Es gab dazu kein wirklich offenes Gespräch in ihren Familien. Sie erfuhren nur Andeutungen über die deutsche Vergangenheit, und dies produzierte Verwirrung und ein erneutes Schweigen. Letztlich hatte es zur Folge, dass viele junge Menschen sich nicht für die Geschichte ihrer Familie interessieren.

Heute stelle ich mir die Frage, wie sich die neue Unverkrampftheit im gesellschaftlichen Umgang mit dem Thema »deutsche Schuld« auswirken wird. Werden die Deutschen vergesslicher oder sogar noch verantwortungsbewusster werden?

Bislang waren vor dem Hintergrund des Wissens um die NS-Vergangenheit die Sensoren für den Erhalt unseres Rechtsstaats gut entwickelt. Das verdanken wir vor allem der Generation der Kriegskinder. Sie haben in der alten Bundesrepublik dafür gesorgt, dass das Wissen über den Nationalsozialismus und seine Massenverbrechen in den Schulen und Hochschulen und in den Medien verankert wurde. Die verantwortungsvolle Aufarbeitung der jüngsten Geschichte, die das Ansehen von Deutschland enorm gesteigert hat, ist ihr Verdienst.

»Kriegskinder für den Frieden«

Ältere Menschen treten zunehmend in der Öffentlichkeit auf, oder sie lassen sich als Zeitzeugen in Schulen einladen. Wenn Schülerinnen und Schüler anfangen zu begreifen, dass es nicht nur Schuld, sondern auch Leid gegeben hat, werden sie ihr Land, aber auch ihre Großeltern besser verstehen. Und nicht nur nach Bombenangriffen sollten die Schüler fragen, nach Vertreibung und Hunger, sondern auch nach den Erfahrungen in einer Diktatur bzw. in zwei Diktaturen. Einen besseren Schutz für unsere Demokratie gibt es nicht.

Als Zeitzeugen sind die Kriegskinder von unschätzbarem Wert. Das interessanteste Projekt scheint mir derzeit ein zentrales deutsches Kriegskinder-Archiv für die Forschung zu sein. Initiator ist der Förderverein »Kriegskinder für den Frieden«. Der von ehemaligen Kriegskindern gegründete gemeinnützige Verein setzt sich für die wissenschaftliche Friedensarbeit ein. Eine Videothek soll entstehen, ein repräsentatives Archiv mit Zeitzeugen-Interviews. Im Januar 2010 wurde damit in der Forschungsstelle für Zeitgeschichte der Universität Hamburg begonnen. 800 bis 1000 Interviews sind erforderlich, damit das Archiv interdisziplinär und international genutzt werden kann.

Jedes Interview kostet einschließlich seiner wissenschaftlichen Aufbereitung und Archivierung 2000 Euro. Der Verein »Kriegskinder für den Frieden« sowie die an diesem Großprojekt beteiligten Wissenschaftler hoffen nun auf die finanzielle Unterstützung aus den Reihen der deutschen Kriegskinder. Daher der Aufruf: »Spenden Sie mit 2000 Euro Ihr eigenes Kriegskind-Interview!« Aber auch Angehörige können einen Beitrag zur Friedensarbeit leisten. Wie oft wird vor dem runden Geburtstag eines älteren Menschen gefragt: Was sollen wir ihr oder ihm nur schenken? Da lohnt es sich über ein Kriegskind-Interview als Gemeinschaftsgeschenk nachzudenken. Kommt es zustande, gibt es natürlich auch eine Video-Kopie für das Familienarchiv.

Die Kriegskinder können selbst viel dazu beitragen, dass das Interesse am Schicksal der »vergessenen Generation« nicht mehr erlischt und die Wege zum Frieden geebnet werden.

NACHWORT (2004)

von Luise Reddemann

Vor einigen Jahren hielt ich einen Vortrag über Traumatherapie in Philadelphia. Die dortigen Kollegen fragten mich, warum ich Traumatherapeutin geworden sei, wegen meiner individuellen oder wegen der kollektiven Geschichte? Würde man mir hier in Deutschland eine solche Frage stellen? Ich denke eher nicht.

Wegen der kollektiven Geschichte, was heißt das überhaupt? Darf ich – selbst ein Kriegskind – wahrnehmen, dass es für die Kinder einen entscheidenden Aspekt gibt, der überhaupt nichts damit zu tun hat, dass es Hitler gab, dass die Deutschen den Krieg angefangen haben, sondern mit Verlassenwerden, mit Verlust der Heimat, mit Bomben, mit Hunger, mit Not, mit Scham, ein Flüchtling, also Außenseiter zu sein, mit der Verunsicherung der Eltern und dass sie keinen Halt geben können, zu tun hat, mit den alltäglich erfahrenen Nöten eines kleinen Kindes eben? Brigitte Lueger-Schuster aus Wien und ihre Arbeitsgruppe befassen sich mit Kindern aus dem Kosovo. Sie beobachten, wie sehr diese Kinder auf die Eltern achten, ihr eigenes Leiden verbergen, sich gut benehmen und keine Probleme zu haben scheinen. Brigitte Lueger-Schuster sagt: Die Kinder, die keine Probleme haben, das sind die, um die wir uns sorgen, diese braven, angepassten.

Waren wir nicht auch so brave, angepasste Kinder? Aufbegehrt haben wir viel später. Es stimmt, später haben wir gegen unsere Eltern gekämpft, aber wir haben uns nicht um das verlorene Kind in uns gekümmert.

In der Traumaforschung ist allgemein vieles in Bewegung,

und fast täglich kommen neue Erkenntnisse hinzu. Das Thema »Kriegskinder« ist im öffentlichen Diskurs wenig bekannt.

Es gibt verschiedene Gründe, warum kriegsbedingte Belastungen bei den deutschen Kriegskindern kaum wahrgenommen wurden. Der Hauptgrund hat wohl mit der Tatsache zu tun, dass die Bearbeitung dessen, was die Deutschen in der Nazizeit angerichtet haben, im Bewusstsein der Deutschen – und selbstverständlich ihrer Opfer – Vorrang hatte. Und das bleibt auch gültig, es ist nur logisch.

Dennoch: Wie jeder weiß, waren die Kriegskinder keine Täter. Wie kommt es, dass es uns bisher nicht möglich war, die Kinder aus deren eigener Perspektive zu betrachten? Es wird nötig sein, das zu tun, und dafür unternimmt Sabine Bode mit ihrem Buch einen bedeutsamen Schritt. Ich möchte eine Hypothese wagen: Man hat uns wissen lassen, dass unsere Eltern »Verbrecher« waren oder »Mitläufer«, jedenfalls keine »guten Menschen«. Es hat niemanden, auch uns selbst nicht, interessiert, was das dem Kind – später dem Kind in uns – ausgemacht hat. Wir haben das geschluckt. Wir waren verwirrt, und was wir auch dachten und taten, es war falsch. Wenn wir die Täterseite in unseren Eltern sahen, dann übersahen wir, dass sie auch Opfer waren, jedenfalls viele. Wenn wir die Opferseite sahen, dann übersahen wir ihre Täterseite.

Man braucht viel innere Arbeit, um beides innerlich auszuhalten. Wir, die Kinder der »Täter« und »Mitläufer«, müssen uns heute erlauben, aus der verinnerlichten Sippenhaft herauszutreten und unser eigenes Leben zu wagen. Wir haben uns durch diese verinnerlichte Sippenhaft eines Stücks unseres ureigensten Lebens beraubt. Und es scheint mir an der Zeit, dass wir uns dieses unser Leben zurückholen. Wir werden den Teil, der nicht zu uns gehört, innerlich unseren Eltern zurückgeben müssen und lernen, die Scham und die Trauer zu ertragen, dass sie nicht die Eltern waren, die wir uns wünschten.

In den vergangenen Jahren ist mir in meiner therapeutischen Arbeit immer deutlicher geworden, dass es zwar inzwischen möglich ist, sich mit individuellen Traumata zu beschäftigen, dass es aber ein gesellschaftliches Tabu ist, mit dem noch immer viele identifiziert sind, über die kollektiven Traumatisierungen, die der Zweite Weltkrieg und die Nachkriegszeit mit Hunger, Kälte und Vertreibung mit sich brachten, nachzudenken.

Der bekannte amerikanische Traumaforscher Peter Levine hat eine Liste von Traumatisierungen zusammengestellt, unter denen Kinder leiden können, auch wenn Erwachsene diese nicht als Traumata erkennen. Dazu gehören z. B. Hunger, Kälte, »Verlorengehen«, Umzug, und er spricht noch gar nicht einmal von Verlust der Heimat durch Vertreibung.

Wir wissen, dass psychische Belastung der Eltern für Kinder ein hohes Risiko bedeutet. Wie viele Eltern der Kriegskinder hatten eine posttraumatische Belastungsstörung?

Was geschieht, wenn das Kind täglich katastrophalen Kriegsereignissen ausgesetzt ist, wenn es miterlebt, dass andere, womöglich ihm nahestehende Menschen getötet und verstümmelt werden, dass Erwachsene, die Schutz bieten sollten, verschwinden, selbst dekompensieren und dadurch psychisch verschwinden? Je nach Alter wird dieses Kind mit Rückzug, Depression, Ess- und Schlafschwierigkeiten, übertriebenem Anklammern, Ängsten, Alpträumen, Einnässen und Einkoten, um nur einige Symptome zu nennen, reagieren.

Es könnte auch geschehen, dass dieses Kind während der traumatischen Erfahrung »abschaltet«, sich so verhält, als sei das alles nicht wahr, als geschehe es nicht wirklich, und dieser Zustand des Ausblendens der Wirklichkeit würde sich verfestigen, sodass auch der spätere Erwachsene Schwierigkeiten hätte, das Hier und Jetzt angemessen wahrzunehmen und einzuordnen.

Dieses Ausblenden der Gegebenheiten und einer angemessenen Auseinandersetzung mit dem, was geschehen ist, dürfte ein kollektives Problem des deutschen Volkes gewesen sein und sein. Margarete und Alexander Mitscherlich nannten es die »Unfähigkeit zu trauern«. Trauernkönnen setzt voraus, dass man stark genug ist, den Tatsachen des Lebens ins Auge zu schauen. Traumatisierungen setzen diese Fähigkeit herab oder ganz außer Kraft.

Zur Traumaforschung gehört ergänzend die Resilienzforschung, also die Beschäftigung mit seelischer Widerstandskraft und den Fähigkeiten, mit Schrecken fertigzuwerden. Es darf bezweifelt werden, dass das deutsche Volk über hohe Resilienz verfügte, was deren Vorkommen bei Einzelnen nicht ausschließt. So verwundert es nicht, dass die Verarbeitung des Terrorregimes und des totalen Krieges überwiegend im Sinne eines kompensatorischen Schemas und nicht einer Auseinandersetzung geschah.

Die Erkenntnisse der Traumaforschung sollte man auch auf deutsche Kriegskinder anwenden. Was müssen wir als Psychotherapeuten berücksichtigen? Zunächst müssen wir einmal klären, ob wir unsere eigene Geschichte ausreichend aufgearbeitet haben. Es gibt gute Gründe anzunehmen, dass dies nicht der Fall ist, selbst wenn wir gute Lehranalytiker hatten.

Und dann sollten wir als Psychotherapeuten gegenüber den Patienten eine offen fragende Haltung einnehmen in Bezug auf den Zweiten Weltkrieg, wenn der Ratsuchende zwischen 1935 und 1945 geboren wurde. Es sind eigentlich ganz einfache Fragen: Wo wurden Sie geboren? Wo war Ihr Vater, wo Ihre Mutter in dieser Zeit? Gab es dort, wo Sie geboren wurden, Bombenangriffe? Wo haben Sie nach dem Krieg gelebt? Dies sind nur einige der zentralen Fragen.

Später wird sich das vertiefen. Wichtig ist erst einmal, die Aufmerksamkeit auch und gerade auf diese Zeit zu lenken. Übrigens wissen einige Patienten darüber – bewusst – nichts, weil ja nie darüber gesprochen wurde.

Wichtig ist mir, dass wir offen sind für die individuellen Sichtweisen und Lösungen. So erzählte mir eine Freundin, ihr sei bewusst geworden, dass sie eine seltsame Reaktion zeige. Sie verteidige immer die Bahn, wenn alle auf sie schimpfen. Sie habe angefangen, sich zu erinnern, wie gut es war, wenn man damals auf der Flucht endlich im Zug war, auch wenn es eng war, aber dann kehrten Sicherheit, Ruhe, Entspannung ein. Sie ärgere sich nie, wenn die Bahn sich verspäte. Aber sie habe immer noch Angst auf dem Bahnsteig.

Wir müssen die gängigen Konzepte über Konfliktverarbeitung ergänzen durch die Erkenntnisse über existenzielle Konflikte, wie sie der Psychoanalytiker Peter Kutter bezeichnet, aber auch über Trauma und die Folgen von traumatischem Stress. Wir müssen mehr und mehr verstehen lernen, dass der Körper sich ganz unmittelbar erinnert und dies durch Schmerz ausdrückt. Wenn man den Schmerz des Körpers versteht und übersetzt, kann er aufhören, wehzutun. Eine Sechzigjährige klagt ständig über kalte Füße. Die Kälte erstreckt sich bis zur Mitte der Waden. Nichts hilft, bis sie sich erinnert, dass sie als Kind auf der Flucht bis zur Mitte der Waden in kaltem Wasser stand, in dem Boot nämlich, mit dem sie flohen. Als das erkannt und durchgearbeitet war, konnte sie ihre Füße und Unterschenkel langsam zurückgewinnen. Diese waren nämlich sozusagen im Eiswasser geblieben.

Traumatische Erfahrungen sollten imaginativ zu einem »guten Ende« gebracht werden. Damit meine ich, dass wir dem Kind in uns mitfühlend begegnen. Wir sollten ihm sagen, dass es recht hat mit seinem Schmerz, mit seiner Angst, mit seiner Verzweiflung.

Da für mich die Musik der größte Trost ist, ein Vergleich: Vielleicht ist es, als würde man ein Thema variieren und versuchen, wie die Melodie in Dur klingt, auch wenn die Moll-Tonart des Themas bleibt.

Psychotherapeuten, die auch früher schon bereit waren, Kriegstraumatisierungen zur Kenntnis zu nehmen, haben immer erfahren, dass es Zusammenhänge zwischen Erkrankungen und Leidenszuständen ihrer Patienten mit den durch den Krieg erlittenen Traumata gab. Sie erkannten auch, dass es für ein kleines Kind keine Rolle spielt, wer schuld am Krieg ist, sondern es leidet einfach darunter, dass der Vater nicht da ist und die Mutter in Angst und Panik, dass es hungert und friert. Wie mag es sich auf seine Seele ausgewirkt haben, dass nach dem Krieg seine Erfahrungen nicht zählten, weil es nach Meinung der Erwachsenen Wichtigeres und Schlimmeres gab?

Was geschieht, wenn dieses Kind erkennt, dass sein Vater ein »Täter« war, dass sein Volk entsetzliche Dinge getan hat – dieses Kind, das kein Mitgefühl mit sich selbst kennt?

Eine Möglichkeit wäre, alles zu leugnen; die andere, den Vater, die Eltern, zu verurteilen und zu attackieren, aber das Eigene weiter auszublenden. Zum umfassenden Mitgefühl für sich und andere wird dieser Mensch nur unter Mühen gelangen können.

Nach meinem Verständnis haben wir Deutschen sehr viel Zeit gebraucht, um dem Grauen begegnen zu können, dem Grauen in all seinen Facetten, nicht zuletzt wegen Mangels an heilsamer Resilienz.

Eine Facette ist das Schicksal der Kriegskinder, also der Generation der heute 58- bis 73-Jährigen. Man mag es beklagen, doch es hatte wohl seinen Sinn, dass das genaue Wahrnehmen und Hinschauen Zeit brauchte. Jetzt scheint die Zeit reif zu sein. Dieses Buch ist dazu ein wichtiger Beitrag. Ich wünsche mir, dass es die Auseinandersetzung mit der eigenen Geschichte bei den Betroffenen anregt und Mut macht, doch noch einmal genauer hinzuschauen.

Tiefes Mitgefühl mit anderen setzt Mitgefühl mit sich selbst voraus, doch daran haben wir lange nicht gedacht. Sabine Bodes Buch wird helfen, diesen Prozess anzustoßen.